La memoria

1221

Antonio Manzini

Le ossa parlano

Sellerio editore
Palermo

2022 © Sellerio editore via Enzo ed Elvira Sellerio 50 Palermo
e-mail: info@sellerio.it
www.sellerio.it

Questo volume è stato stampato su carta Arena Ivory Smooth pro-
dotta dalle Cartiere Fedrigoni con materie prime provenienti da
gestione forestale sostenibile.

Manzini, Antonio <1964>

Le ossa parlano / Antonio Manzini. - Palermo: Sellerio, 2022.
(La memoria ; 1221)
EAN 978-88-389-4299-0
853.92 CDD-23   SBN Pal0350193

CIP - *Biblioteca centrale della Regione siciliana «Alberto Bombace»*

Le ossa parlano

Sul finire del mese di aprile

Il tribunale penale era sporco e chiassoso, voci rimbombavano per i corridoi, sulle pareti giallognole restavano tracce di nastro adesivo che una volta sostenevano avvisi; avvocati seduti con pile di cartelle sulle gambe parlavano al cellulare, altri, capelli spettinati e sguardo allucinato, correvano come mosche da una stanza all'altra; i bagni alle dieci del mattino si erano già tramutati in cessi, la carta grigia e dura per asciugarsi le mani si disfaceva a contatto con l'acqua, qualche water era già otturato e l'urina sul pavimento di linoleum emanava un puzzo rancido e acido. Il caldo a Roma era arrivato con largo anticipo.

Rocco Schiavone aveva terminato il suo dovere di testimone nel processo del popolo italiano contro il primo dirigente di polizia Mastrodomenico, accusato di traffico di stupefacenti, organizzazione di banda armata, omicidio, spaccio. Vedere quel dirigente che l'aveva spedito ad Aosta, fiero del suo potere e delle sue influenze, sul banco degli imputati lo aveva lasciato indifferente. Mastrodomenico e Sebastiano, il suo amico di sempre, erano a capo di una banda armata, sulla quale Rocco aveva indagato nel 2007 e gli era costato la vita di Marina, e con lei la sua gioia e il suo futuro. Rischiava parecchi anni, il dirigente di polizia, e Rocco gli augurò di prenderne il più possibile. Gli dispiaceva solo che Sebastiano Cecchetti non stesse subendo lo stesso processo. Chissà dov'era, in quale paese senza estradizione aveva deciso di finire i suoi giorni. Sebastiano Cecchetti che per anni era stato in silenzio, tenendo nascosto il suo ruolo e uccidendo in Rocco quel sentimento di fiducia che lui riponeva negli amici.

Fuori dal tribunale il traffico era caotico. Il caldo e la puzza gli si appiccicarono sulla pelle come un foglio adesivo. Avrebbe voluto prendere un taxi e tornare in albergo a piazza Vittorio, nel tardo pomeriggio lo attendeva il notaio. Decise invece di fumarsi una sigaretta e togliersi quel sapore amaro lasciato dalla violenza burocratica della deposizione. «Quando ha conosciuto il dottore Mastrodomenico?» gli aveva chiesto il pubblico ministero.

«Verso il 2007, al tempo della nostra indagine sulla banda di Sandro Silvestrelli e Luigi Baiocchi».

«Presidente, il primo fu tratto in arresto all'epoca dei fatti, di Luigi Baiocchi invece si persero le tracce». Il magistrato aveva portato delle carte al tavolo del giudice. Rocco non aveva mai guardato negli occhi Mastrodomenico, sentiva invece che quello dalla sedia degli imputati cercava il suo sguardo.

«Lei fu trasferito ad Aosta?».

«Esatto, dottore. Nel 2012».

«Motivi?».

«Disciplinari» rispose Schiavone.

«Questo è lo stato di servizio del vicequestore, presidente», e il piemme era tornato dal giudice, «come si può notare è un curriculum di tutto rispetto».

A Rocco era venuto da ridere. Poi le domande si erano concentrate su Sebastiano Cecchetti, sulla loro amicizia, sull'arresto e l'omicidio di Enzo Baiocchi, e infine il ritrovamento del dossier che inchiodava Mastrodomenico.

«Era a conoscenza della partecipazione, diciamo così, del Cecchetti all'organizzazione messa su da Mastrodomenico?».

«No. Sebastiano... mi scusi presidente... il Cecchetti per me era un amico d'infanzia. Per colpa della banda messa su da Mastrodomenico, come ha appena detto lei, io ho perduto mia moglie. E questo da un amico uno non se l'aspetta».

Sentiva le sue parole rimbombare al microfono come se non fosse lui a parlare. Il marmo grigio che rivestiva le pareti del tribunale gli sembrava quello di una macelleria. E in fondo, pensò, le due attività non erano poi così lontane.

«Lei è a conoscenza di dove si trovi il Cecchetti?» gli chiese il pubblico ministero. Avrebbe voluto saperlo, non per andare a compiere una vendetta, gli sarebbe piaciuto guardarlo negli occhi, sputargli in faccia, quello sì, e ricordare per sempre la saliva che sarebbe colata giù per le guance fino a impregnargli la barba. Quello sarebbe rimasto di Sebastiano, uno sputo che gli insozzava la faccia. «No dottore, non ne ho la più pallida idea».

Si era voltato. La sala era semivuota, ma era impossibile non notare l'uomo che lo fissava da quando si era seduto e regolato il microfono alla giusta altezza per parlare. Aveva gli occhi nocciola accesi come due quarzi, la bocca grande e senza labbra, magro con le spalle grosse, sui 60 anni, i capelli d'argento. Sphyraena barracuda, l'aveva catalogato Rocco, l'enorme cacciatore dei mari subtropicali dotato di un morso fatale.

«Ci riassuma la vicenda del 2007» gli avevano chiesto.

Ci mise un'ora e venti minuti.

Sudato e provato Rocco era stato congedato, e solo allora alzandosi aveva guardato Mastrodomenico. L'ex poliziotto aveva gli occhi rossi e senza vita, sconfitti. Pallido, un leggero tremolio alla gamba, tutto si sarebbe aspettato tranne che finire su quella sedia. Rocco accennò a un sorriso, quello fece una leggera smorfia. Gliel'aveva detto mesi prima: «Conosco molta gente convinta di fare una grigliata che poi s'è trasformata in una bistecca».

Gettò la sigaretta. Stava per attraversare la strada quando la vide avvicinarsi. Camminava guardando per terra e tenendosi stretta la borsa come se avesse paura di subire uno scippo. Caterina Rispoli, il viceispettore Rispoli, la donna che gli aveva svelato la verità su Sebastiano, era stata chiamata a deporre allo stesso processo. Rocco se l'aspettava, sperava nel caos del tribunale per evitare l'incontro, ma quella alzò lo sguardo. Erano passati due mesi da quando ad Aosta erano finiti di nuovo a letto e Rocco aveva giurato che non sarebbe successo mai più.

«Ciao...».

«Ciao Cateri'».

«Com'è andata?».

«Più di due ore».

«Spero che per me duri di meno. Devo solo spiegare quel dossier».

«Me la togli una curiosità?».

«Certo».

«Ancora in divisa?».

Caterina sorrise soltanto, poi lo superò e si diresse verso l'entrata del tribunale.

Il notaio leggeva l'atto di compravendita, Rocco Schiavone guardava l'ufficio coi mobili scuri di legno intarsiato, pesanti e senza tempo, e la carta da parati a strisce. Si soffermò su un quadro, ritraeva due gusci a vela fermi al centro del golfo di Napoli. I signori Guazzetto avevano gli occhi eccitati, innamorati dell'attico a Monteverde Vecchio non avevano trattato sul prezzo. Accanto a loro, il responsabile della banca controllava tutti i passaggi dell'accordo su un palmare che rifletteva la luce azzurrognola sugli occhiali da vista. La cantilena durava da più di mezz'ora, la voce del notaio, un uomo piccolo e rotondo in camicia a righe bianche e blu, i capelli lunghi fin sotto alle orecchie ma pelato sulla sommità della testa, salmodiava formule, nomi e articoli sotto la luce fredda del lampadario centrale di vetro bianco con foglie azzurre tenuto al soffitto da una catenella dorata.

«Le parti concordano fin d'ora...».

C'era polvere sulla libreria bassa di legno. Rocco continuava a guardare lo studio, tomi con le coste dorate racchiudevano diritti e procedure, la pelle della poltrona sembrava riscaldarsi e le mutande gli pizzicavano all'altezza dell'inguine, l'elastico dei calzini stringeva i polpacci peggio di un laccio emostatico.

«La parte promettente acquirente si impegna...».

Ebbe voglia di una sigaretta, uscire in strada, camminare senza meta per la città e sbarazzarsi dei pensieri che lo funestavano da giorni. Si fissò a osservare i piccoli schizzi di saliva che il notaio spruzzava per ogni labiale che pronunciava. La signora Guazzetto teneva le mani sotto il tavolo, come se tramestasse qualcosa fra la gonna e la borsa sulle ginocchia. Il marito invece giocherellava con una penna. Aveva la fede e un bell'orologio di acciaio. Lui era del '59, lei del '60, come da generalità rilasciate sul contratto di acquisto. Sarebbero invecchiati loro in quella casa al posto suo e di Marina. E gli venne da sorridere. Chissà dov'erano i coniugi Guazzetto il giorno che avevano sparato a Marina. L'avevano letto l'articolo di quell'omicidio sul «Messaggero»? Avrebbero mai immaginato che, quasi sette anni dopo, avrebbero comprato l'appartamento di quella donna uccisa davanti alla gelateria nel quartiere Trieste? E così in fondo, pensava Rocco. I binari dell'esistenza si incontrano e si dividono senza lasciare neanche una traccia del loro coincidere. Al contrario dei vestiti di chi non c'è più. Era stata l'impresa più difficile liberarsi degli abiti di Marina appesi nell'armadio, che lui aveva imbustato e lasciato lì per anni. Li aveva tolti, uno per uno, liberati dall'involucro di plastica per cercare di ricordarsi dove e quando sua moglie li avesse indossati l'ultima volta. Li avvicinava al viso ma non avevano più l'odore di Marina. Poteva darli in beneficenza, a qualche amica della moglie, ma non sopportava l'idea che un'altra donna potesse indossarli. E le scarpe. Qualcuna portava una leggera impronta del piede nella soletta. Su un paio di sandali estivi era riuscito a contare le dita. Aveva portato tutto in campagna, insieme a Brizio e Furio, e li aveva bruciati. Mentre il fuoco divorava tessuti e cuoio, avevano fatto un brindisi in silenzio guardando il fumo che si alzava verso il cielo. «Che Sebastiano ce se compri le medicine con tutti i soldi che s'è portato all'estero» aveva sentenziato Furio mentre le fiamme alte gli coloravano il viso e rilucevano nelle pupille.

«Amen» aveva risposto Brizio.

Di tutta la mobilia, Rocco aveva salvato solo il piccolo specchio che Marina usava per depilare le sopracciglia o togliere il trucco. In quell'ovale di vetro ci si era specchiata tante volte, e tante volte l'aveva osservata dal letto mentre lei in maglietta e pantaloni del pigiama, concentrata sull'operazione, continuava a chiacchierare del film appena visto, della cena noiosa trascorsa a casa di qualcuno, delle condizioni di salute dei suoi genitori, e Rocco immaginava che, se avesse guardato bene, dietro i bordi, avrebbe trovato ancora il viso di sua moglie, convinto che la vita negli specchi continua una volta abbandonata quella terrena.

«Ora per cortesia siglate ogni foglio e per esteso alla fine del contratto...».

Si strinsero le mani, Rocco intascò tre assegni circolari, non provò nulla quando lasciò le chiavi nelle mani dei Guazzetto, solo si tenne il portachiavi che aveva comprato con Marina a Aix-en-Provence, tanti anni prima, una cicala gialla e nera. «Vi auguro di essere felici in quella casa, come lo sono stato io» si limitò a dire. Strinse la mano del notaio, dell'uomo della banca, dei nuovi proprietari del suo attico e scese in strada, nel quartiere Prati di Roma, non lontano dal Palazzaccio con le macchine che ci giravano intorno come predatori. C'era ancora una bava di sole. Guardò l'ora. Con il taxi avrebbe raggiunto i suoi amici a Trastevere, a *Roma sparita*, il loro ristorante preferito, ma era in largo anticipo e decise di andare a piedi. Arrivato a Ponte Sant'Angelo gettò un'occhiata a San Pietro, a metà si fermò per appoggiarsi al parapetto e guardare via della Conciliazione, il Tevere, Ponte Vittorio Emanuele e si rese conto di non avere più nessun legame con quella città, solo una scritta sulla carta d'identità: nato a Roma. Chissà dove stirerò le zampe, si era chiesto.

Brizio e Furio già seduti lo accolsero con un sorriso. «Stai imbottito, eh?» fece Furio. Rocco si batté per due volte la mano sul cuore, dove teneva il portafogli. «Allora... alla vendita andata in porto», e sollevò il bicchiere subito imitato da Brizio. Rocco si sedette e si unì al brindisi.

Mangiarono e parlarono. Di Stella, la fidanzata di Brizio che voleva convolare a nozze, del nipote, Luciano, che a 17 anni era una spina nel fianco, della bravura di Brizio ad aver trovato due compratori così entusiasti. Quando a tavola il cameriere portò l'acqua, il vino e il pane Furio raccontò del progetto di aprire un centro estetico insieme a dei soci dalle parti di via Bruno Buozzi. Poi, alla seconda bottiglia di vino, affrontarono l'argomento, il chiodo fisso che da mesi s'era incistato nei loro cervelli.

«Quanto je danno a Mastrodomenico?» esordì Furio.

«Non lo so. Spero il massimo della pena».

«Sui giornali ne parlano parecchio. Pare che interessi pure alla Camera».

«Meglio così, Furio. Se vogliono dare un esempio e ce casca dentro quell'infame, tanto di guadagnato».

«Non è l'unico infame però» aggiunse Brizio. «Quell'altro non prende un anno». Si riferiva a Sebastiano.

«Già, io ancora non ci posso pensa'» fece Furio guardando la tovaglia. «Sebastiano era un Giuda traditore, un infame, 'na merda e deve mori'» disse fra i denti. «Non me ne frega un cazzo che siamo stati amici per tutti questi anni, Rocco, io lo vado a prende co' le mani mie e lo lascio lì».

«Ancora? A che serve, Furio?».

«Serve Rocco, che la notte ricomincio a dormi'. Ma te rendi conto? Ti ha tradito, ci ha traditi anzi, per colpa sua è morta Marina, era alleato con lo sbirro...».

«Ci ha rimesso Adele, però».

«Non me ne frega un cazzo! All'epoca doveva parla'!».

«E così se n'andava in galera? Che ne sapeva che avrebbero tentato di ammazzarmi e che ci sarebbe andata di mezzo Marina? No, Furio, Sebastiano s'è comportato come doveva comportarsi. E dopo Marina non ha avuto più il coraggio di dire niente. Lo capisco».

«Lo capisci?» urlò Brizio.

«Sì Brizio, lo capisco. Non lo giustifico, ma lo capisco».

«Che prendiamo?» fece il cameriere che era apparso alle spalle di Rocco.

«E che dovemo prende? Cacio e pepe».

«Vado». Il cameriere sparì, gli occhi di Furio e Brizio erano puntati su quelli di Rocco. «Secondo te lo dobbiamo lasciare lì dov'è? A godersi i soldi?».

«Non se li gode. Magari i primi mesi, fra un po', quando se sarà abituato al mare, al sole, comincerà a soffrire. Esiliato. Mi ci gioco quello che vuoi».

«E tornerà?».

«Non lo so, se lo fa non da noi... di questo puoi stare certo».

Furio si accese una sigaretta. Brizio si lasciò andare sulla sedia. «Insomma non famo niente?».

«Io direi di no. È andata così. Ma che credi, che mi faccia piacere? Che so' contento? Brizio, Seba era un pezzo della nostra vita, ma una volta me l'hai detto pure tu, io so' guardia e lui è bandito e prima o poi i nodi sarebbero arrivati. E so' arrivati».

«Pure noi semo banditi, Rocco, ma prima viene l'amicizia».

«Per Seba no, quella veniva dopo, mi sembra chiaro, no?» concluse Furio.

«In giro si sa?» chiese Rocco.

«In giro se sa tutto, Rocco. E diciamo che qua a Roma Sebastiano Cecchetti non ce mette più piede».

«Diventerà ossa in Giamaica... polvere e ossa».

«Quando sarà l'ora sua, Furio» fece Rocco alzando il bicchiere. I due amici tentennavano. «Oh! Ho detto quando sarà l'ora sua! Niente cazzate!» insisté il vicequestore. Malvolentieri Furio e Brizio sollevarono i calici.

«Quando sarà l'ora sua» dissero alla fine in coro.

Passeggiavano per Trastevere, in mezzo a quei vicoli luridi c'erano nati e diventati uomini. Evitarono di passare davanti casa di Sebastiano, chiusa e senza vita. Si sapeva che l'avrebbe presa un nipote, un figlio di una cugina, ma a nessuno dei tre in realtà interessava conoscerne il destino. Ogni tanto salutavano un negoziante, un meccanico, una signora anziana. «Donna Cesira, come va a casa?» chiedevano. «A Bruno mio je devono fa' la scintigrafia. Speramo bene!». «Donna Cesi', vostro marito ce seppellisce a tutti». «Se continuate a fa' i banditi, sicuro!». C'erano turisti ovunque, Roma era presa d'assedio da quella torma colorata e sudata che lordava strade e monumenti. «Che poi ce magnano quattro società in croce su 'sti burini che vengono a vede' statue e fontane, noi solo a paga' la zella che lasciano» esplose Furio che detestava quelle mandrie con tutto se stesso. «Colosseo, fori, musei, tutti in mano ai privati che s'arricchiscono coi beni statali, che poi so' li nostri... l'ho visto su *Report*, in televisione, 'no schifo!». Rocco e Brizio non potevano dargli torto. «Che fai, torni ad Aosta?» gli chiese Brizio.

«Sì, qui ormai non ho più niente da fare».

«Te compri un appoggio?».

«No Furio, se proprio devo venire, prendo un albergo», e gettò un'occhiata alla piazza. «'Sta città m'ha cacciato e a tornarci non vedo il motivo».

«Magari vieni a trovare gli amici».

«Magari, sì...».

Arrivò all'albergo sotto i portici di piazza Vittorio. Davanti all'entrata sontuosa del Napoleon un uomo poggiato alla colonna sembrava aspettare qualcuno. Rocco lo riconobbe subito. Era il barracuda, quello che assisteva al processo. Il vicequestore lo superò. «Dottor Schiavone...» si sentì chiamare. Si voltò. Gli occhi nocciola dell'uomo sembravano brillare. «Non ci conosciamo».

«L'ho vista in aula».

Quello annuì.

«Interessato al processo?».

«Non sa quanto... sarà stanco, ma mi piacerebbe fare quattro passi».

Rocco sorrise. «Verso piazza Dante?» gli chiese, dov'era la sede dell'AISI. Quello rispose al sorriso spalancando la bocca e mostrando i denti. «No, quale piazza Dante. Andiamo verso Colle Oppio».

Il quartiere a quell'ora era già deserto. Pochi i locali, al contrario dell'Esquilino. Le due zone erano divise da via Merulana e da quattromila euro al metro quadrato. Colle Oppio era carico di profumi primaverili, fra poco le magnolie avrebbero tirato fuori i loro fiori bianchi. Passarono accanto a un monastero di suore, sul muro crepato dal tempo s'aggrappava una pianta di capperi. «Mi piace qui» disse il barracuda. «A cento metri dal Colosseo eppure così silenzioso», poi alzò un dito. «L'ha mai viso il Mosè lì dentro?».

«Sicuro. Ha a che fare con la nostra chiacchierata?».

«No, Schiavone, era giusto per dire».

«Lei conosce il mio nome. Sarà il caso che mi comunichi il suo?».

«Al tempo. Lei ha già capito chi sono, sbaglio?».

«A grandi linee. E invece lei di me sa tutto?».

«Tutto tutto, no» fece il barracuda, poi si infilò una mano nella tasca della giacca e tirò fuori un pacchetto di sigarette. «Vuole?». Rocco accettò, l'uomo le accese. «Diciamo che io di lei so quanto basta. Mi creda, Schiavone, non vengo a rivangare il passato. Non sono interessato, non è il mio obiettivo. Guardo più al futuro. Lei al suo ci pensa?».

«No».

«Male. Il passato è un morto…».

«… senza cadavere» concluse la citazione Rocco, «ma ne ho visti troppi nella vita per poterle dare ragione».

«Vorrei che lei mi considerasse un amico».

«Difficile se non so neanche come si chiama».

«Dico sul serio». Il barracuda arrestò la camminata. Fece l'ultimo tiro alla sigaretta e poi la schiacciò sotto il tacco. «Io potrei esserle utile, e lei potrebbe essere utile a me».

Rocco lo guardò. «Di che cazzo stiamo parlando?».

«Gliel'ho detto. Del futuro. Lei è ad Aosta, fa il suo lavoro, si annoia, odia il freddo, si trascina giorno per giorno, ogni tanto trova una bella compagnia femminile... detto fra noi bel colpo la giornalista... insomma, vivacchia. Se durante questo suo vivacchiare avesse voglia di un cambio di passo, io sono l'uomo che fa per lei».

«Guardi dottore, la ringrazio per l'offerta, ma lei, non se la prenda a male, puzza di guai da centinaia di metri e io quelli li vado evitando».

«E qui si sbaglia. Io i guai non li porto, li risolvo, semmai».

Rocco riprese a camminare. «Perché io?».

«Perché lei è bravo. Si fa i fatti suoi, non parla, non tradisce, tutte caratteristiche importanti per me. E ha già sulla coscienza un omicidio».

Si era alzato un refolo di vento che scompigliò i capelli a tutti e due. Il barracuda se li aggiustò con una carezza. Rocco gettò la sigaretta. «Lei conosceva Sebastiano Cecchetti?».

«Sono quello che ha portato Mastrodomenico davanti ai giudici, Schiavone».

«Lei ha già la mia simpatia».

«Allora su di lei posso contare? Solo se e quando serve», e allungò la mano. Rocco gliela strinse. «Pietro Rakovic».

«Il mio nome lo sa già».

«Come sarà il clima ad Aosta? Primaverile?».

«Lo spero ma non ci conto».

«Buon rientro» disse Rakovic e si perse nelle strade di Colle Oppio.

Ad Aosta era ancora inverno. Un grecale assassino ammucchiava le nuvole, le incastrava fra i picchi delle montagne per poi spazzarle via, indeciso, compulsivo e frenetico, ma almeno regalava ogni tanto sprazzi di sole. In alto le cime sembravano coperte da guanciali di neve. Dalle coste dei massicci l'acqua scendeva continua e rumorosa e i tronchi degli alberi erano neri come stecche di liquirizia. Ma ormai Rocco non osservava più il panorama, si limitava a viverci dentro, come in un dipinto di un paesaggio dove le persone sono poco più che macchie oscure senza volto. Aveva messo lo specchio di Marina in salone, sopra la libreria. Lo aveva pulito e lucidato la cornice. Alle dieci del mattino la piazza era deserta, c'era solo qualche pensionato, un postino, due militari e lui. Deruta gli aveva tenuto Lupa per i giorni trascorsi a Roma, la pancia era cresciuta e la cagnolona camminava con qualche difficoltà. «Mentre quer fijo de 'na mignotta di Zanna se ne va beato in giro» aveva detto Rocco carezzando il suo cane. Deruta e Federico si erano sentiti in colpa, il lupo cecoslovacco era colpevole di quella situazione come una mina antiuomo. «Sono felice. Lupa farà dei cuccioli bellissimi. Certo la razza sarà incerta».

«Io propendo per un lupo Saint-Rhémy-en-Ardennes dei Carpazi occidentali» aveva detto Federico il panettiere, e tutti e tre erano scoppiati a ridere.

«Ettore, un caffè serio» gridò Rocco appena dentro al bar centrale.

«Che differisce dagli altri per...?» gli chiese il proprietario con un tono a metà strada fra il polemico e il curioso.

«Per cremosità, calore e amore» rispose Rocco. Lupa come sempre si era nascosta sotto il tavolino all'ingresso.

«Vuole una brioche?».

«No» rispose Rocco. «Solo un caffè, sempre tu sia in grado di farlo».

Ettore non rispose, mollò la tazzina sul bancone e tornò a leggere il giornale. «Cosa le preparo?» gridò dopo un momento. Rocco non capì con chi l'avesse, si voltò. A un metro da lui c'era Sandra. «Un caffè, doppio per favore, Ettore».

«Subito pronto», l'uomo posò il giornale. «A lei lo faccio serio dottoressa, differisce dagli altri per cremosità, calore e amore».

«Vaffanculo Ettore» disse Rocco mentre quello, di spalle, rideva e caricava la polvere nel braccetto. Sandra lo baciò sulla bocca. «Che si dice?».

«Niente. Tutto molto tranquillo».

«Com'è andata a Roma?».

«Benissimo. Sono più ricco di un milione di euro. Spicci, se penso alla tua famiglia».

«Devi tornare al processo?».

«Per ora non credo».

«Ecco il caffè. Lo prende qui al banco dottoressa o preferisce starsene per i fatti suoi al tavolo in sala?».

«Lo prendo qui, grazie».

«Chi è causa del suo mal...». Ettore tornò al giornale.

«Ettore, oggi siamo un fuoco d'artificio» gli disse Rocco, ma quello non rispose. Sandra mise mezza bustina di zucchero. «È stata difficile?».

«Ogni volta che devi rimestare nel passato lo è. No?».

Sandra non disse niente. Non è che le mancasse una risposta, preferiva lasciare cadere l'argomento.

«Anche tu hai l'aria molto stanca».

Sandra si aggiustò una ciocca di capelli. «Io e il parrucchiere ti ringraziamo del complimento...», e bevve un sorso di caffè. «Comunque sì, hai ragione, non dormo molto».

«Fatti una vacanza» le disse Schiavone.

«Ci verresti?».

«Perché no...», posò la tazzina. «Vado in ufficio...», la baciò rapido. «Ci vediamo, Ettore!».

«Se non spengono la luce sicuro!».

«Levateje er vino a quello. Andiamo Lupa». La cagna uscì dal nascondiglio. Sandra li guardò andare via. Rocco camminava veloce, Lupa con qualche difficoltà seguiva il padrone.

Prese le cartine, sbriciolò l'erba in un pizzico di tabacco, rollò la sigaretta, l'accese e si mise a scarabocchiare sul retro dei fogli di servizio. Volti, occhi, nasi, teste di cani, ragnatele, pensava a Caterina, non sapeva se rincontrarla davanti al tribunale gli avesse fatto piacere oppure no. Poi il viso di Caterina si trasformò in quello di Sandra. Si frequentavano da Capodanno e non erano mai riusciti a fare l'amore. Per un incidente o un acciacco, sul letto finivano sempre per addormentarsi. Invece con Caterina che non vedeva da più di un anno, la sera che gli aveva portato la notizia del tradimento di Sebastiano, era stato semplice e quasi naturale. Vorrà dire qualcosa?, si chiese. Con Sandra non riusciva a essere rilassato, come se ci fosse una distanza fra i loro corpi impossibile da accorciare. Perché? Sandra era istintiva, diretta e spontanea per strada o in un bar, nell'intimità invece era silenziosa, ombrosa e riservata. Tutto il contrario di Caterina. «Se so' normali non ce piacciono» disse Rocco a Lupa. «Dovrei imparare da te Lupacchio'... ti piaceva Zanna e zac! Fatto! Senza fronzoli, diretti e poche storie». Ma sapeva che c'erano centinaia di romanzi che si erano interrogati sui combattimenti dell'animo fra due amanti, gli allontanamenti voluti o cercati, i motivi che impedivano loro una serenità di rapporto. L'amore per il figlio della famiglia nemica, per la donna già promessa sposa, per la moglie del principe festaiolo o per il giovane marito della nobile vedova, per l'attrice squattrinata o lo scrittore con le scarpe rotte. Ma forse il problema era tutto lì. Rocco non era innamorato.

Si affacciò alla finestra e gettò il mozzicone sul tetto della sporgenza che proteggeva l'ingresso della questura. Si era di nuovo riempito di cicche, prima o poi gli sarebbe toccato scavalcare il davanzale per andarle a recuperare. Lupa accomodata sul divanetto di pelle si leccava una zampa. «Come stai tu?» le disse chinandosi per carezzarla. «Quanti me ne spari fuori?».

Un colpo incerto alla porta annunciò l'arrivo di Deruta o D'Intino. «Avanti!» gridò Rocco. Era Michele Deruta. «Buongiorno dotto'».

«Buongiorno. Ancora grazie per Lupa. Come sta tuo marito?» gli chiese.

«Mah... Federico ha una brutta febbre».

«E allora ti tocca il panificio?».

«Per ora c'è il ragazzo, Berardo, dà una mano lui. Io do solo una controllatina... e come sta la nostra lupacchiotta?». Si avvicinò al cane. «Che bel pancione che abbiamo, vero?».

«Casomai che ha lei, Michele, non che abbiamo!» lo corresse Rocco. «Il pancione ce l'ha Lupa mentre il vostro Zanna Bianca se ne va in giro tranquillo e felice senza un minimo di responsabilità».

Deruta abbassò gli occhi. «Lo so, dottore, solo che... guardi, io e Federico le saremo vicini quando...».

«E vorrei vedere! Ora sei venuto solo a fare una visita alla primipara o hai qualcosa da comunicarmi?».

Deruta divenne serio e a Rocco non piacque per niente quello che lesse sul viso dell'agente.

«Nei boschi vicino Saint-Nicolas, stamattina...».

«Dov'è non me ne frega un cazzo, tanto non so dove sia. Dimmi, di che si tratta?».

«Ossa» rispose Deruta.

Antonio Scipioni, Ugo Casella e Italo erano già sul posto. Avevano delimitato la scena con un nastro rosso, un uomo con una piccozza di legno intagliato se ne stava seduto su una roccia poco distante.

«Allora, che abbiamo?».

«Secondo me un casino, dotto'» intervenne Casella. «L'ha trovato lui», e indicò l'uomo con la barba seduto in disparte, silenzioso, mentre teneva le mani sulla bocca e ci aveva poggiato il mento. Le scarpe erano decorate con strisce fluorescenti, come i pantaloni e la giacca a vento, sembravano dei catarifrangenti. «È dell'Anas?» chiese Rocco.

«Quale Anas, è vestito con indumenti tecnici».

«Italo, a me pare uno dell'Anas». Sorpassò la fettuccia di plastica e guardò a terra in mezzo a due cespugli un osso lungo una decina di centimetri, mezzo interrato, marrone scuro. «Potrebbe essere un animale, no?».

«No» fece Antonio. «Guarda bene una ventina di centimetri alla tua destra».

Rocco mise a fuoco stringendo le palpebre e notò dei piccoli ossicini. Ne contò sei. «Cos'è?».

«Falange distale del pollice e ossa metacarpali» rispose Antonio Scipioni.

«E da quando studi anatomia?».

«Quel tizio è un medico... le ha riconosciute subito».

Rocco alzò gli occhi al cielo.

«Sì», Italo interpretò il pensiero di Rocco, «sono d'accordo, è una rottura di coglioni di decimo livello».

«Non sfiorate niente. Qui tocca chiama' la Gambino...». Rocco si allontanò col cellulare. «Ossa... porca troia...» mormorò mentre digitava il numero.

Michela Gambino era nel suo ufficio del piano interrato, i magazzini della questura che lei aveva riadattato a laboratorio della scientifica. Lì il cellulare non prendeva, per le telefonate urgenti si doveva chiamare la portineria che avrebbe avvertito un agente che sarebbe infine sceso a chiamare la donna quando quella era impegnata in analisi, studi e ricerche. Il motivo era semplice. Sotto le tonnellate di cemento nessuno l'avrebbe potuta spiare, perché Michela Gambino era convinta di essere, come tutti a suo dire, controllata dai poteri forti tramite cellulare, bancomat, portatili e spesa alla Coop. Quest'ultimo sospetto non lo aveva ancora spiegato ai colleghi, ma certo era che Michela Gambino acquistava solo in piccoli negozietti evitando supermercati e centri commerciali. Bussarono alla porta a vetri del suo studio. Presa a guardare nelle ottiche di un microscopio, si voltò e dall'altra parte del cristallo vide l'agente D'Intino cui era tassativamente negato l'accesso al laboratorio. Che vuoi?, fece la Gambino con la mano a becco. D'Intino si portò la mano a cornetta all'orecchio e alla bocca e sillabò: «Schia-vo-ne!».

«Vat-te-ne!» rispose la Gambino, facendosi intendere col labiale.

«Che – fa – sa-le?».

«Non – so-no – fat-ti – tuoi».

Si tolse il camice, i guanti usa e getta, le soprascarpe, aprì la porta. «Non entrare!» intimò all'agente abruzzese che spaventato rimase attaccato al muro. La pesante doppia vetrata si richiuse e finalmente Michela Gambino salì le scale verso la portineria. «La prossima volta...» azzardò D'Intino, ma la sostituta lo bloccò. «Non ci sarà, tu giù da me non scendi più! E non rispondere, non intendo intavolare con te alcun tipo di dialogo».

«Che succede, Rocco?».

«Faccenda delicata...».

«Percepisco del vento... sei all'aperto?».

«Bosco intorno a...», poi lo sentì urlare. «Ugo dov'è che stamo qui?».

«Vicino Saint-Nicolas!» gridò in risposta Casella.

«Hai sentito Michela? Saint-Nicolas».

«E allora?».

«Ci sono ossa».

«Umane?».

«Umane...».

Michela sputò fuori tutto il fiato che aveva trattenuto. «Rocco, mi devi dare un'oretta almeno. Qui la faccenda è camurriosa assai. Non basto».

«Non basti?».

«No. Qui deve venire un'archeologa, e ce l'ho, un botanico e pure quello ce l'ho, poi servirà un patologo forense, ma a quello ci pensa Alberto, che mi porto dietro...».

«Un'archeologa?».

«Poi ti spiego. Non toccate niente per carità... Fra un'ora, al massimo due, sono lì», e chiuse la telefonata. Poi tirò fuori dalla tasca il cellulare e compose un numero. «Sara? Sono Michela... quanto ci metti a venire qui? Sì... mi serve pure Filippo... non c'è? Chi abbiamo in università? Cleo va benissimo! Vado dal questore, fate in fretta... arrivo sul luogo e ti mando la posizione con Google... no tranquilla, uso un numero criptato... che ridi? Fidati che è meglio!». Eccitata come una bambina salì le scale verso l'ufficio di Costa.

«Sottoposti? Statemi a senti'!». Rocco attirò l'attenzione degli agenti. «La Gambino prima di un'ora non arriva. Allora che facciamo?».

Casella e Antonio guardavano Rocco in attesa di ordini, Italo fumava, i pensieri lontani, chissà dove.

«Il vostro vicequestore se ne torna in ufficio. Invece voi tre restate qui e non fate avvicinare nessuno. Avete una plastica, una coperta, qualcosa per coprire il luogo in caso di pioggia?».

«Sì, in macchina ho i teli, dovevo ridipingere il cesso» fece Antonio.

«Bravo, mettili a disposizione delle autorità, che poi saremmo noi. Buon lavoro».

«Posso venire con te in questura?» chiese Italo.

«No, resti qui e fai il dovere tuo...».

Italo fece una smorfia di disappunto. Rocco si avvicinò all'uomo ancora seduto sul pietrone. Scuoteva la testa. «Salve. Vicequestore Schiavone».

«Corrado Salati, piacere».

Lo scrutò in viso. Si sforzò di trovare qualche somiglianza ma non gli ricordava nessun animale.

«L'ha scoperto lei?».

«Sì. Passeggio spesso da queste parti, da quando sono in pensione».

«E c'era già passato di qui?».

«Sempre. Vede?», indicò un sentiero. «Di lì si arriva alla strada dove parcheggio, io abito giù a Leverogne».

«E non l'aveva mai notato?».

«No, ma forse, ho pensato, tutta la pioggia che ha fatto nei giorni scorsi...».

«Eh già, la pioggia. Va bene, lei può andare, dia per favore i suoi dati al viceispettore che è quello appena andato in macchina a prendere un telo, e torni pure a casa».

«È un bambino» disse all'improvviso. A Rocco si gelò il sangue. «Come fa a dirlo?».

«Basta guardare le ossa metacarpali. Un bambino, al mille per cento».

«Un bambino?» ripeté Rocco, come se non avesse digerito la notizia. Corrado Salati si alzò. «È terribile» mormorò. Poi lento, come se gli anni gli fossero piombati addosso tutti nello stesso momento, si avvicinò ai poliziotti trascinando i piedi. Rocco rimase a guardare il luogo del ritrovamento, alzò gli occhi al cielo, vide solo le cime degli alberi.

«Sì lo so, è passata la Gambino, ha messo su una task force per scavare le ossa» disse Costa mentre attraversava l'atrio della questura seguito da Rocco.

«Ma quello che non sa è che pare lo scheletro appartenga a un bambino».

Il questore si bloccò davanti all'ascensore. Si mise la mano davanti alla bocca. «Ne è certo?».

«I resti li ha trovati un ortopedico in pensione».

Costa guardò Rocco negli occhi. «E qui sono cazzi, Schiavone!».

«Ma belli grossi, dottor Costa».

Il questore gli mollò una pacca sul braccio e si allontanò. Rocco restò solo in mezzo al corridoio. Non aveva altro da fare se non aspettare i risultati della Gambino. Uno scheletro significava giorni di ricerche per risalire all'identità, operazione che non sempre andava a buon fine, stabilire la data della dipartita, e soprattutto il motivo. Confidava però nella pignoleria di Michela Gambino. Che si trattasse di omicidio per Rocco era una certezza. Il corpo era sotterrato, dunque il bimbo o la bimba non si erano perduti per poi morire di freddo in mezzo agli alberi, a poche decine di metri da una strada bianca. C'era la mano di un figlio di puttana e quel pensiero scese dal cervello fino al petto gonfiandogli i muscoli e facendogli stringere i pugni. Arrivare a una soluzione, a un colpevole, sarebbe stato difficile, forse impossibile. Come cercare di prendere un treno in ritardo di anni e raggiungere lo stesso la meta desiderata in orario. Perché si uccide un bambino o una bambina?, si chiese osservando il distributore di snack. C'era poco da girarci intorno, il solo pensiero lo schifava, ma la risposta era chiara e orribile. Il cuore aveva accelerato i battiti, si sfogò mollando un cazzotto al distributore e nello sportello di scarico cadde un sacchetto di patatine.

L'appuntamento era alle tre, Italo era arrivato a casa di Kevin giusto in tempo per riepilogare le regole e gli accordi da utilizzare in attesa della vittima. Insieme a Santino e Kevin avevano proseguito le partite truccate cambiando il pollo in continuazione. Adesso toccava a una tale Berenice. Una donna era un avvenimento, non venivano mai a giocarsi tre-quattromila euro su un tavolo di poker clandestino, ma solo guardando la borsa Kelly di Hermès che aveva poggiato distrattamente all'ingresso doveva essere imbottita di soldi. Pochi preliminari, si erano messi intorno al tavolo e cominciato la solita solfa. Da mesi Italo aveva messo da parte più di ventimila euro, e forse, pensava, poteva anche smettere quell'attività truffaldina. Le carte scivolavano sul tappeto verde, fecero vincere subito tre piatti medi alla donna. «Pare che la fortuna mi osservi con una certa benevolenza» aveva detto quella. Poi il gioco era proseguito. E piano piano le fiches della polla erano finite nel mucchio di Kevin e Santino. L'accordo era che Italo invece perdesse tutto. Dividendosi i tremilacinquecento euro di posta della loro ospite si sarebbe portato a casa più di mille euro, niente male per chi era abituato a viaggiare in equilibrio sull'orrido del rosso perenne. Soldi facili, comodi, sicuri. Smettere era solo un pensiero che abbandonava non appena rientrava in quella casa e si sedeva al tavolo.

«Ti vedo pensieroso» gli disse Kevin bevendosi un goccio dopo l'ennesima serata positiva.

«Non lo so, pensavo... dovremmo smettere».

«Perché?».

«Perché forse insistiamo troppo, e prima o poi potremmo fare una brutta fine».

«Sono anni che vado avanti, Italo, e come vedi sono ancora qui».

«E allora saranno i soliti dubbi perché sono un poliziotto?».

«Senti!». Kevin gli afferrò una mano interrompendolo. «Sai quanto guadagna quella tizia in una settimana? Decine di migliaia di euro. Ora, vedila in questa prospettiva. Ha voluto vivere il brivido della trasgressione, dei bassifondi, un'avventura che magari racconterà all'amica mentre scia a Courmayeur o mangiano in un due stelle Michelin. E noi gliel'abbiamo venduta a un prezzo, questo sì, che devi considerare un biglietto di sola andata per il regno dei perduti!». Sgranò gli occhi e si fece una bella risata che trascinò anche Italo. «Tutto qui».

«Forse hai ragione» disse Italo osservando il bicchiere poggiato sul tavolo con un dito di whisky ambrato. «Ma a tirare troppo la corda, non so, si rischia, credo».

Kevin si alzò dalla sedia e si stiracchiò. «Ti fai troppi problemi, Italo. E vuoi sapere che penso? Tu sei nato per questo, non per fare il poliziotto».

Era pomeriggio quando Rocco tornò nel bosco di Saint-Nicolas. Per fortuna non aveva piovuto. Sul luogo del ritrovamento avevano approntato un enorme gazebo di plastica per proteggere il sito da eventuali acquazzoni. Michela Gambino lavorava con pennelli e raschietti insieme a una donna dai capelli bianchi nonostante sfiorasse la quarantina. Decise che il colore era frutto di una seduta dal parrucchiere e non colpa del tempo. Gettavano la poca terra che riuscivano a grattare in secchi di plastica e poi la passavano al setaccio. Scipioni e Casella erano in piedi a osservare la scena. «Dov'è Pierron?» chiese Rocco.

«Ha preso un passaggio ed è tornato ad Aosta. Dice che l'ha chiamato il questore».

Rocco fece una smorfia. «Ciao Michela».

«Ciao Rocco. Ti ricordi Sara Archibugi?». La donna coi capelli bianchi alzò il viso. Aveva gli occhi luminosi ed eccitati di una bambina. E proprio quello sembravano, due ragazzine che giocavano con la sabbia in riva al mare, se non fosse stato per le ossa giallognole che cominciavano ad apparire in superficie. «Come no, Sara! Piacere rivederti».

«Te l'avevo detto che ci saremmo rincontrati».

«La conosci?» sussurrò Antonio nell'orecchio di Rocco. «Sì, una serata a casa di Fumagalli, cercavamo di capire che vino s'abbinasse alla mozzarella. Perché me lo chiedi?».

Antonio alzò appena le spalle e si allontanò.

«Allora Sara, che mi racconti?» chiese Rocco avvicinandosi all'archeologa.

«A parte l'umidità? Niente di che, a Torino mi stavo annoiando» rispose la donna con la sua voce bassa da fumatrice accanita. «Guarda Rocco, si lavora con delicatezza, pennello cazzuola e pala da carbone, altrimenti rischiamo di violare lo scheletro...».

Schiavone annuì. «Ti avverto che ci vorrà parecchio» aggiunse Michela.

«Avete bisogno di questi due?» fece Rocco indicando il viceispettore e l'agente Casella.

«Ci fai una sega con quelli, qui ci vogliono mani esperte...», una voce conosciuta risuonò alle spalle del vicequestore. Alberto Fumagalli sbucò da un cespuglio tirandosi su la zip dei pantaloni. Allungò la mano a Rocco per salutarlo. «Mani esperte come questa che ti porgo per una virile stretta».

«Ma vaffanculo Albe'...».

«L'ho pulita su una foglia!».

«Vaffanculo uguale».

L'anatomopatologo raggiunse le colleghe e ricominciò a lavorare. «Ci vorrà poi un antropologo forense» disse, «per studiare le ossa intendo...».

«Ci sono ancora brandelli di vestito attaccati, vedi?», Michela indicò i resti con la punta della cazzuola. «Questa era una felpa. Il corpo è stato sepolto con il viso in giù».

«E la cresta nucale poco sviluppata» aggiunse Alberto. «Io penso che lo scheletro appartenga a un maschio».

«Di qualsiasi cosa abbiate bisogno, i miei uomini sono a disposizione».

«Magari un caffè?» chiese Sara.

«Sì, anche un panino mica farebbe schifo» disse Alberto.

«E un bel succo d'arancia per me» concluse Michela.

Casella scattò e si diresse verso l'auto per tornare subito indietro. «Dotto', io ho sì e no cinque euro!».

Rocco sbuffò, prese il portafogli e allungò venti euro all'agente: «Tie', e piglia qualcosa pure per te», poi si avvicinò al viceispettore. «Anto', ora ti mando De-ruta o D'Intino a darti il cambio. Non sei più un agen-te, no? Tu vieni con me!».

«Meno male» disse in un fiato sottovoce Scipioni. «Anche perché il terzetto...», e con un gesto del viso indicò i tre scienziati all'opera, «sembra di stare sul set di *Qualcuno volò sul nido del cuculo*».

Rocco si girò e sorrise. «Michela? A che te serve un botanico?».

«Per le radici».

«Cioè?».

«Vedi? Torno torno spuntano radici che corrono verso lo scheletro, perché era cibo, capisci? Allora si tagliano e le si danno al botanico. Ti dice quanti anni hanno, e così ti puoi fare un'idea di quando questo po-verino è morto».

«Eh già» commentò Alberto. «Non abbiamo materia-le molle, pelle, interiora, quindi niente insetti, ma solo ossa. E mica è facile capire quando è morto. E a dirte-la tutta anche quanti anni abbia. Vediamo la dentatu-ra, lo sviluppo dello scheletro, insomma serve un antro-pologo che ti possa dare un range accettabile». Alberto si rimise a passare il pennello sulle ossa del cranio. «E non ti nascondo che è estremamente eccitante».

«Vero?» fece Sara. «L'anno scorso abbiamo riesuma-to uno scheletro in ottimo stato in una tomba sotto la Ar-mistice Agreement Line, a Gerusalemme. Siamo risaliti all'epoca... pieno periodo dell'imperatore Tiberio...».

«Dunque?» fece Rocco cercando di non guardare i miseri resti sparsi sul terreno.

«La cosa interessante è che lo scheletro aveva le ossa delle mani distrutte da un ferro, o da un chiodo. Tutte e due. Come se un oggetto fosse penetrato massacrando le ossa carpali». Guardò il vicequestore: «Insomma, il poveretto era stato crocifisso. Sotto Tiberio. Curioso, no?», e si rimise sorridendo a lavorare.

Il vicequestore annuì, mollò una pacca ad Antonio che lo seguì.

«Lo dobbiamo trovare» fece Antonio mentre Rocco accendeva due sigarette. «Il figlio di puttana che ha fatto questo, Rocco. Lo dobbiamo trovare».

Rocco passò una Camel al viceispettore. «Non sarà facile. Ma ti do ragione. Ti sei dato una calmata?».

«A che ti riferisci?».

«Alle tre fidanzate che avevi e che ti hanno fatto il culo a cappello di prete».

«Ora siamo a zero. E non ti nascondo che va bene così. Meno pensieri, meno ansie, certo più solitudine, ma com'è che si dice?».

«E che ne so?».

«L'amore arriva quando meno te l'aspetti».

«Magni troppi Baci Perugina».

Antonio scalò la marcia. «Pensi che parlasse di Gesù Cristo?».

«Ma chi?».

«L'archeologa, prima».

«Sai quanta gente crocifiggevano i romani? A decine. Magari era uno dei due ladroni. Anto', non ti fare domande che non potresti affrontare. Resta sul pratico, senti a me. Per esempio, dov'è andato Italo?».

«Ha ricevuto una chiamata e ci ha detto che era il questore che lo cercava».

«Un questore cerca un agente?».

«Infatti ha suonato strano pure a me». Rocco buttò la sigaretta dal finestrino.

«A che pensi? C'è di mezzo una donna?».

«Antonio, quale donna? È sempre la stessa storia, e detto fra me e te non la vedo bene. Ma ha fatto la sua scelta, è adulto, diciamo che sono problemi suoi».

«Non è che magari ha bisogno di soldi per curare sua zia?».

«Anto', quelle sono storie della televisione».

Antonio aspirò una boccata di fumo. «Perché ammazzare un bambino?» chiese.

Rocco sbuffò e non rispose. Antonio insisté. «Che colpe può avere? E seppellirlo, poi...».

«Non ci arrivi, Anto'?». Il viceispettore frenò allo stop. Guardò il superiore. «Pensi a una violenza?».

Rocco annuì. «Direi di sì».

Scipioni con una smorfia prese un respiro profondo, sembrava provasse un dolore fisico a inalare aria. Poi la sputò fuori. «Cazzo...». Ingranò la prima e ripartì.

Restare in ufficio era inutile, il tempo scorreva lento. Mentre camminava verso casa cercò sul cellulare se fosse arrivato qualche messaggio di Gabriele, ma ormai le comunicazioni col ragazzo erano rarissime. Gabriele aveva trovato la sua dimensione a Milano, forse anche una fidanzata, s'era inserito, e Rocco faceva parte del suo passato, com'era giusto. Avrebbe potuto fare la spesa, si limitò invece a comprare le sigarette e due bottiglie di rosso. Nell'appartamento trovò il solito messaggio della ragazza delle pulizie che gli intimava di acquistare l'anticalcare. Chissà perché continuava a infliggergli quelle incombenze quando sapeva che avrebbe trovato dieci euro sul tavolo e la solita nota di risposta: «Pensaci tu e tieniti il resto». Non aprì il frigo, tanto sapeva che era vuoto e muffito. Versò le crocchette a Lupa, stappò una bottiglia di vino e se ne riempì un bicchiere.

Guardò la televisione spenta. Il telecomando era sul tavolino. Se devo alzarmi per prenderlo, si disse, tanto vale andare a mangiare fuori. «Lupa, molla le crocchette, stasera ti porto al ristorante».

Dopo la cena, passeggiò per il centro. Il piano era camminare il più possibile per farsi venire un'unghia di sonno. Al terzo passaggio davanti a Sant'Orso non solo non percepì un briciolo di fatica, aveva anzi la sensazione di essersi appena svegliato. Si sedette ai piedi del tiglio secolare a guardare la facciata della chiesa. Accese una sigaretta mentre Lupa, naso sul terreno, ripassava i ciottoli della piazza. Squillò il telefono. Era Michela Gambino. «Dormivi?».

«Alle undici e mezza?».

«Ho una notizia buona e una cattiva. Quale preferisci?».

«Fai tu».

«Quella cattiva. Qualche animale ha portato via un paio di ossa. E questo non aiuta. Lo scheletro è quasi recuperato, ci vorrà anche domattina. Ora passo alla buona».

«Vai Michela».

«Aspetta un attimo», sentì una porta chiudersi. «Sono appena tornata a casa».

«È questa la bella notizia?».

«Per me sì, sono stravolta, l'umidità s'è attaccata alle ossa».

«Parli delle tue o dello scheletro nel bosco?».

«Deficiente, delle mie. Allora, la buona notizia è una spilla».

Rocco gettò la sigaretta. «Una spilla?».

«O forse un ciondolo da collana. È lo scudo di Capitan America, hai presente il fumetto?».

«Certo».

«Il ragazzo, perché ormai siamo certi si tratti di un bambino, aveva questa spilla. L'abbiamo trovata all'interno della tasca dei jeans a brandelli, e dentro c'era questo piccolo disco di metallo, fatto strano era appuntato alla stoffa con una catenella d'oro, come se avesse paura di perderlo. Dettaglio che può aiutare per l'identificazione, anche se è una goccia».

«Bene Michela, molto bene. Domattina sono da te».

«Alle sette sono al bosco. Buonanotte Rocco. Ma sei all'aperto? Sento un po' di vento».

«Sì, sto a Sant'Orso».

«Sotto l'albero?».

«Brava».

«Attento, gli alberi secolari possono essere una minaccia».

«Mica c'è un temporale».

«Potrebbero fungere da antenna, lo sai? Ma tu non sai una beata minchia...».

«Un'antenna?».

«E come credi che si intercettino telefonate e segnali? 'Notte Rocco», e chiuse la comunicazione.

Avrebbe voluto essere come Michela Gambino, con le sue folli certezze in un mondo lontano dalla realtà e dalle sue imperfezioni. Chissà, si domandò, ognuno si difende dalle botte della vita come può, magari costruendosi un universo parallelo a propria immagine e per la propria sicurezza, evitando le domande senza risposta e la paura della morte e della solitudine. Anche se Rocco non aveva paura della morte né della solitudine. L'abbandono, quello temeva da sempre. E più lo temeva, più la vita lo puniva. Amici, amori, famiglia, affetti sembravano allontanarsi da lui come calamite di segno opposto. Non sapeva come interrompere questa catena, si sentiva impotente e preda della crudeltà del destino. Forse, pensava, se riuscissi a superare il dolore del distacco, non soffrirei più, non succederà più che perda le persone a cui tengo. La vita sembrava godere a far soffrire gli esseri umani dove più faceva loro male. Come un dentista arruffone, snudata la radice del dente, lì colpiva col trapano. Lupa aveva tirato su le orecchie. Rocco sapeva che spesso i cani vedono immagini celate all'occhio umano. Abbaiò due volte contro il campanile, poi tornò da Rocco. «Chi c'era Lupa? Un cattivo?» le sussurrò. Lei si limitò a leccarlo. «Va bene, andiamo a casa. S'è fatta 'na certa».

Gli tornò in mente Sebastiano e un sapore acido gli risalì dallo stomaco. «Merda...» mormorò.

Domenica

Quella mattina Fumagalli non era sul luogo del ritrovamento. Michela e Sara Archibugi erano concentrate nel lavoro insieme a un agente della scientifica che setacciava la terra come un cercatore d'oro. Italo e Casella poggiati a due tronchi osservavano indolenti la scena. Italo fumava e ogni tanto guardava il cielo grigio screziato dalle cime degli alberi che ondeggiavano appena al vento. Schiavone arrivò dal sentiero col fiatone.

«Buongiorno dotto'» disse Casella. «Qui è una noia» sussurrò per non farsi sentire dalla Gambino.

«Buongiorno» Rocco salutò tutti.

«Salve Rocco!» gridò l'archeologa sempre con lo sguardo eccitato. «Andiamo benissimo, lo sai?».

«Fra un paio d'ore il più è fatto» si aggiunse Michela che spennellava un osso. Lo mostrò a Rocco. «Tibia e...», poi gli occhi le si illuminarono. Si infilò gli occhiali che teneva agganciati a una cordicella e guardò il reperto da vicino. «Sara!» urlò. L'archeologa si avvicinò per osservare attentamente il dettaglio. «Guarda qua» disse Michela. Sara annuiva. «Ci siamo. Questa è una bella notizia! Schiavone, porti fortuna» urlò la Archibugi.

«È la prima volta che me lo dicono».

«Una frattura. Questo bambino ha una frattura ricomposta della tibia. Elemento in più per la ricerca dell'identità», e mollò un cinque alla Gambino che si rimise a spennellare.

Rocco non riusciva a condividere tutto quell'entusiasmo di fronte alle ossa di un bambino. «Quando possiamo cominciare a muoverci?».

«Fumagalli ha chiamato Mascini, l'antropologo forense da Torino. Oggi nel pomeriggio siamo nel mio laboratorio che è più attrezzato della morgue di Alberto».

Rocco si avvicinò a delle piccole buste di plastica trasparente. Sembravano contenere cibo. «Vi siete portati la colazione?».

Gambino sbuffò. «Quelle sono le radici, pronte per Cleo. Cleo Di Capua, la nostra botanica. È la numero uno».

«Bene, fa piacere lavorare con tutti 'sti geni, vero Case'?».

L'agente si staccò dall'albero. «Dice a me?».

«Lascia stare. Comunque è perfettamente inutile che voi due stiate qui».

«E non lo poteva dire prima, dottor Schiavone?» fece Italo nervoso schiacciando la sigaretta sotto lo scarpone.

«Lo dico quando cazzo mi va, agente Pierron», e guardò Michela Gambino. «Ce ne torniamo in questura».

«A dopo» gli rispose senza alzare gli occhi dal lavoro.

Costa sembrava volare più che camminare. Sorrideva, salutava tutti, perfino la vista di Rocco che incrociò sulle scale gli procurò un moto di contentezza. «Allora Schiavone, novità sul corpo ritrovato nel bosco?».

«Sono appena stato dalla Gambino e i suoi adepti. E dico adepti perché sembrano tutti affiliati a una qualche setta segreta. Qualcosa abbiamo, poco, ma almeno una direzione dove puntare le ricerche». Gli raccontò della spilla con lo scudo di Capitan America. «È una brutta storia» fece Costa. «Non mi chiede perché sono così felice?».

«Non me ne frega un cazzo» avrebbe voluto rispondere Rocco, invece chiese: «Perché è così felice?», anche se il viso denunciava un totale disinteresse.

«Ci sono buone possibilità che io me ne vada da questo posto».

Rocco si congratulò con un sorriso. «E dove la mandano, dottore?».

«Ancora non si sa, ma qui si parla di Genova! Si rende conto? Torno a casa!».

«Bene, dottore. Glielo auguro. Ora...».

«Sì sì, vada a lavorare. Ah, una cosa un po' delicata ma alla quale tengo molto».

Schiavone si mise in ascolto. «Può tenerla» disse serio il questore.

«Cosa?».

«Sandra. Può tenerla».

«E mica è 'na macchina».

«Intendo, non mi importa più niente di lei. Sono anzi felice che l'abbia incontrata».

«Dottor Costa...», Rocco si grattò il mento. «Primo, io non ho intenzione di intraprendere chissà quale rapporto con la signora Buccellato, ammesso sempre che siano cazzi suoi. Secondo, chi le fa credere che, in caso contrario, debba avere il suo permesso? Qui in ufficio comanda lei e io cerco, entro i miei limiti, di rispettarla. Fuori da quella porta, vale l'antico adagio romano».

«Che sarebbe?».

«Ognuno se fa li cazzi sua. Con permesso».

Appena entrò in ufficio trovò Deruta, Casella, D'Intino e Antonio che sembravano aspettarlo. Sul tavolo c'era una guantiera piena di brioche, Casella era addetto ai caffè. «Dottore, questi glieli manda Federico dal panificio» disse eccitato Deruta.

«Oh! La prima bella notizia della domenica. Ora io mi domando, ma penso un po' tutti, caro Deruta, te lo meriti uno come Federico?».

«Io dico di no» fece Antonio.

«Vero» si accodò Casella.

L'unico a non commentare fu D'Intino, perso a osservare i diversi tipi di dolci. «Mi acchiappo un'aragostina, mi sa», e allungò la mano.

«Cosa festeggiamo?» chiese Rocco addentando un saccottino al cioccolato.

«Deruta fa una mostra» disse il viceispettore.

«Davvero? E dove?».

«Nella hall del teatro... ci viene dottore?».

«E che me la perdo?».

Casella gli passò un bicchierino di caffè.

«Metto in esposizione tutti i quadri dell'anno scorso. Sono 12. Ne ho fatto uno al mese» disse Deruta mentre afferrava una brioche. «E infatti hanno il titolo col mese in cui li ho realizzati».

«Bene, fa molto arte concettuale, Deruta» commentò Rocco.

«Cioè?».

«Niente, lascia perdere...».

Deruta sorrise soddisfatto e diede un morso al dolce.

«Che dobbiamo fare, Rocco?» chiese Antonio.

«Aspettare. Finché Gambino e company non ci danno notizie certe, ogni movimento che facciamo è inutile. Quindi prendetevi il resto della mattinata libero, a meno che non ci siano incombenze d'ufficio, e tornate dopo pranzo».

«Mi sembra una bella notizia» fece Casella, «io e Eugenia ce ne andiamo a fare un po' di compere. Dice che mi serve un giubbotto nuovo». Masticando e deglutendo dolci gli agenti uscirono dalla stanza. Restò solo Antonio che si avvicinò alla scrivania. «Rocco, riguarda Italo».

«Cosa c'è?».

«Lo so per certo, continua a giocare».

«L'hai spiato?».

«Per caso. Gli è caduto un foglio, proprio ieri sera, e l'ho raccolto. Era la ricevuta del saldo bancario. Lo so, avrei dovuto farmi gli affari miei, ma l'occhio c'è andato. Sul conto ha più di ventimila euro...».

Rocco annuì. «Non mi interessa. È adulto, non sono il padre né il fratello».

«Forse ci potresti parlare».

«E credi non l'abbia fatto? Ormai non è rimasto niente da dire».

Antonio si sedette. «Mi piacerebbe intervenire».

«Io ho provato. Ho provato a mandarlo da una specialista, ho provato a fargli capire che se la rischia, che la sua è una malattia e va curata. Se ne sbatte. Ma sai cosa ti dico, Anto'? Credo che la storia sia anche peggiore di così».

«Non capisco».

«Se ha sul conto quei soldi, significa che sta in un giro poco chiaro. Se giochi tanto, di solito ti rovini, mica guadagni».

Antonio restò in silenzio. «Non ci avevo pensato».

«Se hai voglia, parlagli a quattr'occhi, fagli capire che non sei scemo. Altrimenti siediti e guarda come va a finire».

«E come va a finire?».

«Prevedo un finale amaro, Anto'...».

Nel tardo pomeriggio, quando aveva preso la decisione di infilarsi il loden e lasciare l'ufficio, il telefono squillò. «Rocco?», dall'altra parte la voce di Michela. «Vedi che ti stiamo aspettando».

«Giù da te?».

«Giù da me» rispose e attaccò.

«Lupa aspettami qui, ci metto poco».

Uscito in corridoio incrociò Antonio Scipioni, non capì se avesse l'aria stanca o devastata dalla noia. «Anto', con me dalla Gambino».

«Novità?».

«Forse sì...».

Scesero le scale fino ai sotterranei, poi aprirono la porta antipanico e finalmente si trovarono nel regno della Gambino, il laboratorio che faceva tanto gola e invidia a Alberto Fumagalli. «Accomodatevi», la sostituta in camice bianco li accolse con un sorriso.

Fumagalli seduto osservava una lastra in controluce e come sua abitudine non salutò nessuno. Sul tavolo illuminato c'erano le ossa ritrovate nel bosco di Saint-Nicolas. A una prima occhiata ne mancava qualcuna. Schiavone non era un medico, ma come fosse fatto uno scheletro umano a grandi linee lo sapeva. «Ecco qui. All'appello mancano una tibia, le clavicole e l'omero destro» confermò Michela Gambino. «Come ti dicevo, Rocco, qualche animale nel bosco l'ha aggredito. Succede».

Era uno scheletrino lungo poco più di un metro. Le ossa gialle e marroni ricostruivano la forma umana, stonavano, così povere, con il laboratorio ultramoderno illuminato dai led, circondato da monitor e microscopi. «Questo è il ciondolo che ti dicevo». Michela consegnò una busta che conteneva un piccolo oggetto metallico, tondo, sul quale c'erano ancora tracce di smalto blu, rosso e bianco.

«Che altro mi dite?» chiese Rocco.

«Noi non diremo nulla» fece Alberto. «C'è qui Mascini direttamente da Torino, biologo, genetista, antropologo forense. Emanuele?» chiamò. Dall'altra stanza, con un'ottima tempistica teatrale, fece il suo ingresso Emanuele Mascini, alto e magro, dall'aria simpatica, Rocco lo aveva già incontrato per gli esami dello scheletro di un poveraccio trovato sepolto sopra la bara in una cappella di famiglia. «Si ricorda di me?» chiese l'antropologo forense stringendogli la mano.

«Certo che mi ricordo, grazie per averci raggiunto di domenica...».

«È il minimo. Allora dottor Schiavone, signor viceispettore, vi presento Pillo!», e alzò il cranio dal tavolo.

«Pillo?» fece Schiavone. Alberto si avvicinò a Rocco. «Dà un nome a ogni scheletro, finché non troviamo quello vero».

«Bene signori, Pillo è alto un metro e 25, risalire all'età è di una facilità imbarazzante. Perché, voi vi chiederete», guardò gli astanti. Alberto pendeva dalle sue labbra, Michela era divertita, Schiavone e Antonio sembrava stessero assistendo a un macabro gioco di prestigio. «Ossa loquuntur! Le ossa parlano. I denti! Ecco il motivo per cui posso dirvi con un range abbastanza ristretto l'età di Pillo. Anche se nell'arcata superiore mancano i due incisivi centrali e il premolare destro, è bene che sia un bambino, altrimenti sarebbe stato più difficile».

«È bene?» chiese Rocco.

«Parlo in termini strettamente scientifici, non me ne voglia. Che sia un bambino è un fatto orribile, ma noi ora siamo qui per dare un'identità a Pillo. I denti scandiscono la crescita dall'infanzia all'adolescenza. E Pillo aveva dieci, al massimo undici anni, non di più. Riporta una frattura ricomposta sulla tibia sinistra. Ma...», si spostò dal tavolo retroilluminato al mobile di metallo alla sua destra, afferrò una busta e la alzò. «Questo è l'elemento più indicativo. Conosciamo la causa della sua morte». Passò la busta a Schiavone che la osservò. Conteneva due frammenti ossei. «Che significa?».

«Quello è l'osso ioide che si trova alla radice della lingua. Come può osservare è rotto».

«E questo che significa?» chiese Rocco.

«Oh Madonna l'ignoranza» sbottò Alberto. «Che è stato strangolato!».

Rocco immagazzinò l'informazione. «Strangolato...» disse ad alta voce. Che fosse un omicidio era chiaro fin dall'inizio, ma la conferma nuda, spietata e scientifica dell'atto col quale quel bambino era stato tolto dal mondo vestiva la scena di orrore. Si fece silenzio. Gambino guardava con gli occhi lucidi lo scheletro, Mascini si limitava ad annuire, serio e compassato, poi allargò le braccia impotente. Alberto sembrava improvvisamente imbarazzato, come se fosse sua la colpa. «Scusa Rocco» fece Fumagalli, «forse dovevo usare un po' di tatto».

«E che tatto vuoi usare, Albe'? Non ci si fa l'abitudine a una cosa del genere. Mai. In tutta la mia vita è la quinta volta che incappo in un omicidio di un minore. E sapete come si risolvono? Con un'immensa, grande ed esasperante pazienza. Ma posso garantirvelo, ora, senza un cazzo in mano, che io quello lo prendo. Anzi, Anto', lo prendiamo».

«Minchia se lo prendiamo» ringhiò il viceispettore.

«Torniamo ai fatti. Potete dirmi da quanto tempo è morto?».

«No. Potrebbe essere morto da dieci, venti, cinquant'anni» fece la Gambino. «Anche le analisi più attente sulle ossa non ci daranno una risposta completa ed efficace».

«E questo è terribile».

«Sì, ma non buttarti giù, Rocco. Ricordati le radici!» fece Michela sorridendo. «Chi ha scavato la fossa, ha tagliato anche le radici. E sai cosa succede?».

«Ricrescono?».

«Bravo!» disse Alberto. «Ricrescono attratte dalle sostanze nutritive del cadavere».

«Per questo ne ho mandate due belle grosse a Cleo Di Capua, la botanica. Perché esaminandole ci potrà dire quanti anni hanno. E dunque risalire alla data della morte di Pillo». Anche la Gambino chiamava così quello scheletro.

«Ora io spero di essere stato abbastanza esaustivo» aveva ripreso la parola Mascini, «però sappiate che sono a vostra completa disposizione nei giorni a venire. E vi prego, se e quando troverete il vero nome di Pillo, comunicatemelo. È frustrante non dare un'identità a questi resti».

«Sarà nostro dovere» disse Rocco. «Grazie di tutto, noi cominciamo le ricerche».

«Bella lezione, ho imparato qualcosa» fece Antonio Scipioni meritando un'occhiataccia di Rocco e un sorriso dei tre ricercatori.

«Noi restiamo ancora qui a studiare le ossa. Magari troviamo qualche segno di malattie, malformazioni, insomma qualsiasi dettaglio possa aiutare» assicurò Alberto.

«Un'ultima domanda» fece Rocco prima di andare via. «Secondo voi era italiano?».

Michela, Mascini e Alberto si guardarono spiazzati. Fu la Gambino a rispondere. «È caucasico, ma sulla nazionalità non abbiamo alcuna certezza».

«Questo allarga il campo di ricerca diciamo almeno a mezza Europa...».

I tre scienziati annuirono gravi.

«Per prima cosa inserite i dati nel RiSc» disse Rocco a Scipioni, Italo e Casella che si trovavano nel suo ufficio. «La banca dati di persone scomparse può aiutare e parecchio. Cerchiamo anche fra i nostri faldoni della Valle e zone limitrofe. Se non dovesse bastare mandate i dettagli a tutte le questure se hanno denunce di scomparsa di un bimbo di dieci, undici anni, alto un metro e... quant'ha detto Mascini?».

«Un metro e 25» rispose Antonio.

«Con una vecchia frattura alla gamba sinistra».

«Alla tibia» precisò il viceispettore. «La gamba comprende anche il femore».

«Anto', non mi rompere il cazzo, mo' siete tutti medici. E aggiungete che aveva con sé una spilletta, uno stemma di Capitan America. Ogni particolare è importante. Forza, andate. Casella?».

«Dica!».

«Credi che in questo ci possa dare una mano il figlio di Eugenia, la tua compagna?». Ormai in questura era un dato di fatto che Casella ed Eugenia Artaz facessero coppia fissa da Capodanno.

«Non lo so, posso chiedere».

«Ti mando una foto di quel ciondolo ritrovato, magari ci riesce a dire chi lo produce, chi lo vende...».

«Sissignore».

«E se Eugenia si spaventa, dille che Carlo ha il placet del magistrato per le ricerche».

«È vero?».

«No Casella, non è vero». Ugo si intristì. «Che c'è? Che succede?».

«È che io e Eugenia abbiamo basato il nostro rapporto sulla reciproca sincerità...».

«Questa frase non è tua».

«No, l'ho ripetuta pari pari a come l'ha detta Eugenia».

«Va bene Ugo, e allora?».

«Dotto', dirle una bugia...».

«Case', ho detto magistrato? Scusami, mi ero sbagliato. Carlo ha il permesso del questore».

«Davvero?».

«Me possino ceca', so' io!».

«Lei è vicequestore».

«Non guardare il capello, ma la trave che ti do in faccia se non ti dai una mossa».

Casella soddisfatto stava per uscire dalla stanza. Poi ci ripensò. «Deruta e D'Intino servono?».

«Mai» rispose Rocco. «Vado a informare il questore».

Di fronte ai dettagli di quell'omicidio, Costa aveva perso il sorriso di qualche ora prima. In più era nervoso e intrattabile, doveva affrontare i giornalisti, la categoria al mondo che più detestava. Aveva parecchie informazioni da dare in pasto agli organi di stampa, diffondere la notizia del ritrovamento del corpo di un bambino dell'età di circa 10 anni era un'arma in più per scoprirne l'identità, su questo Rocco era stato chiaro, ma c'era il rischio dei disperati. Decine di persone in cerca del figlio disperso avrebbero telefonato in questura, per non parlare degli esaltati e dei sociopatici pronti a fornire informazioni inutili e fuorvianti pur di ottenere il famigerato quarto d'ora di notorietà. Per questo motivo Costa aveva messo a disposizione un numero di telefono speciale pronto a ricevere la valanga di sciocchezze che inevitabilmente sarebbe precipitata in questura. «Lei, Schiavone, ha un agente che possa star lì a rispondere?».

Rocco ci pensò. «Certo che ce l'ho. Pierron?» gridò all'improvviso tanto che il questore balzò all'indietro. Italo uscì dalla sala agenti. «Eccomi dottore, dica».

«Un compito delicato per te. Vattene nella stanza di servizio vicino ai cessi, c'è un telefono. Ti metti lì e rispondi».

«Rispondo a cosa?».

«A tutti quelli che chiameranno. Genitori disperati, malati di mente, tu prendi nota, registra e riferisci».

Italo guardò il questore che annuiva. «Lo devo fare io?».

«Ti chiami Pierron? Allora il fortunato sei tu. Buon lavoro».

Scuro in volto Italo guardò Rocco e poi salutò i superiori con un sorriso tirato. «Non mi pare l'abbia presa bene» disse il questore.

«E sticazzi?» fece Rocco. «E poi, dottore, dobbiamo sperare che il bambino sia italiano».

«Giusto, sì, infatti. Altrimenti non ne verremo a capo. Lei viene alla conferenza stampa?».

«Con tutto quello che ho da fare? Dottore, vuole che le elenchi le...».

Costa lo fermò con un gesto deciso della mano. «No, stia tranquillo. Coi giornalai me la cavo io. Come sempre». Se ne andò per il corridoio con il passo deciso di un generale pronto a sferrare l'attacco decisivo.

Rocco tornò in ufficio, prese il loden e richiamò Lupa, convinto di avere voglia di un caffè al bar centrale. In realtà il desiderio primario era quello di incontrare Sandra Buccellato, sicuramente venuta in questura per la conferenza, ma gli era difficile confessarselo.

La trovò accanto all'entrata mentre parlava con un poliziotto. Si guardarono, lei gli sorrise. Rocco stava per superarla ma Sandra lo fermò. «A dopo Riccardo...», congedò l'agente che si diresse verso la sala delle conferenze. «Rocco?».

Il vicequestore si avvicinò. «Tutto bene? Il tuo ex è in gran forma oggi» le disse.

«L'ho appena visto passare, impettito e marziale, come sempre».

«Già... be', vai, non credo che il questore attenda la tua presenza in sala per cominciare».

«Non ti preoccupare, la mia assenza per lui sarebbe l'unica bella notizia di oggi». Sorrise appena. «Ti va di vederci un giorno di questi?».

«Certo... un giorno di questi».

«Scusami, non mi sono più fatta viva con te. E ho

visto qualche tua chiamata. Ma non è un periodo facile. Problemi in famiglia».

Rocco attese che due giornalisti con la telecamera passassero oltre. «Sandra, io non ti sto chiedendo niente. E non te lo chiederò mai».

«Sei arrabbiato?».

«Non lo pensare. Ti ho chiamata forse per inerzia, nessuna dichiarazione di intenti».

Sandra corrucciò le sopracciglia. «Ho capito, certo. Scusa, vado...».

«Buon lavoro» le disse Rocco e accennando un sorriso la salutò.

Uscendo dalla questura si sentì meglio. Prendere le distanze da Sandra era nei suoi desideri, ed era contento in fondo che lei non avesse risposto al telefono per tutto quel tempo. L'ultima volta che si erano visti, ormai un mese prima, fu il loro quinto tentativo a vuoto di fare l'amore. All'alba Rocco si era alzato, aveva fatto la doccia e quando era tornato in camera di Sandra erano rimaste solo le orme sulle lenzuola. Sarebbe stato meglio per lui se la giornalista avesse accettato il trasferimento a Torino alla sede centrale del giornale. Avrebbe sciolto un sacco di nodi fra loro due senza bisogno di parole o chiarimenti. Ma forse, pensò, è solo questione di tempo e il rapporto si risolverà da solo, per deperimento. Se non lo nutri, come una pianta, quello tende a seccarsi. Basta non dare acqua.

Seduto al tavolino del bar centrale, con una tazza di caffè, la piazza sgombra e un leggero sole che colorava i palazzi tutt'intorno, con la canna accesa e guardando il monumento agli alpini, Rocco cominciò a ragionare. È stato strangolato, pensò. Chi strangola un bambino? Un malato di mente, un deviato, la feccia dell'umanità. Chissà se quella creatura prima di fare una morte così orrenda lontano dai genitori e da casa sua, in mezzo a un bosco scuro come nelle peggiori favole nordiche, aveva anche subito violenza. Niente di più facile. La rabbia aumentava a ogni pompata del cuore, gli strizzò i testicoli, lo stomaco e solo grazie all'effetto dell'erba riuscì ancora a respirare a pieni polmoni. Qualcuno, anni prima in quel posto, si era macchiato del crimine più orrendo che si potesse immaginare. Trovare il colpevole sarebbe stato durissimo, forse impossibile. Magari è già morto, pensò. Se il fatto risaliva a quarant'anni prima, facile che il figlio di puttana avesse già superato il guado. C'erano i gadget di Capitan America, quarant'anni fa?, si chiese.

Bosco di Saint-Nicolas. Aprì il cellulare e guardò la cartina su Google Maps. Villeneuve, Leverogne, Sarre, parecchi villaggi e paesetti erano lì intorno. Sempre che l'assassino fosse di quelle parti. Aosta era solo a una trentina di chilometri. Fra poco le televisioni locali e nazionali avrebbero diramato la notizia, Italo sarebbe stato sommerso dalle telefonate. «Antonio, mi senti?».

«Dimmi Rocco».

«Fai una ricerca, in procura se serve, di tutti i pedofili arrestati in Valle negli ultimi, diciamo, dieci anni? Anche solo chi è stato accusato senza finire in tribunale, insomma vai a tappeto».

«Sei sicuro che si tratti di una violenza? Ho pensato, metti che un padre o una madre per sbadataggine, che so? Un incidente? E allora per paura l'hanno sepolto...».

«Ci credo molto poco, qui non c'è omicidio per sbadataggine, Antonio. È stato strangolato. In più l'hanno sepolto a faccia in giù. Come se l'assassino non potesse guardarlo in viso...».

Antonio restò in silenzio. «Sì, quello che dici è chiaro... pedofilia?».

«Mi ci gioco quello che vuoi».

«Allora mi do da fare».

«Serve a poco ma almeno non ci facciamo trovare impreparati».

Antonio si mise le mani sui fianchi. «Tu pensi sia di queste parti il mostro?».

«Non lo so, Anto', non so un cazzo. In questo momento siamo mosche in una stanza che non trovano l'uscita. Speriamo qualcuno apra la finestra».

«Bella metafora» fece ironicamente il viceispettore.

«Vai a fare in culo!».

«Prima o dopo la ricerca?».

Rocco chiuse la telefonata. Siamo io, Antonio Scipioni, Casella, i fratelli De Rege e quell'altro che si sta sicuramente rimettendo nei guai, pensò. «'Ndo cazzo annamo?» disse ad alta voce.

«Embè? Non mi chiami più?».

«Rocco!». Gabriele urlò facendo gracchiare il cellulare. «Come stai?».

«Io bene. Tu pische'? Che mi dici?».

«Che ti dico? Che a scuola va tutto bene e quest'anno lo passo tranquillo».

«Luciana del quinto ginnasio?».

«Eh eh eh».

«Che te ridi?».

«Ieri l'ho portata a sentire le prove del gruppo. Poi siamo andati da McDonald's».

«Luogo che tu dovresti evitare come la peste».

«Mi sa che mi ama. Ci siamo baciati. Ha un po' una lumaca in bocca, ma va bene».

«Gabriele, sei un coglione».

«E Lupa?».

«Fra qualche giorno li spara fuori».

«Ne voglio uno».

«Non se ne parla. Non sai badare a te stesso, figuriamoci a un cucciolo».

«Intanto conosco tutte le fermate della metro. Le vuoi sentire?».

«No».

«Voglio un cucciolo».

«Te l'ho già spiegato!».

«Con Lupa ero bravo».

«Perché ti pagavo».

«Hai ragione. Rocco, devo andare. Mandami le foto dei cuccioli appena sbucano fuori. Senti, ma ho letto su internet del ritrovamento nel bosco».

«Lascia stare Gabriele, goditi Luciana e salutami mamma».

«Mamma al lavoro va fortissimo. E secondo me ha trovato un tizio».

«Dove l'ha trovato?».

«Al lavoro. È molto fico. È il capo ufficio stampa del FAI, suona la chitarra elettrica, da giovane era in un gruppo e m'ha promesso che faremo una jam session insieme».

«Tutte belle notizie, Gabrie'».

«Vero?».

«Gabriele, mi stai dicendo la verità?».

«Giuro».

Ma la risposta era arrivata dopo una pausa di un microsecondo, troppo lunga perché il vicequestore potesse crederci in pieno. «Sicuro sicuro?».

«Al cento per cento. Tutto a gonfie vele».

«Stammi bene», e chiuse la telefonata. Forse era lui a immaginare problemi dove problemi non ce n'erano, a vedere il dolore dove tutto era tranquillo. Ma qualcosa gli diceva che a Milano non erano tutte rose e margherite, qualche punta di spina l'aveva percepita.

«La cosa più schifosa che poteva capitare, Brizio». Seduto sul divano, la televisione accesa senza sonoro, mangiava la pizza gomma direttamente dal cartone. Più la masticava e meno si consumava. Provò anche a farci un pallone e ci stava quasi riuscendo.

«Un bambino?» chiese l'amico.

«Bravo», gettò la fetta di pizza margherita nel contenitore ed ebbe l'impressione che rimbalzasse. «Tu dove sei?».

«Sto a casa della mamma di Stella».

«Tua suocera» lo corresse Rocco.

«Non siamo sposati. Quindi no, quasi».

«Che se dice?».

«Che te devo di'? A parte che secondo me uno non può abita' a... 'ndo cazzo stamo qua? A coso... Ipogeo degli Ottavi e dire di stare a Roma. Non è Roma, qui...».

«Eh no...».

«Comunque ce so' un po' de problemi col figlio di Susanna, la sorella di Stella».

Rocco ricordava Susanna con le treccine e i fiocchetti. Aveva dieci anni meno di loro, altro pianeta, altro universo. «E da quando Susanna ha un figlio?».

«Susanna ha 37 anni, frate'. Certo che ha un figlio. Marco. 15 anni ed è una testa di cazzo. Figurati che chiamano me per parlarci. Ma se po'?».

«E che gli dici?».

«Appunto. A scuola fa schifo ai cani morti, non ha imparato un lavoro, passa il tempo in bisca o a fare il coglione in motorino».

«Me ricorda qualcuno» disse Rocco e i due amici si fecero una risata. «Poi lo sai che fa? Risponne! Se te lo affronti de petto e lo cazzi, quello alza la cresta, che te vie' voja de daje una cinquina precisa da rivoltallo... vabbè».

«Ma il padre?».

Brizio si fece un'altra risata.

«Ce so' novità?».

L'amico si riferiva a Sebastiano. «No, nessuna, e quali dovrebbero essere?».

«Vengo!» urlò Brizio. «Me stanno a chiama' pe' cena. Che te magni tu?».

«La pizza take away».

«La Brooklyn?».

«La Brooklyn».

«Eh lo so, quanno a tordi e quanno a grilli» sentenziò l'amico.

«Bri', ultimamente so' sempre e solo grilli».

Lunedì

«È uscito il giornale oggi e telefonate ne arrivano a decine, Rocco. Non faccio in tempo ad abbassare che il telefono squilla di nuovo» disse Italo, spettinato e con la barba lunga di due giorni. «E poi quel posto di merda dove mi avete messo. Ma non c'è una stanza più civile?».

«Ora vedo che posso fare» mentì il vicequestore che godeva a saperlo in quello stanzino con una sola feritoia per l'aria. «Ma qualcosa di concreto ce l'hai?».

Italo guardò i fogli. «A parte i soliti fanatici, almeno venti persone che hanno perso il figlio e che giurano sia il loro, altri vogliono sapere il colore dei capelli, parecchi se eravamo sicuri fosse un maschio e, questa te la devo dire che non è affatto male, un tizio di Moncalieri ha perso il fratello tre anni fa, io gli ho chiesto quanti anni avesse, e lui mi ha risposto 42. Dunque, gli faccio, non vedo come possa essere suo lo scheletro ritrovato. E lui tranquillo mi risponde: mio fratello era nano... Rocco, io non ce la faccio più, e non ti sto nominando tutti gli anonimi che affermano che in quel bosco due anni fa hanno assistito a un omicidio efferato. Puoi mettere qualcun altro al telefono?».

«E chi metto? Deruta o D'Intino? Oppure Casella che ci si addormenterebbe davanti? Antonio è viceispettore, vedi che tocca a te», e proseguì le scale verso il corridoio. Italo rientrò nel bugigattolo accanto alla toilette mentre il telefono riprendeva a squillare impazzito.

Lupa salì con difficoltà sul divano e si sistemò poggiando la testa sul cuscino, pronta a una mattinata di totale riposo, Rocco invece aprì il cassetto e si rollò immediatamente una canna. Un colpo forte alla porta lo avvertì della presenza di Antonio Scipioni. Il viceispettore era a conoscenza delle sue abitudini e Rocco senza spegnere la canna gridò: «Avanti!».

Antonio entrò, subito fece una smorfia. «Ma di prima mattina?».

«È la preghiera laica e riesce meglio di prima mattina. Novità?».

«Allora, in Valle i casi di pedofili accertati sono tre. Pierino Blanc, Giovanni Grange e Cosimo Brady».

Rocco gli fece cenno di andare avanti. «Dunque, Pierino Blanc ora vive a Buenos Aires, da circa sette anni. Fu accusato di molestie davanti alla scuola elementare ad Aosta, mai provate. È partito appena l'accusa è decaduta per non rientrare mai più. Lo saltiamo?».

«No. Se il cadavere ha più di sette anni non lo scarterei. Poi?».

«Poi abbiamo Giovanni Grange, che è in carcere e sta scontando una pena per truffa e riciclaggio e associazione. Si era già fatto tre anni e due mesi nel 2000 per aver tentato di abusare di una ragazza di 14 anni. Anche questo lo terrei d'occhio».

«Direi di sì. Quand'è uscito?».

Antonio controllò gli appunti. «Nel 2004, poi lo hanno riarrestato nel giugno del 2008 e da allora il pacco è in giacenza».

«Il terzo?».

«Il terzo è Cosimo Brady. Morto all'inizio del 2007. Anche lui lo lascerei in lizza, no?».

«Certo. Mi sai dire dove risiedevano quando erano qui in Valle?».

«Sicuro. Pierino Blanc, quello che sta in Argentina, e Cosimo Brady, quello morto, erano tutti e due di Aosta. L'altro che sta scontando la pena a Milano abitava a Châtillon».

Rocco aveva segnato i tre sospetti sottolineando ogni cognome, poi guardò Antonio. «Bene. Come facciamo a capire se ce ne possono essere altri non della Valle ma che la conoscono bene?».

«Non possiamo, Rocco...».

«Vero. Aggiungi che magari il nostro figlio di puttana è pulito... ci vorrebbe una ricerca molto, ma molto approfondita».

«Io darei un'occhiata al dark web».

«La postale lo può fare?».

«Se non possono loro, chi lo fa?».

«Buona idea, Antonio. Controlliamo traffici, siti, contatti di questi orchi. Magari si scambiano foto, esperienze, orrori del genere».

«Provvedo» disse Antonio. «Vado al terzo piano allora».

«E digli priorità assoluta, se rompono avverto il questore».

«Ricevuto».

«Chiamami Casella». Appena Antonio uscì, Rocco andò alla finestra, gettò la cicca, poi raggiunse la macchinetta del caffè che teneva dietro la scrivania. Mise la cialda, aspettò che la seconda luce lampeggiasse per premere il pulsante. Il liquido cremoso precipitò nel bicchierino. «Eccomi dottore».

«Case', hai novità da Carlo su quell'aggeggio, lo scudo?».

«Ci sta lavorando. Lo vendono in migliaia di negozi, pure su eBay».

«Vuoi?», Rocco alzò il bicchierino.

«Volentieri», e Casella si avvicinò.

«Senti un po', forse mi devo fare due chiacchiere con Carlo. Alla postale sono bravi, ma lui di più».

«Tanto è a casa che lavora. Basta che siamo sinceri con Eugenia».

«Cristallini. Ci faccio un salto più tardi. È sempre disponibile ad aiutare le forze dell'ordine?» chiese Rocco con un sorriso.

«Sempre. Anzi, dice che si diverte, fare i siti e altre stupidate lo annoia». Casella mise due cucchiaini di zucchero nel caffè.

«Te piace amaro!» disse Rocco.

«Dotto', alla mia età ho deciso che non c'è più spazio per le amarezze».

Solo allora il vicequestore vide la copia del quotidiano sulla scrivania. Mentre Casella sorseggiava il liquido bollente, dette un'occhiata all'articolo della Buccellato sul ritrovamento dello scheletro. Solita solfa. Scheletro senza un nome, gli inquirenti, lo strazio, la difficoltà delle indagini, e bravo qui e bravo lì. Anche la giornalista ipotizzava un reato di violenza sessuale, ed era l'unico dettaglio sul quale si trovava in sintonia con Sandra. Preferiva però quando da quei fogli gli mandava delle frecciate al cianuro, almeno erano una scossa vitale.

S'affacciò D'Intino. «Dotto', la cerca la dottoressa Gambino».

«Perché sei triste, D'Inti'?».

«Perché stavo a pensa' a lu guaglione accise in mezzo al bosco. Lo sa? Io tengo un nipotino... pure a esso gli piace Capitan America».

«Lo so D'Inti', è una brutta storia».

«Non è brutta, dotto', è peggio».

Rocco infilò la porta. «Ugo, più tardi andiamo da Carlo», e uscì nel corridoio. L'agente annuì e gettò il bicchierino del caffè nel cestino.

Scese le scale, aprì la porta antipanico, ancora un corridoio e raggiunse il laboratorio. Michela stava con gli occhi appiccicati negli oculari del microscopio. Percepì la presenza del vicequestore e senza mollare il lavoro gli aprì la porta premendo un tasto. Dentro c'erano almeno 5 gradi di meno, lo scheletro del bimbo riposava sempre sul tavolo, buste con campioni di terra e sassi erano distribuite sui piani di lavoro. «Scusa se ti ho fatto chiamare, dai uno sguardo qui dentro». Si allontanò dal microscopio per cedere il posto al vicequestore che vide un disco bianco con dei cerchi concentrici su un fondo scuro. «Che è?».

«La sezione della radice più grande che abbiamo trovato. Me l'ha mandata Cleo, la botanica. Ci sono cinque cerchi concentrici, il sesto è accennato, ergo il corpo è stato messo lì quasi sei anni fa. È una radice di abete, e l'abete schiude i semi in primavera, io direi che stiamo parlando del 2008... fra poco comincia la primavera e saremmo al sesto anno».

«E se il seme si fosse schiuso con un anno di ritardo?».

Michela sorrise. «E allora perché ho prelevato le radici tutt'intorno alla buca? Controllate, e tutte parlano della stessa data. No, ti ripeto, fra un paio di mesi sarebbe stato il sesto anno. Questo spiega anche perché abbiamo trovato solo lo scheletro. D'estate, sepolto sotto un sottile strato di terra, il corpo va in putrefazione più velocemente».

Rocco si strinse le labbra. «Oggi avrebbe... quanto, sedici anni?».

Michela annuì silenziosa.

«Questo restringe un po' la ricerca. Comincerei a prendere in considerazione denunce che non abbiano più di sei anni».

«Farei lo stesso e speriamo abitasse in Valle, altrimenti...».

«Le cose si complicano. Miche', senti un po', la tibia l'ha rotta prima di sei anni fa?».

«Direi di sì. L'osso è perfettamente rinsaldato».

«Grazie».

«Tu hai notizie dal RiSc?».

«È un po' troppo presto. Stanno incrociando i dati, come a dire smanettano sui file e cercano di far combaciare qualcosa...».

«Rocco...» lo richiamò la sostituta.

«Dimmi, Miche'...».

«Anche tu pensi a una violenza sessuale?».

Rocco annuì, poi lasciò il laboratorio.

«No signora, mi dispiace, siamo di fronte a un bambino, non può essere sua figlia...». Italo parlava con gli occhi chiusi, Antonio era sull'uscio dello stanzino a braccia conserte. «Sì signora, sicuramente signora... non si arrabbi, io...». Mise giù il telefono e guardò il collega. «Non ce la faccio più! Mi gridano contro, come se fosse colpa mia...». Antonio Scipioni si limitò ad allargare le braccia. «Non è che prenderesti un po' il mio posto?».

«Io e te dobbiamo parlare, Italo». Pierron girò il perno della sedia e si mise a favore del collega. «E di che?», di nuovo il telefono squillò. «Questura di Aosta... signorsì il numero è questo... lei è?», poi Italo guardò la cornetta. «Sì lo so, moriremo tutti», e riagganciò. «Un altro psicopatico. Di che dobbiamo parlare?».

«Che stai combinando?».

«In che senso?».

Antonio avanzò fino alla piccola scrivania. «Guarda che si vede. Sei sempre a pezzi, pallido, non parli, te ne stai per i fatti tuoi».

«Allora è un vizio di quest'ufficio».

«Quale?» gli chiese Antonio.

«Quello di farmi il terzo grado? Non ho niente, Antonio, è un periodo difficile, mia zia non sta bene, e ho un po' di pensieri. Mi sono appena lasciato con una tizia, ecco, le solite cose».

Antonio decise di andare dritto al punto. «Perché hai ventimila euro sul conto?».

Italo lo guardò serio. «E tu che ne sai?».

«Ti è caduto a terra il rendiconto bancario e per caso mi ci è andato l'occhio».

«Per caso?» quasi gridò Italo Pierron. «A me sembra che volevi ficcanasare in giro».

«Vedila come ti pare. E allora?».

«E allora? È una stranezza?».

Antonio si appoggiò al tavolo. «Sì che lo è. Stavi sempre senza una lira, chiedevi prestiti, ti lamentavi delle telefonate della banca e che il tuo stipendio finiva a parare parte dei tuoi debiti, e adesso?».

«E adesso mia zia ha venduto un pezzo di terra a Nus e mi ha dato un po' di quattrini. Contento?».

«Perché mi rimbambisci di bugie? Di che hai paura? Cazzo, Italo, sono tuo amico».

«E allora, se sei un amico, pensa ai fatti tuoi». Il telefono squillò ancora. «Come vedi ho da lavorare». Alzò la cornetta. «Questura di Aosta... sì... lei si chiama?» chiese afferrando la penna.

Antonio scosse la testa, poi uscì dallo stanzino. Aveva ragione Rocco, pensò, che prevedeva un finale amaro.

«Entrare nel dark web è facile, basta un buon motore di ricerca. Ma noi dobbiamo penetrare nel deep web».

«Spiegati meglio» disse Rocco sedendosi accanto a Carlo.

«Le spiego... immagini un enorme iceberg. La parte che spunta fuori dall'acqua è il web come lo conosciamo, poi c'è il corpo più grosso», e con le mani disegnò un cerchio, «quello è il dark web, enorme. Ma sotto il dark web immagini il pezzo dell'iceberg ancora più nascosto nelle profondità marine più scure... quello è il deep web. E lì puoi comprare di tutto, da un carrarmato a un rene. E per penetrare laggiù, dottor Schiavone, ci vuole un Virgilio» disse Carlo.

«Vale a dire?».

«Uno che ci introduca. Perché entrare nel deep web è difficile. Lì ci sono le peggiori schifezze. Io l'amo l'ho gettato, appena abbocca le faccio sapere». La stanza di Carlo era sempre immersa nella totale oscurità, non fosse stato per le luci dei monitor e dei led, Rocco non avrebbe mai saputo che faccia avesse il ragazzo. Casella era rimasto in piedi, come se si imbarazzasse a sedersi accanto al suo superiore. «Però le dico un'altra cosa... a me il deep web fa un baffo», e con il gesto della mano indicò i suoi strumenti, «ma avere confidenza con quei figli di mignotta è un'altra cosa. Non si fidano, ci vorrà del tempo per mischiarsi a loro».

«Se ti do un nome?».

«Non ci faccio niente. Lì dentro tutti hanno dei nickname. Polizia, carabinieri, finanza, sono tutti concentrati sul deep web, dottore. Va bene che uno cripta gli indirizzi elettronici, ma nessuno usa il suo nome».

Rocco sperava che uno dei tre pedofili aostani potesse fare da grimaldello, ma la sua ignoranza nel campo era assoluta. «Come possiamo capire a chi appartiene un nickname?».

Carlo alzò le spalle. «Solo conoscendo la persona o avendo il suo computer per le mani. Ecco, magari con quello ci posso arrivare. Non è semplice, è una specie di labirinto, ma non mi spaventa».

«Grazie Carlo, vabbè, vado a fare la spesa», mollò una pacca sulla spalla di Carlo e si alzò dalla sedia. «Quanti anni aveva?» chiese il ragazzo.

«Dieci anni, non di più».

«Dottore, ha tutto il mio tempo a disposizione, sto qua acca 24 se serve», poi tornò alla sua tastiera e mormorò: «Dieci anni, roba da matti».

Casella aprì la portiera dell'auto. «Che supermercato preferisce, dotto'?».

«Quale supermercato?».

«Ha detto che va a fare la spesa, dove vuole che l'accompagni?».

«Non intendevo quella spesa, Ugo», e prese il cellulare. «Antonio? L'ultimo indirizzo conosciuto di Giovanni Grange?».

«Quello che sta in galera? Mi pare a Châtillon? Fammi dare un'occhiata...». Casella col motore al minimo aspettava ordini. «Allora, Strada-Chemin de Conoz, al numero 12».

«E invece di quello che è morto nel 2007?».

«Ah, coso là... Cosimo Brady? Sì... Aosta, ultimo indirizzo conosciuto è via Rue Liconi 34. Vicino alla questura, è pure comodo».

Rocco guardò pensoso Casella. «Io ancora non ho capito, se la chiamano via perché cazzo devono aggiungere Rue?».

«Forse per ricordarci che non siamo proprio in Italia?» rispose Antonio.

«Ah no? E 'ndo stamo? Anto', fa' il favore, da oggi tutte le parolette francesi non le voglio sentire più. Via Liconi! E basta. Ci vediamo lì davanti fra cinque minuti. Chiama anche Deruta».

«E Italo?».

«Sta bene dove sta».

A via Rue Liconi 34 non era presente nessun Brady. Antonio e Deruta fecero il giro dei vicini, fino a quando do il negoziante di articoli per la casa all'angolo non chiarì la faccenda. «Certo che me lo ricordo, quel tizio. Uno tranquillo, fino a quando uscirono fuori storie brutte. Aveva un figlio, René, che però non venne neanche ai funerali. So che poi vendette la casa, a una coppia di Genova. Si chiamano Cartelli, abitano al secondo piano, vedete? Dove ci sono quelle tende rosse».

A casa c'era solo la moglie, insegnava al liceo. «Sì, certo che ricordo, ma i documenti li firmammo col figlio, René Brady, che non ha nominato il padre neanche una volta. Siamo stati io e mio marito a togliere tutti gli oggetti di Cosimo Brady». L'appartamento dei

Cartelli profumava di incenso e caffè appena fatto. «Avete messo tutto in un deposito?».

«Sì, ce lo indicò il figlio. Una specie di vecchio garage fuori Aosta, ma a dirvela tutta credo che la roba sia ancora lì. René vive a Lione e qui ad Aosta non è più venuto. Lo so perché mancava un documento e il notaio impazzì per farlo scendere a firmare».

Era gentile la signora Cartelli, il viso ovale e i capelli ricci e lunghi le davano un che di rinascimentale. «Signora, è molto importante. Si ricorda dov'è quel garage?» le chiese Rocco.

«Oddio l'indirizzo no, non lo ricordo. Però se volete ve lo spiego».

L'auto con Rocco e Casella alla guida era seguita da quella con Antonio e Deruta. «Adesso gira verso la sede Rai, c'è il cartello» ordinò Rocco leggendo gli appunti delle informazioni lasciate dalla signora Cartelli, e Casella eseguì.

«Sempre dritto, dotto'?».

«Sempre dritto fino a che non incontriamo il negozio di scarpe all'ingrosso».

«Può essere quello?», e l'agente indicò quattro vetrine con sopra il nome «Chaussures».

«Non potevano scrive scarpe? Vabbè, è 'na battaglia persa. Ancora avanti, e dopo il negozio che aveva detto? La prima o la seconda?».

«Boh».

«Cazzo, sei d'aiuto». Il vicequestore afferrò la radio. «Anto', la prima o la seconda?».

«La prima» gracchiò la voce del viceispettore alla radio.

«Anto', mi togli una curiosità?».

«Certo».

«La vostra macchina puzza di muffa?».

«Confermo».

Rocco guardò Casella. «Per un attimo ho avuto paura fossi tu, Case'».

«Ancora qualche anno, dottore, e mi spuntano pure i funghi».

Rocco guardò dal parabrezza. «Il gruppo di casermoni sarà questo, poi c'è una costruzione... eccola!».

Tetto basso, una quarantina di porte basculanti gialle con numeri marcati sopra di fronte a un enorme condominio. «Qua... accosta al 23».

«Che poi il 23 è la fortuna» fece Casella.

Frenarono e scesero. Rocco si avvicinò alla porta del garage e controllò la serratura. «Questa non gira da anni. È piena di ruggine».

«Che facciamo? Chiamiamo qualcuno?» chiese Deruta. Antonio lo rassicurò con un'occhiata. Rocco aveva già tirato fuori il coltellino svizzero e cominciato ad armeggiare. «'Sta stronza...» mugugnava tentando di forzarla.

«Non ci riesci?» chiese Antonio.

L'agente Deruta guardava con gli occhi spaventati il superiore all'opera. «Ma... la sta scassinando?».

«Esatto» fece Casella, ormai abituato alle tecniche investigative di Rocco.

«'Sta stronza...». Schiavone non riusciva ad avere la meglio. «E andiamo, e apriti!».

«E se non è quella giusta?» chiese Deruta. «Io in galera per scasso non ci voglio finire».

«È la numero 23, la signora ricordava bene» lo rasserenò Casella. «Porta gialla e il posto è questo. Forza capo».

«La stronza!», e finalmente la serratura cigolando girò. Rocco tirò su la saracinesca. Il garage era di una quindicina di metri quadrati stipato di roba fino ad altezza d'uomo. C'erano scatole di cartone, un tavolo, vecchie sedie, qualche quadro, tappeti arrotolati, pezze grigiastre che forse una volta erano tende, un mobile di cucina, si intravedevano una lavatrice e una macchina del gas. Rocco si fece da parte. «Forza, gente. Alla ricerca!».

«Cosa cerchiamo?» chiese Deruta.

«Un computer» gli rispose Casella mentre Rocco guardava il palazzo di fronte. Qualcuno si era affacciato ma alla vista delle volanti della polizia si era ritratto nel buio dell'abitazione.

«Eviterei dove leggete: vestiti» disse Antonio cominciando a scartare le scatole. Casella ogni tanto tossiva per la polvere, Deruta, incerto, leggeva le scritte sul cartone. «Giocattoli, che dite?».

«Apri, Deruta, apri!».

Dal portone di fronte uscì un uomo con un maglione a rombi e i jeans, si dirigeva deciso verso i poliziotti. «Ecco l'ometto alfa che viene a rompe er cazzo» disse Rocco.

«E ora che gli dice?» chiese terrorizzato Deruta.

«Che fa dotto'? Gioca la carta della finanza?».

«Il tuo intuito è devastante, Case'…».

«Lo immaginavo», e si rivolse a Deruta, «l'ha usata una volta alla fabbrica dei salumi, è una bomba».

L'uomo arrivò abbozzando un sorriso. «Salve! Mi chiamo Cuprini, l'amministratore di condominio, posso sapere che succede?».

Cuprini venne immediatamente catalogato da Schiavone come un Uropsilus investigator, un animale a metà fra la talpa e il toporagno. Gli occhietti striminziti e a punta di spillo, la boccuccia nascosta da un paio di baffi spelacchiati, il naso lungo, quasi una proboscide, le orecchie sproporzionate e grossi piedoni. Specie poco studiata, non sono chiare le sue abitudini che differiscono leggermente dalle talpe, infatti l'Uropsilus non sa scavare e in più ci vede.

«Maggiore Minetti», Schiavone mostrò un foglio di carta e lo sbatté sotto il nasone dell'amministratore. «Finanza. Si tratta di un controllo rapido».

«Finanza? Ma loro mi sembrano poliziotti».

«E allora? Quelli che vede sono gli uomini dell'ufficio operativo legale». Rocco strizzò gli occhi e glieli puntò addosso minaccioso. «Ci sono problemi, signor Cuprini?».

L'uomo restituì il foglio quasi tremante. «No, no, è che, insomma, di questi tempi…».

«Di questi tempi che? Voi continuate a cercare» disse agli agenti. «Vuole ostacolare le indagini? Devo venire a dare un'occhiata ai registri condominiali? Sa cosa sospettiamo, signor Cuprini, dal momento che lei viene a ficcare il naso dove non dovrebbe?».

«Mi... mi dica!».

«Fatture false. E se poco poco le troviamo in questo garage per lei, e il condominio tutto, non saranno belle notizie. Potremmo cominciare a valutare il vostro ruolo di fiancheggiatori in un bel giro di evasione fiscale che coinvolge ben sedici aziende della Valle».

Cuprini diventò ancora più pallido. «No, che dice? Io non so niente, non so neanche a chi appartiene questo...».

«Glielo dico io a chi appartiene. Cosimo Brady, deceduto nel 2007, all'epoca ragioniere della Silmass e associati, mai sentita nominare?».

«No».

«Male, signor Cuprini, molto male. Ora, gentilmente, vuole levarsi dal cazzo e lasciarci lavorare o vuole venire a farsi un giro in caserma?».

Cuprini rinculò chinando leggermente il capo, poi a distanza di sicurezza si voltò e a passo rapido sparì nel palazzo.

Antonio rideva sotto i baffi, Casella s'era goduto la scena, Deruta invece, già sudato, guardava a bocca aperta il vicequestore, non gli era chiaro cosa fosse successo.

«Chi è Minetti?» chiese con gli occhi smarriti.

«Un caro amico del vicequestore che lavorava in finanza, se n'è andato qualche anno fa. 'Sto foglio serve per tirarsi fuori da rotture simili» spiegò Casella.

Deruta guardò i colleghi, annuì e improvvisamente scoppiò a ridere.

Aprirono scatoloni per quasi un'ora. Davanti alla porta del garage si erano ammucchiati oggetti di ogni tipo. Giochi di società, pacchi di fiches, portapenne colorati, contenitori e faldoni, piatti e bicchieri, scotch, teli e stoffe. Deruta aveva il fiatone mentre Casella rimirava un ferro da stiro. «Dotto', mi serve, posso?».

«Piglialo, sai che me ne frega» rispose Rocco. Poi, dal fondo del magazzino, nascosto da una macchina del gas impolverata, Antonio Scipioni gridò: «Ci siamo!». Emerse da quella paccottiglia con i capelli inzaccherati di ragnatele e il giubbotto pieno di striscate di calce, brandiva un vecchio portatile. «Trovato!» disse sorridendo. Rocco scattò. «Io e Antonio da Carlo, Deruta e Casella rimettete tutto a posto».

«Cioè rinfiliamo tutto nelle scatole?».

«Ma dategli du' calci e chiudete la porta» fece Rocco andando verso l'auto mentre Antonio scavalcava una vecchia poltrona.

«Ma non abbiamo le chiavi» protestò Deruta. «E se si rubano tutto?».

Rocco neanche rispose. Accese l'auto, caricò al volo il viceispettore e sgommando abbandonò lì i due agenti. «Allora lasciamo tutto aperto?» chiese Deruta a Casella.

«Sì… io ho trovato pure una sedia da cucina bellina assai. Lo sai che c'è pure una scacchiera?».

«Quella me la prendo io, a Federico piace giocare a scacchi», e si rimisero a lavorare.

«È una baracca inservibile» disse Carlo soppesando il portatile.

«Lo puoi aprire?» gli chiese Rocco.

«Come una scatoletta di tonno» rispose il ragazzo sorridendo. «Datemi una mezza giornata e Cosimo Brady non avrà più segreti». Rocco lo guardò negli occhi. «Carlo, tu sei un bravo ragazzo e credo non ci sia bisogno di dire che tutto quello che succede fra noi...».

«Resta fra noi, dottor Schiavone. È ovvio. Ma vuole mettere?».

«Cosa?».

«Cambiare gli algoritmi per un'azienda online oppure seguire un'indagine? Pagherei per farlo».

Antonio Scipioni scoppiò a ridere.

«Tua madre però è preoccupata» disse Rocco. Carlo lo guardò con un sorriso storto sulle labbra. «Dottor Schiavone, mia madre si preoccupa da quando sono nato. La lasci perdere, da quando frequenta Ugo è un'altra persona».

«Nel senso che è migliorata o peggiorata?».

«Migliorata!» rispose con sicurezza Carlo.

«Converrai con me che è una cosa curiosa».

Carlo ridacchiò. Poi si scrocchiò le dita. «Allora, se permettete io attacco col divertimento», e afferrò il vecchio computer portatile.

«Credimi, non è tutto 'sto divertimento» fece Antonio.

«Lo è! Sto qui, e faccio da cane da caccia per voi, sniffo le tracce. Divertente!». Rocco gli mollò una pacca sulla spalla. «Sapessi quanto ti capisco. Bene, aspetto tue».

I poliziotti lasciarono Carlo al lavoro. Se la stanza del ragazzo era un disordine di cavi, hard disk, schede madri, tastiere e monitor, il resto dell'appartamento era ordinato come una residenza imperiale giapponese. Mobili sgombri di qualsiasi suppellettile, puliti e sistemati con precisione assoluta, non un oggetto fuori posto, perfino una statua di ceramica che raffigurava un uccello lacustre col becco verso il basso aveva una sua ragione di stare accanto al divano. «Guardando una casa si impara molto del suo proprietario» disse Rocco. Antonio Scipioni annuì. «Vero. Se guardi la mia...».

«Vedrò un tizio che stava con tre donne contemporaneamente... e scommetto che se potessi metteresti ancora i poster degli AC/DC o della Ferrari, come un sedicenne».

«In questo ti sbagli. Ho la casa piena di quadri di Deruta» fece aprendo la porta.

«Quadri di Deruta? Li hai comprati?».

«Sì, e mi sa che alla mostra ti tocca pure a te».

Rocco scese le scale seguito dal viceispettore. «Fa paesaggi, per lo più».

«E sono belli, Anto'?».

«No. Ma li dà via a poco, e mi sembrava scostumato non prenderli. Non sono un critico d'arte, ma...».

Rocco scosse la testa. «Per fortuna. Lo sai? Quelli che falliscono come pittori da grandi diventano critici d'arte o Hitler».

«Mi fa piacere constatare l'assenza del suo cane» disse Baldi dopo che Rocco lo aveva informato degli sviluppi sul ritrovamento nel bosco. «E mi sembra che lei e la sua squadra stiate agendo in modo corretto e pre-

84

ciso. Devo dire che mi ha convinto pienamente, sono d'accordo con lei sulla pista della violenza sessuale. Ci sono passi avanti?».

«Sì, abbiamo dei nominativi. Giovanni Grange per esempio, è un sospetto», passò un foglio a Baldi. «Abita a Châtillon, l'indirizzo è... strada so 'ncazzo...».

«Strada-Chemin de Conoz 12» lo aiutò Baldi leggendo l'appunto.

«Al momento il tizio sconta una pena a Opera, ma in casa ci risulta abiti la moglie, Domitilla Ciai».

«E che posso fare per lei, dottor Schiavone?».

«Avrei bisogno di sequestrare il computer personale del tipo, ammesso che ce ne sia uno».

Baldi si alzò di scatto come punto da una vespa. «Per controllare, suppongo, se il Grange abbia mai avuto contatti con altri pedofili e simili...».

«E simili».

«Mi permetta un appunto» disse il magistrato cercando di contenere la rabbia.

«Sto qui apposta».

«Questa è gente scaltra, cancella tutto. Mica è facile scovarli».

«Ma io mi servo di qualcuno più scaltro».

Baldi emise un respiro lungo come un materassino da mare che si sgonfia, poggiò la testa al vetro della finestra e con una voce due toni più bassa di un subwoofer protestò: «Lei non si sta rivolgendo alla postale».

«Sì, sono in contatto con loro. Ma al momento ho bisogno di qualcuno veloce e scaltro perché tempo non ne ho. Se i miei sospetti si confermano, dopo il con-

85

trollo del mio esperto passerò tutto l'incarto alla postale e lei avrà la storia pulita e immacolata».

Baldi rialzò la testa e fissò Rocco. «Il suo esperto?».

«Si dà il caso ne abbia uno».

Baldi strizzò gli occhi. «Quindi da me che vuole? L'autorizzazione al sequestro?».

«Ecco...».

«E mi dica, una volta sequestrato il computer, ammesso che lei lo trovi, e il succitato non viene poi portato in questura bensì a casa del suo esperto, che non dovrebbe conoscere i dettagli di un'indagine, come la vede? Pulita e immacolata?».

«Si fidi, è il figlio della compagna di un mio agente».

«Ah, allora questo mette tutto a posto, Schiavone», ironia e sarcasmo si accavallavano come onde nella voce e nel tono del magistrato. «Cazzo!» ringhiò cercando ancora di placare la tempesta emotiva. «Cazzo! Cazzo!». Si avvicinò a grandi passi alla scrivania e scaraventò la foto della moglie nel cestino dei rifiuti.

«Giuro che tempo 24 ore e il computer finirà nelle mani della postale» disse calmo Rocco.

Baldi respirava a fatica.

«L'ho mai delusa, dottor Baldi?».

«Sempre!».

«Mente».

«È vero!». Si sedette sulla poltrona. «Facciamo così. Le do 16 ore».

«20».

«18 ultima offerta!». Il magistrato allungò la mano che Rocco strinse. «Vada per 18 ore. Allora dirò a Carlo di dare la priorità al computer di Grange e soprassedere per un attimo a quello di Cosimo Brady».

Baldi storse la testa e aggrottò le sopracciglia. «Computer? Cosimo Brady? Di che parla? L'argomento non era Giovanni Grange?».

«Sì, Cosimo Brady è un altro sospettato cui ho preso il notebook».

Il magistrato sorrise, intrecciò le mani poggiate sulla scrivania, guardò con calma il vicequestore. «Bene. C'è un altro computer che lei ha già sequestrato e di cui io non so niente».

«Stia tranquillo, Brady ha tirato le cuoia nel 2007».

«Ah, ecco. È morto. Allora tutto a posto. Lei ha fatto Giurisprudenza, giusto? Come me».

«Certo».

«E mi rammenti, per favore, dov'è scritto che quando una persona è deceduta gli inquirenti possono fare man bassa dei suoi averi? Magari entrargli in casa? Senza un preciso mandato?».

Rocco si alzò. «Non deve preoccuparsi, basterà una chiacchiera, due finte, un po' di fumo e di questa storia lei non saprà mai nulla. Anche perché, se Brady alla fine risulterà coinvolto nell'omicidio del bimbo, poco possiamo fare. Non ricordo in procedura il mandato d'arresto per un cadavere. A meno che non ci sia stata qualche revisione del diritto penale e io non ne sappia niente».

«Lei di diritto penale non ne sa niente comunque, Schiavone».

«Per questo lei fa il magistrato e io il poliziotto».

«Faccio finta di non aver sentito. E a proposito di diritto penale... com'è andata al processo?».

«Stanno inchiodando Mastrodomenico».

«Non le volevo credere, all'inizio, che un dirigente del Viminale... ma adesso devo darle ragione».

«E le pesa?».

«No, Schiavone, anzi. Comincio a pensare che lei in fondo sia una brava persona».

«Ma proprio in fondo?».

«Certo, in fondo in fondo, a destra, dove di solito si trova il cesso».

Rocco sorrise, Baldi tornò a studiare la montagna di carte che teneva sulla scrivania. Poi, quando il vicequestore si trovò sulla porta, disse: «E il suo amico, Sebastiano Cecchetti?».

«Sparito».

Il magistrato alzò gli occhi. «Tanto ormai è acqua passata, me lo può dire. L'ha aiutato lei a fuggire?».

«No. Il mio ex amico, ripeto, ex amico, era invischiato nel traffico di Mastrodomenico. E quella banda di figli di puttana uccise mia moglie. Secondo lei, potevo aiutarlo a fuggire?».

«Direi di no. Però questo lei l'ha appreso solo dopo... chi mi assicura che prima non lo abbia aiutato e soltanto dopo abbia scoperto il tradimento di Sebastiano Cecchetti?».

«Nessuno. Si deve fidare di me. Non è la prima volta che lei realizza che non ho niente da nascondere».

«Su questo le do ragione. Buon lavoro».

«Altrettanto a lei».

Nel corridoio della questura, davanti all'entrata, Rocco incrociò Casella e Deruta che trascinavano due bustoni carichi di oggetti. «Non voglio manco sape' cosa portate» disse Rocco, «fateli sparire». Italo lo stava aspettando proprio davanti al bugigattolo dove da ore raccoglieva telefonate. «Credo sia giusto fare dei turni e che il mio sia bello e finito».

«Certo. Case'? Mettiti al posto di Italo a ricevere le chiamate sul numero riservato alle denunce scomparsi».

«Sì dottore, porto questa busta in stanza e scendo».

Poi Rocco si rivolse a Italo. «Serve altro?».

«No» balbettò il poliziotto.

«Bene. Hai qualche notizia da darmi? Telefonate interessanti?».

Italo mostrò foglietti fitti di una grafia minuscola e inintelligibile. «Tutte false piste. Nessuna testimonianza concreta, niente di importante. Almeno trecento persone sono convinte che si tratti di un loro figlio, fratello, cugino, molti deficienti e qualcuno che scoppia a piangere e non parla». Aveva il viso stanco, l'agente. Rocco afferrò i fogli. «Italo, vattene pure a casa».

«Non ti servo?».

Rocco si avvicinò e gli sussurrò: «Non più», e lo piantò davanti alla porta della stanzetta.

Antonio Scipioni entrò bussando come suo solito, un solo colpo forte e chiaro. «Dimmi».

«Siamo pronti per andare da Giovanni Grange, a Châtillon».

«E annamo a Châtillon, che due palle...». Spense la cicca, si infilò il loden e ordinò a Lupa di starsene buona sul divanetto. «Ci portiamo qualcuno?».

«Deruta e D'Intino?».

«Solo Deruta. D'Intino no».

La casa di Giovanni Grange era un bel villino circondato da abeti. I poliziotti entrarono in giardino e trovarono sulla porta una donna sui 65 anni. Portava una gonna al ginocchio di lana grigia e una camicetta color crema abbottonata fino al mento, sotto un cardigan verde imbellito da fiori ricamati. Capelli grigi corti, aveva l'aria di un'insegnante di ricamo di un vecchio collegio femminile. Teneva le mani giunte davanti ai fianchi e non sorrideva. Le guance smunte e un po' cadenti e gli occhi spenti intonati al maglione lasciavano la sensazione che fosse coperta di polvere. «Buonasera» disse con una voce acuta e rotta.

«Vicequestore Schiavone, questura di Aosta».

La donna fece un inchino col capo e si ritrasse per fare entrare gli uomini. Un piccolo ingresso con due porte, una a destra una a sinistra, dal quale partiva una scala di legno. Un orologio a cucù segnava il tempo. «Saprete sicuramente che mio marito...».

«Sappiamo tutto di suo marito» la interruppe Rocco consegnandole un foglio che la donna prese e lesse. «Lì, a destra, dopo il salone c'è uno studio» disse, e restituì il documento della procura al vicequestore.

Antonio e Deruta scattarono, la donna guardò i piedi degli agenti, forse spaventata che i poliziotti potessero lasciare impronte sul parquet o, non sia mai, sul tappeto sotto il tavolo da pranzo. Lei e Rocco restarono a guardarsi senza dire una parola. Rocco percepì odore di cavolo bollito. Domitilla Ciai sposata Grange si grattò appena la guancia, Rocco notò un bell'anello verde all'indice della mano destra, e all'anulare della sinistra la fede. Il ticchettio del cucù si faceva sempre più forte man mano che i secondi passavano. «Quel computer lo avete già controllato» disse quasi sottovoce.

«Ah sì?» chiese Rocco.

«Già. Mio marito lo comprò tanti anni fa e voi della polizia ci avete ficcato il naso senza trovare niente».

«Ma lo sa come si dice? Dipende dal manico».

«Non comprendo».

«Ora è cambiata la situazione e ci concentreremo su altro. Da quando non vede suo marito?».

«Da luglio dell'anno scorso» rispose precisa Domitilla.

«Non lo va più a trovare?».

«No».

«Vuole sapere perché siamo qui?».

«Si tratta dello scheletro trovato nel bosco, vero?».

«È così».

«Mio marito non c'entra niente» disse alzando appena le spalle e Rocco si domandò come potesse ancora chiamarlo «mio marito» dopo quello che aveva combinato.

«Come fa a esserne sicura?».

«Giovanni quelle cose non le fa!» rispose indignata.

«Mi spiega allora gli anni in galera nel 2000? L'accusa era pesante, signora».

«L'hanno incastrato».

«Chi?».

«I suoi due soci. Avevano una catena di autosaloni. E siccome mio marito era proprietario del 55 per cento della società, una sera a una festa a casa del dottor Poretti lo drogarono e lo invischiarono con una ragazzina di 14 anni, ovviamente collusa. Che, guarda caso, poi si scoprì essere la nipote del Poretti».

«E immagino che la magistratura ignorò la cosa».

«Esatto», gli occhi di Domitilla brillarono di rabbia e rancore.

«Sono più di vent'anni che lavoro nella polizia».

«E allora, commissario?».

«E sono vicequestore, non commissario. In vent'anni ho incontrato solo persone innocenti incastrate da altri. Strano, no?».

Le labbra di Domitilla divennero due linee parallele come lembi di una ferita. «Gli altri non lo so, mio marito è stato messo in mezzo».

«Poteva fare ricorso».

«Gliel'ho proposto, lui non ha voluto. Sa cosa mi ha detto?».

«Non vedo l'ora».

«Se sono stati in grado di mettere su una scena del genere, questi mi fanno la pelle! Ecco cosa mi ha detto».

«Sacrosanto» commentò Rocco che si era rotto i coglioni di stare in quell'ingresso. «Giovanotti, ci vuole molto?» gridò verso la porta del salone.

Come risposta apparvero Deruta e Antonio che trasportavano un computer grosso quanto un condizionatore d'aria dal quale penzolavano cavi come budella da uno stomaco appena squarciato. «Bene, ecco fatto. Signora, è stata gentilissima».

«Perdete tempo» fece la padrona di casa. «Come vi ho già detto, dentro il computer ci avete già guardato. E siccome io non lo uso mai, difficile che ci sia roba nuova. Ripeto: perdete tempo».

Rocco spalancò le braccia. «Lo so, ma è la vita del poliziotto quella di correre dietro a sospetti che poi magari risultano innocenti. Ah, così, giusto per curiosità, lei ha mai conosciuto un tale Cosimo Brady?».

«No... mai sentito».

«E Pierino Blanc?».

«Nemmeno».

«E Adriano Panatta?».

«Non so chi sia».

«Nemmeno Gesù Cristo? No? Mi stia bene, signora».

«Rocco, hai un santo in paradiso!» gli gridò Michela Gambino appena lo vide scendere dall'auto. «Pensa se non ce l'avevo» borbottò il vicequestore.

«Sara, l'archeologa, ha ritrovato i due incisivi dell'arcata superiore».

«È una buona notizia?».

«Guarda», Michela gli consegnò una fotografia. «Questa è la ricostruzione dell'arcata dentaria che ha fatto Mascini ora che abbiamo tutti i denti tranne un premolare, ma non ci serve. Non noti niente?».

Era evidente che ci fosse uno spazio fra gli incisivi frontali.

«Diastema» disse Michela Gambino.

«E questo aiuta?».

«Molto. Non sulla nazionalità del bambino, ma è un elemento in più per riconoscerlo. Ora ti saluto e torno al lavoro. Stiamo studiando la struttura di ogni osso per vedere se aveva delle malattie, qualsiasi dettaglio ci possa tornare utile».

«Michela, sei preziosa».

«Lo so. E, come ti ho già detto, è per questo che prima o poi mi faranno fuori».

«Ma chi?».

Michela indicò il cielo. «Loro».

«Gli Ufo?».

«Ma che minchia dici, ma quali Ufo! Loro intendo i poteri forti. Devo pregare Iddio di non incrociare mai un caso che li riguardi. Mi verresti a ripescare sul greto di qualche torrente, oppure mi faranno una lobotomia, o meglio sparirò in un carcere di massima sicurezza dove sperimentano nuovi farmaci».

Rocco si grattò il mento. «Mi togli una curiosità?».

«E dimmi».

«Tu leggevi i fumetti della Marvel, da bambina?».

Michela scosse il capo. «Certo! Che domande. I tre quarti di quei fumetti sono ispirati a storie vere».

«Cioè, stai provando a dirmi che i Fantastici 4, Hulk, Devil o Thor sono ispirati a fatti realmente accaduti?».

«Sei scemo? I personaggi no, è chiaro. Ma le avventure che vivono sì, suggerite dalla realtà. Vuoi sapere qualcosa sullo scudo di Capitan America, per restare in tema?».

Rocco annuì paziente.

«Altro non è che la concretizzazione del programma scudo spaziale, ossia gli esperimenti della Nasa e della difesa degli Stati Uniti dal dopoguerra in poi». Rocco la guardava con gli occhi vuoti e disinteressati. «Mai sentito parlare delle quattro fasi del sistema SDI? Decoy? Brilliant Pebbles? No? Vivi senza sapere una beata minchia, Schiavone, e un giorno ti si ritorcerà contro».

«Pure?».

«Pure. Ora vado a lavorare».

C'erano giorni in cui il vicequestore Rocco Schiavone sospettava che la questura di Aosta altro non fosse se non un reparto di psichiatria di un ospedale in cui detenevano pazienti in regime di TSO. Non poteva altrimenti spiegare i pensieri e i comportamenti dei suoi colleghi. Salì le scale con la stanchezza che cominciava a pesare sulle spalle intirizzite dall'umidità di quell'aprile balordo. Lupa dormiva ancora sul divanetto, aprì appena un occhio quando lo sentì rientrare. Rocco si tolse il loden, le Clarks, si sedette sulla poltrona girevole, poggiò la testa sulla spalliera e cadde in un sonno improvviso e benefico.

Quando si svegliò aveva davanti Casella che lo guardava e taceva. «Ma che cazzo...?» mormorò e si tirò su. «Che fai? Che vuoi?».

«Non la volevo disturbare» disse Ugo Casella.

«E quindi hai pensato che stare in piedi a fissarmi in silenzio era una soluzione?».

«Aspettavo che si svegliasse. Ha dormito mezz'ora».

«Che c'è?».

«Abbiamo portato l'altro computer da Carlo. Allora, dice che è un cesso, come l'altro, e dubita li abbiano usati per trafficare su internet. Ma non vuol dire niente. È sicuro che a guardarci dentro qualcosa di utile lo trova lo stesso».

«Bene. E speriamo. C'è altro?».

«Sì. Sono stato tutto il giorno al telefono. Ora ho cambiato il turno e c'è Deruta. Queste sono le cose più interessanti che ho raccolto». Gli passò un foglietto. Rocco neanche lo guardò. Si accorse che il sole era tramontato e per lui la giornata di lavoro finiva lì. Si alzò e prese le Clarks poggiate sul termosifone. «Vado a casa, Ugo. Per oggi basta. A domani».

«Se Carlo... insomma, se trova novità la posso disturbare? Perché me le dirà subito, o a me o a sua madre».

Rocco alzò lo sguardo mentre allacciava la seconda scarpa. «Solo se la novità è molto ma molto rilevante. Come vedi non chiudo occhio la notte, e se piglio sonno e arriva una tua telefonata in cui, che so?, mi parli del pane di Altamura, ti mando sul Tavoliere a sorvegliare la transumanza».

«Ricevuto».

Schiavone s'infilò il loden e fischiò a Lupa che scese dal divanetto. «Ah, un'ultima cosa, dottore...».

«Che vuoi, Ugo?».

«È da un po' che le donne delle pulizie si lamentano».

«Di che?».

Casella imbarazzato proseguì: «Dei peli del cane...
sul divanetto».

«Mi stai dicendo che trovano da ridire sul fatto che
un Saint-Rhémy-en-Ardennes, ripeto, un Saint-Rhémy-
en-Ardennes dorma su un vecchio divano di merda in
finta pelle?».

«Più o meno».

«Digli di non rompermi i coglioni sui peli di Lupa.
Chiaro?».

«Riferirò queste precise parole».

«Sì, e se preferisci, sempre da parte mia, sul finale
puoi aggiungere un sano: e andate ammori' ammazza-
te, che, sebbene locuzione romana, credo la intenda-
no anche a queste latitudini».

Dal frigo riesumò una mozzarella, una specie di po-
modoro rosa, una scatoletta di tonno aperta e preparò
un'insalata che avrebbe fatto la sua figura all'ospedale Umberto I di Roma. Masticava evitando di sentire
i sapori, concentrato sul foglietto che gli aveva consegnato Casella e invidiando Lupa che divorava felice i
croccantini. «Mangia Lupa, che chissà quanti ce n'hai
là dentro di bocche da sfamare». Il primo appunto del-
l'agente diceva: *Famiglia Scarpa, Milano, figlio Luca
smarrito 7 anni fa, rottura tibia gamba sinistra cellulare
347 XXX.* Il secondo: *Signor Troppler, Friburgo, smarrito
Heinrich, figlio del fratello, in Val Gardena il giorno 23
gennaio 2007 alle ore 14:30 presso benzinaio Treppon i di
Ortisei, altezza 1 metro e 16, frattura tibia gamba sinistra*

e radio sinistro dovuta a caduta da bicicletta marca Bian-
chi mentre all'età di anni 6 percorreva il vialetto di casa
accompagnato dai vicini Pierre e Désirée Duchatel. Nu-
mero di telefono 0044 768 XXX. E com'è che non hanno comunicato le malattie esantematiche e i voti presi in prima classe?, pensò Rocco. «Svizzeri!» disse, e
passò al terzo appunto: *Signora Mirabella, Cuneo, smar-*
rito figlio 6 anni fa, Danielino, frattura tibia sinistra, è an-
data più volte a Chi l'ha visto?, *cellulare 391 10 XXX.*
Il quarto era difficile da decifrare. Qualcosa come Famiglia Ioppolo, o Popolo o Troppolo, di Acciazioli ma
più probabilmente Acciaroli. Fungo o forse meglio
bimbo, smarrito in paese 6 anni fa, Dario o Mario, non
si capiva la prima lettera, una telefonata per un risot-
to, ma doveva essere riscatto, senza conseguenze. Telefono di casa: 0974 56...

Tutti bambini perduti, tutti con la frattura della tibia alla gamba sinistra, tutti possibili proprietari dello
scheletro che al momento si chiamava ancora Pillo. Sperava che i parenti avessero sentito i notiziari. Magari
Pillo era un bambino di Praga e nessuno laggiù leggeva giornali italiani; magari la famiglia si era trasferita
all'estero, anche se l'ipotesi era poco credibile. Chi
avrebbe avuto il coraggio di abbandonare il paese dove il proprio figlio era scomparso? Restava sempre la
speranza di ritrovarlo, vivo o morto, per avere una risposta definitiva. La fine dell'ansia, dell'incertezza, non
era questo che aspettavano genitori e parenti? Un punto d'arrivo che scavasse la tomba dove portare i fiori

e lasciasse la possibilità di affrontare di petto il dolore della perdita. Mai più a vagare in un limbo tappezzato di dubbi e speranze, ma liberi di sprofondare nella disperazione davanti a una certezza terribile ma concreta, come uno scheletro che si riappropria del suo nome.

«Li avresti voluti?» mi chiede Marina, seduta davanti allo specchio. Vedo solo la silhouette, la luce del lampione di fronte la illumina e le fa un'aura chiara intorno ai capelli. E il suo viso non si riflette nell'ovale.

«Cosa?».

«Figli».

«Sì, li avrei voluti. Anche uno solo. Non ci siamo mai riusciti».

«No. Però forse è stato meglio così, non credi?», poi si volta a guardarmi. «È stato meglio così?».

«Se pensi che ora l'educazione l'avrebbe appresa da me, sì».

Marina sorride. «Che gli avresti raccontato?».

«Le favole».

«No, intendo, di me» mi sorride.

«Quando era piccolo?».

«O piccola, mica è detto sarebbe stato un maschio».

«Hai ragione. Se fosse stata piccola? O piccolo? La verità. Che non c'eri più, e che saresti tornata solo nei sogni, ma non ogni notte. Poi però molte favole prima di andare a dormire. Nonna mi leggeva sempre la stessa, Il soldatino di stagno. La conosci?».

Viene a sedersi accanto a me. «Dimmela un po'».

«*Allora, un bimbo ha dei giocattoli, fra cui un sol-datino di stagno con la gamba amputata e una balleri-na di carta. I due si innamorano. Ora succede che c'è un giocattolo, un pupazzo a molla che sembra il dia-volo, che gli lancia una maledizione perché invidioso del loro amore. E infatti il soldatino cade dalla fine-stra. Viene trovato da due ragazzini che per giocare lo mettono su una barchetta di carta e lo lasciano anda-re, quello finisce nella fognatura poi in mare dove un pesce se lo mangia*».

«*Poveraccio*».

«*Non è finita però. Perché il pesce viene pescato e fi-nisce, guarda un po', sulla tavola del bimbo che felice riabbraccia il soldatino. Felice è anche la ballerina di carta e tutti gli altri soldatini che ritrovano lo sventu-rato senza una gamba. Ma lo sai cosa succede? Il pu-pazzo a molla non desiste e getta il soldatino nel fuoco dove, essendo di stagno, comincia a sciogliersi. Allora la ballerina, disperata, si lancia tra le fiamme per bru-ciare insieme a lui. Alla fine fra la cenere resta un pic-colo cuore di stagno e un lustrino affumicato. Questo insomma rimane del loro amore*». Marina s'è addormen-tata con la testa poggiata sulla mia spalla. Sì, credo che questa sia la favola che avrei raccontato a mia figlia. O a mio figlio. Maschio o femmina sarebbe somigliato a Marina. Gli occhi e la bocca, le mani, sicuro, anche i piedi e i capelli. «*Saresti rimasta accanto a me, e allo-ra sì, Marina, ti dico di sì. Un figlio... una figlia... l'a-vrei voluto*» le dico anche se dorme, ma tanto so che mi sta ascoltando. «*Però i figli, lo sai?, ti trasformano in*

una persona che implora l'amore. E questo non va bene, Mari', non per me».

«Hai portato il mio specchio. L'ho riconosciuto».

«Tu sei lì dentro, vero?».

Si fa una risata.

Martedì

La notte gli scivolò addosso, un'ora dopo l'altra, fra una sigaretta, un sorso d'acqua, un programma idiota alla televisione, qualche pagina di *Germinale*. Alle cinque decise di fare la doccia, con calma, si lavò i denti e restò sulla poltrona avvolto nell'accappatoio ad aspettare l'alba massacrando di carezze le orecchie di Lupa. Controllò di nuovo il cellulare. Nessun messaggio, nessuna chiamata persa. Aosta era silenziosa e una luce appena accennata cominciò a disegnare i crinali dei monti. Poche nuvole, si sarebbe visto il cielo, almeno per un po', e il sole, pure se tiepido, avrebbe aiutato ad affrontare la giornata. Si rollò una canna senza aspettare di arrivare in ufficio, gli dolevano gli occhi e le radici dei capelli. Si spruzzò un ibrido di acqua di colonia e deodorante sul collo e sul maglione sotto le ascelle, si guardò allo specchio. «Cazzo...». Si faceva schifo, la pelle masticata ai lati del collo e sulla fronte, le rughe che si intrecciavano sotto la cute, la barba di tre giorni che almeno aveva il merito di coprire le guance. Sbiancava a vista d'occhio. In più aveva bisogno di un barbiere. Dal suo arrivo ad Aosta, non ne aveva ancora trovato uno che gli piacesse. Quello vicino alla questura era frequentato dai poliziotti, e detestava ascoltare i pettegolezzi dell'ufficio, in più era il barbiere del questore. Si era servito un paio di volte da quello di Croix de Ville, troppo compreso nel suo ruolo di dispensatore di consigli e psicologo a buon mercato. Poi aveva saltellato in altri tre negozi, nessuno dei quali lo convinceva, uno credeva di essere un barber shop nel Kentucky degli anni Quaranta, l'altro era di uno squallore che ricordava gli scalpatori del servizio militare, pareva un bordello di Singapore con il difetto di non esserlo. Entrò da Ettore e chiese il solito caffè doppio con un cornetto. «Una brioche al vicequestore» urlò quello consegnandogli una pasta croccante e calda direttamente in mano. «Ho saputo del bambino... una cosa tremenda» disse il barman.

«Così è... molto complesso».

«Immagino». Ettore caricò un braccetto per fare il caffè ad altri due clienti appena arrivati. «Ma avete scoperto l'identità?».

«Ancora no», Rocco sorseggiò il caffè. «Senti Ettore, tu ce l'hai un barbiere serio?».

«Che vuol dire serio?».

«Uno bravo che parla poco e ha un locale che non sembri una discoteca».

«Guardi, io vado sempre dallo stesso in cui andava mio padre».

«E sta?».

«A via Monsignore de Sales».

«Ma è dietro casa mia!».

«Sì, ed è la quarta volta che lei me lo chiede e che io glielo indico».

Rocco finì il caffè. «Mi starò rincoglionendo?».
«L'ha detto lei».

Di nuovo in piazza si diresse insieme a Lupa verso la questura. Alzò lo sguardo, il cielo era terso, le macchine cominciavano a riempire le strade e un profumo di forno aveva invaso piazza della Repubblica. Lupa gli trotterellava a fianco, un uomo alzò la saracinesca del negozio e uno spinone gli abbaiò contro dal vetro impiastricciato di leccate del bagagliaio di una Volvo. L'inno alla gioia suonò attutito nella tasca del loden. «Chi scassa?» fece senza guardare il display.
«Sono Antonio. Stai venendo?».
«Cinque minuti e sono lì. Perché?».
«Ti aspettiamo».
«Mi aspettate, chi?».

Davanti all'ufficio di Schiavone una donna e un uomo sui 55 anni facevano compagnia ad Antonio Scipioni. Pallidi, gli occhi stanchi, lei portava i capelli legati all'indietro, lui li aveva ricci e folti spruzzati di bianco sulle punte. Si somigliavano, per Rocco i visi sofferenti si somigliavano tutti. Il viceispettore Antonio Scipioni fece le presentazioni. «Dottor Schiavone, questi sono Amalia e Roberto Sensini».
Rocco strinse la mano alla donna, che risultò debole e priva di vita, quella dell'uomo invece calda e forte. «Cosa posso fare per voi?».
«Noi pensiamo...» prese la parola l'uomo, «che lo scheletro di quel bambino trovato nel bosco sia di

Mirko», e per avvalorare la tesi, la donna consegnò una fotografia a Rocco. Ritraeva un ragazzino bellissimo, coi capelli lisci e biondi e gli occhi accesi e sinceri, un sorriso pieno che mostrava il diastema. «È mio figlio» disse la donna. «È scomparso sei anni fa da casa, e non l'ho più visto. Qui con me ho tutti gli incartamenti di denunce ai carabinieri, alla polizia...», voleva allungare una cartellina a Rocco che rifiutò con un gesto della mano.

«Signora Sensini, cosa le fa credere che si tratti di lui?».

«La spilla con Capitan America... l'abbiamo letto sul giornale. Lui era fissato con Capitan America, la sua stanza era tutta un manifesto di Capitan America. A carnevale si voleva sempre vestire da quel personaggio e non usciva mai senza la spilla. A volte si portava dietro anche lo scudo. Io ho visto la foto, e non ho dubbi, è quella. Poi Mirko a sei anni si è fratturato la tibia giocando al parco, sull'altalena».

«Sapete, ci sono arrivate tante telefonate in questura».

«Immagino, per questo siamo venuti di persona. Io so che è lui. Me lo sento. E sono pronta a sottopormi alla prova del DNA, se serve. Sono certa che è Mirko quello che avete ritrovato», e scoppiò a piangere nascondendo il viso nel petto dell'uomo.

«Io mi rendo conto, signori Sensini, ci sono ottime probabilità che sia come dite voi. Molte coincidenze. Se lei e suo marito...».

«Non è mia moglie» disse l'uomo. «È mia sorella. Io sono lo zio di Mirko. Se vuole ho una prova in più per dire che quei resti appartengono a lui» proseguì Roberto carezzando il viso della sorella. «Lo scudo di Capitan America... gliel'ho portato io dagli Stati Uniti, tanti anni fa. Li costruisce un tizio di Las Vegas... è particolare. Lo guardi al buio. È fluorescente, nessuno al mondo fa una spilla fluorescente di Capitan America».

«Va bene. Provvederò», e Schiavone fece un gesto ad Antonio che scappò via. «Volete intanto accomodarvi nel mio ufficio? Almeno vi sedete».

«Sì, sì, grazie... grazie infinite» fece Amalia.

Presero posto sul divanetto di Lupa che percepì l'atmosfera dolorosa e si accontentò di stendersi davanti al termosifone senza protestare. «Lo... possiamo vedere?» chiese Amalia.

«No, signora» rispose Rocco. «Non si può. È in laboratorio per le analisi».

«Com'è?» gli chiese. Rocco non seppe cosa rispondere. «È molto... rovinato?».

«No... è in buono stato». Uno scheletro in buono stato, pensò, che cazzo sto dicendo? Invece la notizia sembrò rallegrare Amalia. «Quando è tutto finito me lo consegnate?».

«Se corrisponderà, certo».

«Lo mettiamo accanto al nonno. Noi siamo di Ivrea. Il nonno lavorava per l'Olivetti».

Rocco annuì. «Era bravo a scuola Mirko, lo sa? Però mi succede una cosa. Dopo tutti questi anni, non so, non ricordo più la sua voce. È normale?».

«Credo di sì, signora».

«Anche se ho dei video con Mirko. Li ho portati con me. Se vuole glieli mostro».

«Nel caso servano certo, li guarderò con attenzione. E il padre?».

«Il padre se n'è andato che Mirko aveva un anno» rispose Roberto.

«Morto?».

«No. In Olanda, lasciamo perdere».

Rocco annuì, prese una sigaretta e l'accese. Roberto fece una faccia schifata. «Lo so, ma io devo fumare, se vuole apro la finestra. Volete un caffè?».

La donna fece no con la testa, Roberto accettò. Rocco andò alla macchinetta per infilare la cialda. «Senta, signora Sensini, è possibile che quella spilla gliel'abbia rubata qualche compagno di scuola?».

«Impossibile, la teneva nascosta nella tasca dei jeans, attaccata con una catenella d'oro. Ogni volta per lavargli i pantaloni dovevo ricordarmelo, sennò in lavatrice...». Sorrise al fratello. «Era il suo portafortuna» disse e abbassò gli occhi. Un colpo al legno della porta avvertì dell'arrivo di Antonio Scipioni. «Dimmi».

Ad Antonio bastò annuire e il vicequestore comprese. Rocco si rivolse ai fratelli Sensini: «Bene, pare che la spilla corrisponda alla sua descrizione, signor Sensini. Allora...», gli allungò il bicchierino, la mano dello zio non era più forte come prima, tremava. «Credo di poter affermare che al novanta per cento lo scheletro del bosco sia in realtà Mirko».

La madre emise un grido strozzato e scoppiò a piangere insieme al fratello. Il caffè cadde a terra. Rocco

107

guardò Antonio che capì e tirò fuori dalla tasca dei fazzoletti di carta. I fratelli Sensini restarono stretti, abbracciati sul divano per più di un minuto. Anche Casella, richiamato da quell'urlo, si affacciò per un attimo, Antonio lo allontanò con un gesto perentorio. Poi quando il pianto si spense, Scipioni passò alla donna un fazzoletto di carta ricevendo uno sguardo di approvazione da Rocco. «Lei dottore sa come... come è morto?» chiese Amalia Sensini.

Era il dettaglio che Costa in conferenza stampa aveva voluto omettere, per rispetto, forse, e a Rocco sembrava giusto così. «No, signora, purtroppo no. A questo non ci siamo ancora arrivati, ma qualsiasi sviluppo...».

«Che gli hanno fatto?» chiese con le lacrime che le bagnavano il viso. «Che gli hanno fatto a Mirko?».

«Purtroppo le indagini sono...».

«Ha sofferto? Le chiedo solo questo. Mio figlio ha sofferto?».

Rocco respirò profondamente. «Non credo, signora. Dai primi accertamenti dovrebbe essere morto sul colpo».

«Sul colpo? Quale colpo? Gli hanno sparato?».

Il vicequestore stretto all'angolo era senza difese. «No, non posso scendere nei dettagli. Tutto questo è coperto dal segreto istruttorio».

«Non me ne frega niente del segreto istruttorio! Mirko è mio figlio e ho il diritto di saperlo! Allora, come fa a dire che non ha sofferto?».

Rocco si sedette alla scrivania. «Infatti non lo posso dire, signora Sensini, di come sia andata la faccenda ne sappiamo poco più di lei. Siamo risaliti alla data della morte, sei anni fa, e abbiamo trovato sullo scheletro tutti quei dettagli che ci hanno aiutato a dargli un nome. Mirko è stato ritrovato nel bosco di Saint-Nicolas, non sappiamo se sia stato ucciso lì. Qualcuno lo ha sepolto per nasconderlo».

«Lo hanno sepolto...» ripeté la madre come a voler comprendere meglio il senso e il significato di quelle parole, «Mirko è stato sepolto in un bosco come un gatto finito sotto una macchina?». L'aveva chiesto al fratello. «Aveva dieci anni, Mirko, era solo, io non c'ero, tu non c'eri, nessuno era con lui!», e cominciò a picchiare coi pugni le spalle e il petto del fratello. «Era solo, Mirko, senza nessuno! A dieci anni, in un bosco con... con chi? Chi può fare una cosa simile? Chi? Chi è l'ultima persona che mio figlio ha visto prima di morire? In un bosco, di notte, a cento chilometri da casa? Come si può?». Riprese a piangere, il muco si impastava alla saliva, il viso era rosso, gli occhi non avevano più colore. Poi, mormorando parole incomprensibili, si accasciò fra le braccia del fratello. Roberto stringeva le labbra, sembrava avesse paura di toccarla, come se il corpo della sorella scottasse. Lupa si avvicinò a quell'ammasso di dolore e posò le zampe sulle gambe di Amalia che la guardò, poi, con un sorriso, cominciò a carezzarla mentre sfogava il pianto.

«Lo dovete trovare» balbettò Amalia con un filo di voce.

Che le poteva dire Rocco? Le solite promesse a vuoto? Preferì tacere. Casella, che aveva ascoltato tutta la scena dalla porta socchiusa, entrò con una bottiglietta d'acqua. «Prego signora, meglio se beve un po'».

La donna alzò gli occhi. Non era più lì, guardava e non vedeva. Prese la bottiglia con un gesto automatico e se la portò alla bocca, ma il tappo era avvitato, Roberto gliel'aprì e Amalia bevve tutto il contenuto con un solo sorso. Poi la restituì a Casella e gli sorrise, ma solo con la bocca. «Andiamo?» disse all'improvviso. Si alzarono, il fratello la sosteneva, sul viso di Amalia erano passati vent'anni in pochi minuti. «Grazie ispettore, grazie a tutti voi, io vado a casa. Andiamo a casa, Roberto? Mi faccio sentire io...», avanzò di pochi passi. «Devo... devo lasciare l'indirizzo?».

«Non ce n'è bisogno, signora» disse Rocco.

«Allora vado. Chiamatemi appena posso riprendere Mirko. Lo porto accanto al nonno, a Ivrea. Il nonno lavorava all'Olivetti», e si incamminarono lungo il corridoio, lenti, abbracciati e indifesi. Rocco guardò i suoi colleghi. Casella aveva gli occhi umidi. Antonio cercava di darsi un tono. «Se volete sfogarvi fatelo pure. Non è che se uno è della polizia non lo possa fare», e solo allora una lacrima scivolò via dall'occhio del viceispettore che rapido e vergognoso la pulì col dorso della mano. «Non c'è un dolore più grande, mi sa» fece Casella.

«Non lo so, non credo» gli rispose Rocco anche se Ugo non aveva fatto una domanda. «Sembrava stesse in apnea» aggiunse Antonio.

«Già, è così. Anche se respira, non se ne accorge. Mangerà senza accorgersene, berrà senza accorgersene, insomma vivrà, ma senza saperlo. Allora, la situazione è chiara per tutti. Che dobbiamo fare?».

«Prenderlo, anche dopo sei anni» disse Antonio. «E non c'è da perdere tempo a mangiare e a dormire, io gli devo mettere le mani addosso».

«Più o meno, Anto', più o meno. Ma bisogna restare razionali. Abbiamo fatto un passo avanti molto importante, sappiamo chi era e da questo momento si lavora come bestie. Diamoci una mossa».

«Io chiamo Carlo, vediamo se ha novità sui computer» fece Casella.

«E mi sembra una bella idea. Io informo il questore, poi io e te Antonio leggiamo denunce, atti e documenti della scomparsa di Mirko e cerchiamo di capire come è andata. Voglio qui anche Italo, Deruta e la Gambino. Ugo, avvertili tu».

«'Gnorsì!».

«Ci sono troppi dettagli» riferì Rocco a Costa. «L'età, il diastema, la frattura, la spilla di Capitan America fluorescente attaccata ai brandelli di jeans con una catenella d'oro. Quanti dubbi possiamo avere?».

«Credo nessuno, Schiavone. Dunque abbiamo un nome».

«È tutto merito di Gambino and company. Io mi sono limitato a raccogliere le informazioni».

«Voglio farmi quattro chiacchiere con Gambino, e deve sapere una cosa, Schiavone...». Rocco non ascoltava più. Si limitava a osservare le labbra del questore mentre pensava ai due computer che aveva fatto consegnare a Carlo. Doveva partire da lì, altro non aveva. «… sempre che lei sia d'accordo».

«Certo» rispose Rocco senza sapere su cosa precisamente lo fosse.

«E allora la metto in contatto… sono bravi, sicuramente le daranno una mano».

Di chi sta parlando?, pensò Rocco. Doveva trovare un escamotage per farsi ripetere l'ordine. «Questi… che sono bravi, dov'è che stanno?».

«Schiavone, gliel'ho appena detto. A Torino».

«Sì, ma dove?».

«L'indirizzo glielo faccio avere».

«E, mi dica, come potrebbero essere d'aiuto?».

A Costa crollarono le braccia. «Schiavone, lei non ascoltava e non ha capito un'acca di quello che le ho detto. È un ufficio della questura di Torino, lavorano proprio per rintracciare bimbi vittime di rapimenti. Fanno questo lavoro da anni».

«Sì, sì, perfetto. Ci saranno d'aiuto».

«L'ho appena detto».

«Infatti».

Costa scosse la testa. «Devo organizzare i soliti giornalai. E intanto bel colpo, Schiavone, bel colpo!». Costa si allontanò, Rocco tornò nella stanza dove Antonio, seduto insieme a Lupa sul divanetto, aveva messo in ordine tutte le carte che la signora Sensini aveva portato con sé.

«Ho ricostruito un po' la faccenda» disse il viceispettore mentre Italo, Casella e Deruta entravano nell'ufficio. Michela fu l'ultima a raggiungere il gruppo e, come al solito, si mise vicino alla finestra, sembrava controllare il traffico.

«Ascoltate bene» li esortò Rocco. «Forza Antonio, leggi».

Il viceispettore si schiarì la voce. «L'ultimo che ha visto Mirko pare sia stato il maestro della scuola. Era mezzogiorno del 27 maggio del 2008, quel martedì le lezioni terminarono prima. Tre giorni dopo Mirko avrebbe compiuto undici anni. Questa che leggo è la testimonianza del maestro Bustoni». Si mise il foglio davanti agli occhi: «Mirko era fuori dalla scuola, da solo. Ho pensato aspettasse la mamma. Non mi sono preoccupato più di tanto». Posò il documento e guardò i colleghi. «E qui cominciano i problemi. Perché secondo Bustoni Mirko indossava una camicia rossa, invece due compagnucci di classe dicevano che l'aveva a scacchi».

«E noi a chi diamo ragione?» fece Rocco.

«A nessuno dei due» rispose Michela. «Noi abbiamo ritrovato resti di una felpa azzurra, nessuna camicia a scacchi o rossa».

«Vai avanti Antonio».

«Dunque, a mezzogiorno e mezza la signora Sensini comincia a preoccuparsi, chiama la scuola, il preside dice che fuori dall'istituto non c'è anima viva. Se ne sono andati tutti».

«Perché non è andata a prenderlo?» chiese Casella. Antonio guardò le carte. «La scuola elementare dista neanche 300 metri da casa Sensini, in via Palestro 12. Amalia Sensini dice che il figlio tornava a piedi da so-

lo, lei afferma essere una camminata di un quarto d'o-
ra al massimo e lì intorno tutti conoscevano Mirko. È
uscita di corsa dopo la telefonata e ha ripercorso il tragitto che era solito fare Mirko senza trovarlo». Antonio continuava a leggere. «Qui dice che ha chiesto a
qualche passante lungo la strada ma nessuno ha saputo dare indicazioni».

«Allora. Mirko è davanti alla scuola come se aspettasse qualcuno e quel qualcuno lo avrà caricato e portato via. Immagino non ci fossero telecamere» fece
Rocco.

Antonio sbirciò i fogli delle denunce. «In città sì, ma
davanti alla scuola solo una di una farmacia che la polizia ha controllato, pare che l'angolo non fosse buono. Il maestro ha detto che Mirko era su un muretto,
a una ventina di metri dall'entrata. E quella telecamera inquadra al massimo l'imbocco della strada».

«E non ci dice niente di meglio?».

«Sì... dunque, da mezzogiorno all'una sono passate
dodici macchine, forse genitori che andavano a riprendere i figli. Poi hanno fatto una ricerca approfondita
su altre telecamere in giro per la città, però dovremmo andare a parlare con la questura di Ivrea perché l'affare è complesso».

«E lo faremo. Non hanno cercato di stabilire i proprietari delle automobili?».

Antonio era sempre concentrato sui documenti. «Solo nove sono state identificate. Le altre tre no. Qui riporta colore e modello, purtroppo niente targa».

«Cos'altro abbiamo?».

«Le ricerche sono partite immediatamente. Hanno usato unità cinofile oltre a controllare altre telecamere di negozi, banche e uffici senza però arrivare a nulla».

«La madre ricorda cosa indossava il figlio quel giorno?» chiese Michela. Antonio scartabellò i fogli. «Qui dice una camicia a scacchi rossa e nera». Rocco restò pensieroso. «E non una felpa azzurra?».

«Non una felpa azzurra».

«Michela, quella felpa?».

«I brandelli dei vestiti li ho analizzati ieri. I jeans sono della Levi's, la felpa invece è stato più complesso, è di cotone, altro non so».

«Non hai trovato nessuna traccia sulla stoffa?».

«Solo terra, uova di insetti, radici. La stranezza sono le foglie».

«Spiegati meglio» fece Rocco.

«Ho trovato incastrata, sempre nella tasca dei jeans, una foglia secca, ben conservata. Ci ho sbattuto la testa per ore perché si tratta di un'orchidea. Per la precisione orchidea Italica».

Rocco guardò Michela negli occhi. «Non sono un botanico, ma l'orchidea nel bosco non dovrebbe esserci».

«E infatti non c'è».

Rocco incassò l'informazione. «Abbiamo altro, Antonio?».

«E sì… passiamo alle testimonianze, c'è chi dice di averlo visto salire su un autobus addirittura, chi l'ha incontrato al fiume, ma pare che non abbiano dato molto credito a queste voci… tranne questa che ha indirizzato tutte le indagini all'epoca», e consegnò il foglio a Rocco che lesse. «Qui dice che un tizio della Società Canavesana Servizi mentre raccoglieva i rifiuti è certo di aver visto il ragazzo camminare accanto a un uomo, statura media, verso mezzogiorno e mezza. Erano di spalle ma lo colpì perché il ragazzo portava lo zaino e in mano teneva un enorme scudo di Capitan America e carnevale era passato da un pezzo...». Rocco mise giù i fogli. «E tutti sappiamo quanto sia importante il carnevale a Ivrea». Poi sfiorò le carte con una mano. «Mi sa che quattro chiacchiere con questo tizio ce le dobbiamo fare. E dobbiamo andare a Ivrea».

«Quando?» chiese Italo.

«Tu stai pure comodo. Casella e Antonio con me. Michele, fai una ricerca, pedofili o presunti tali a Ivrea e dintorni. Accusati, processati, sospettati, tutti. Semmai fatti dare una mano da questo qui», e indicò sprezzante Italo. «Grazie Michela dell'aiuto».

Il viceispettore e l'agente uscirono dietro Rocco. Michela gettò un'occhiata a Italo che era rimasto in piedi in mezzo alla stanza. «C'è molto amore fra te e il vicequestore, vedo...», e si incamminò verso il laboratorio. Deruta era rimasto fisso a guardare Pierron. «Allora, ci mettiamo a lavorare?».

«Sono il nuovo D'Intino?» gli chiese. Michele sorrise. «No, non credo, quello è unico».

La scuola elementare era in mezzo a palazzi sgraziati che niente avevano a che fare con la gentilezza della città. Rocco si mise davanti al cancello a guardare il muretto alla sua destra. Distava una ventina di metri. Dopo il muretto una curva e la strada proseguiva verso il corso. Rocco prese un foglietto con sopra appuntato l'indirizzo della casa dei Sensini, via Palestro 12. Raggiunse corso d'Azeglio, proseguì dritto, trecento metri, qualcosa di più, e arrivò. Con un passo deciso cinque minuti, con il passo distratto e incerto di un bambino forse una decina. Rifece il percorso al contrario, incontrò solo due negozi, e si riposizionò venti minuti dopo davanti al cancello della scuola. Casella fermò l'auto lì vicino qualche secondo dopo. «Allora, il netturbino si chiama Federico Angiulli» disse scendendo dall'auto, «abita a via Gobetti 32 e oggi però è di turno. Mi hanno dato una cartina col giro che fa…».

«Ma non ce l'ha un cellulare?».

«Certo».

«E allora chiamalo e digli di venire qui a via De Gasperi senza rompere troppo il cazzo. Case', a volte me pari rincoglionito». Perché Mirko sembrava aspettare qualcuno davanti alla scuola quel giorno di maggio e non si era incamminato come sempre verso casa?, si chiedeva Rocco. Il maestro Bustoni era uscito a mezzogiorno e qualche minuto, i suoi amichetti erano andati quasi tutti via, invece Mirko no, era restato solo su quel muretto. Rocco si accorse che ora c'erano ben tre telecamere davanti alla scuola. Quando i buoi sono già scappati, si disse. Sempre così, pensò, si disegnano stop sulle carreggiate, si piantano divieti di parcheggio, semafori, telecamere, fari alogeni per rischiarare la notte solo dopo che la frittata è fatta.

«Arriva dotto', cinque minuti, sta a via Adamello».

«E sai quanto cazzo me ne frega dove sta». Poi prese il cellulare. «Antonio, allora?».

«Sono in commissariato. I filmati che servono ce l'hanno in archivio. Ti aspettano qui. Sono tutti un po' sconvolti. Ho parlato con un ispettore».

«Come si chiama?».

«Munifici».

«No!» gridò Rocco. «Luca Munifici?».

«Lo conosce?».

«Passamelo!» quasi gridò Rocco. «Pronto?», dall'altra parte una voce roca. «Munifici, dica pure».

«Buongiorno ispettore Luca Munifici. Le parla il vicequestore Rocco Schiavone».

«Ma li mortacci!» gridò l'ispettore al telefono. «Che cazzo fai a Ivrea?».

«Sto ad Aosta in realtà. Tu invece?».

«Sto qui da due anni...».

«Vengo lì fra poco. Tienimi i video».

«Ma pensa te...» disse Munifici e abbassò il telefono.

Non vedeva l'ispettore Munifici dal 2007, da quando il poveraccio era stato ferito da una coltellata tirata da un nigeriano nel porto di Civitavecchia. Era un bravo ragazzo Munifici, avere a che fare con lui era una buona notizia. Rocco diede ancora un'occhiata alla scuola. «Quando arriva 'sto Angiulli?». Casella allargò le braccia, il vicequestore si accese una sigaretta. «Tocca aspetta'» disse sconsolato.

«Almeno non piove» commentò Casella.

«Ugo, a me gli ottimisti me stanno sul cazzo».

«Come vuole lei, dottore».

«Senti un po', secondo te è meglio Ivrea o Aosta?».

«La conosco poco e niente Ivrea. Ci stava l'Olivetti».

«E questo lo sa mezza Italia, ma se dovessi sceglie-re, ti faresti mandare qui?».

«Be', dotto', mo' che ho trovato Eugenia direi di no. Forse, qualche mese fa sì. Almeno uno cambia aria».

«Vero. Certo a guarda' 'sti palazzi...».

«Il centro è bello».

«Eccolo» fece Rocco buttando la sigaretta mentre un piccolo mezzo della società della raccolta rifiuti si av-vicinava a velocità sostenuta. Frenò a venti centime-tri dall'auto della polizia, scese un uomo sulla quaran-tina. Rocco non poteva catalogarlo nel bestiario perché Federico Angiulli era un uovo. Quindi era tutti gli uc-celli, rettili e pesci prima della schiusa. Glabro, occhi piccolissimi, bocca e naso raggruppati in pochi centi-metri quadrati lasciavano il resto della superficie intat-to, liscio e pallido. «Buongiorno, sono Federico Angiul-li, scusatemi, sono venuto appena mi hanno avvertito».

«Lo so» fece Schiavone. «L'ha chiamata il mio so-lerte agente», e indicò Ugo Casella. «La riporto al 27 maggio 2008, quando lei vide Mirko Sensini, il bam-bino scomparso davanti a questa scuola».

«Certo che me lo ricordo. L'avessi saputo».

«Che avrebbe fatto?».

«Sarei andato lì e l'avrei strappato dalle mani di quello che l'accompagnava».

«Se lo ricorda?».

«No, era di spalle. Capelli neri, corti, magro, poteva essere un metro e settanta, non di più, e portava una giacchetta blu, tipo giacca a vento leggera».

«E il bambino?».

«Il bambino aveva una camicia a scacchi, lo zainetto e portava uno scudo di Capitan America. Per quello me lo ricordo, anch'io da bambino ero un fan dei fumetti della Marvel».

Rocco si accese un'altra sigaretta. «Senta un po', non c'entra un cazzo, ma secondo lei i fumetti Marvel sono ispirati a storie vere?».

«Certo che sì. Ma non i personaggi, alcuni dettagli. Per esempio il martello di Thor è la rappresentazione della bomba H».

Rocco lo guardò con sospetto. «Conosce Michela Gambino?».

«No. Chi è?».

«Lasci perdere. Dove l'ha visto Mirko?».

«Al piazzale della stazione».

«Che, mi corregga se sbaglio, non è proprio qui vicino».

«No, è dall'altra parte della Dora».

«Si ricorda l'ora?».

L'uomo strinse gli occhi e alzò un poco la testa nello sforzo mnemonico. «Ero a fine turno, quindi mezzogiorno e trenta circa, riportavo il mezzo al deposito, ma all'epoca fui più preciso sull'orario».

«Secondo lei stavano andando a prendere il treno?».

«Direi di no. Puntavano verso via Jervis. Se l'avessi saputo».

«Ma non poteva. Grazie, signor Angiulli. E i Fantastici 4?».

«Invisibilità, all'epoca si cominciava lo studio della tecnologia Stealth, l'uomo torcia era il Napalm, l'uomo gomma rappresentava la politica espansionistica e di controllo in Sud America, paese produttore di caucciù, e la Cosa denunciava un progetto segreto eugenetico avviato nell'Area 51 per creare il soldato perfetto».

Rocco guardò l'uovo per qualche secondo, poi annuì, gli diede una pacca sulla spalla e infine salì in macchina diretto al commissariato. Prima di partire si affacciò al finestrino: «E perché Devil è cieco?».

Federico Angiulli allargò le braccia sconsolato. «Ma è la più grande invenzione del secondo conflitto mondiale! Il radar» rispose come fosse la cosa più ovvia della terra.

«Vai Case'!», e l'auto finalmente partì.

L'ispettore Munifici non era cambiato, solo i capelli si erano ritirati in buon ordine lasciando una stempiatura evidente. Si abbracciarono. «Sei in forma!».

«Anche tu! L'ultima volta che ci siamo sentiti era un giorno triste».

«Eh sì» ammise Rocco, era per il funerale di Marina. «E tu? Ti sei sposato?».

«Con Isabella».

«Me dispiace pe' lei. Ti presento la squadra» fece Rocco. «Abbiamo il viceispettore di nuova nomina Antonio Scipioni che hai già conosciuto, uomo valente e di poche parole, uso ad avere rapporti con tre fidanzate contemporaneamente; accanto a lui il solerte agente Ugo Casella direttamente dalle Puglie, uomo pieno di risorse, sempre all'opera, onnipresente pure quando non serve a un cazzo; il gruppo si completa con gli assenti Michele Deruta dall'isola della civiltà nuragica, che fa il doppio turno al panificio del compagno, e D'Intino da Mozzagrogna. La loro proverbiale intelligenza è valsa alla coppia il soprannome di Stanlio e Ollio oppure, per i più attempati, di fratelli De Rege».

«Cazzo, voglio veni' ad Aosta» fece Munifici con gli occhi eccitati.

«E mo' vediamo che si può fare. Squadra!». Rocco richiamò l'attenzione dei suoi. «Questo qui è l'ispettore Munifici che per un pelo non ci lasciava la pelle al porto di Civitavecchia, ma non abbiamo ancora capito se sia stato un bene o un male. Fatte le presentazioni mettemose a lavora'!».

«Allora» riepilogò Munifici mentre si avviavano verso la sua stanza, «siete risaliti all'identità del bambino sepolto nel bosco...».

«Esatto. Mirko Sensini, scomparso nel maggio 2008 da Ivrea».

«Io non ero ancora a Ivrea, vediamo...». Prese il telefono. «Astolfi, ci raggiungi? Stanza in fondo al corridoio», e riabbassò. «Questo Astolfi è vicino alla pensione, sa tutto, si ricorda tutto, una specie di computer. Ci darà una mano».

«Intanto questi sono i filmati» fece Antonio indicando un pacco di cd su un tavolo. «Sono del giorno e dell'ora della scomparsa di Mirko. Ho cominciato a dare un'occhiata, niente di che».

«E vabbè, mentre aspettiamo Astolfi guardiamoci un po' di televisione, no?».

Munifici pigiò sulla tastiera e le immagini partirono. Ogni tanto un'auto, visibile dalle ruote fino a mezzo sportello, attraversava l'inquadratura. «È tutto così?» chiese Rocco.

«Tutto così», un vocione alle loro spalle li fece voltare. Rocco si sarebbe aspettato una specie di gigante, invece quel suono cavernoso e roco lo aveva emesso un agente di un metro e sessanta con gli occhi azzurri vivaci e un ciuffo di capelli color cenere che gli attraversava la fronte. «Ah, ecco Astolfi!» fece Munifici.

«Piacere».

«Vicequestore Schiavone. E dicci un po' Astolfi, così ci risparmiamo un sacco di lavoro».

«Allora, la storia è complicata. Abbiamo dato peso alla testimonianza del netturbino, che ha visto Mirko vicino al piazzale della stazione, e calcolato i due percorsi per giungere lì dalla scuola del ragazzo. Sei telecamere per un verso, cinque per l'altro. Abbiamo visionato tutti i passaggi e sul documento nella cartella rossa abbiamo evidenziato le auto che ricorrono in tutte le telecamere. Qualcuna l'abbiamo rintracciata, altre no. Per comodità l'elenco è in fondo al documento». Mentre Astolfi parlava, Rocco controllava le carte. «Un bel casino».

«Sì, un bel casino... ma non approdammo a nulla. Ero nella squadra ricerca. Valutammo tutte le ipotesi...».

«Anche quella che non ci fu nessuna macchina a prelevare il ragazzo?».

«Anche, che ben si sposava con la testimonianza di Angiulli, l'uomo dei servizi di raccolta».

«Sì, l'abbiamo conosciuto» fece Rocco.

«Se qualcuno fosse venuto in macchina a prenderlo» proseguì Astolfi, «perché poi andavano a piedi verso la stazione?».

«Già. Perché?».

«Abbiamo pensato, vicequestore, che il rapitore si fosse fermato in un negozio a comprare qualcosa per il ragazzo. Che so? Un giochino, caramelle, un gelato? Li abbiamo battuti a tappeto e nessuno ha visto entrare Mirko, nessuno l'ha visto in compagnia di un uomo. Zero assoluto. Alla fine abbiamo pensato che la testimonianza di Angiulli non avesse tutto questo valore».

«Altro?».

«Sì. Abbiamo seguito il percorso a piedi dalla scuola alla strada vicino alla stazione. Se i due avessero fatto quella passeggiata, avrebbero incrociato altre tre telecamere, ed è inutile dirle che, controllate, non ci hanno dato alcuna risposta positiva».

Schiavone rifletté per qualche secondo. «All'epoca avete avuto aiuti dalla postale?».

«Mi pare di ricordare di sì. A Torino, anche una squadra specializzata per i minori».

«Grazie, Astolfi. Guarda, ho due agenti che stanno prendendo informazioni su possibili sospetti nella zona di Ivrea. Parlo di pedofili, è ovvio».

«Ce n'è solo uno di nostra conoscenza, Goffredo Mameli».

«Davvero si chiama così?» chiese Rocco con un sorriso appena accennato.

«Giuro» fece l'agente. «Lo torchiammo all'epoca, frequentava l'uscita delle scuole elementari e medie. Sta a casa con il padre, e nel maggio del 2008 era ricoverato all'ospedale per un'appendicite».

«Ci vuole una botta di fortuna che l'assassino sia conosciuto dalla polizia. Se è uno che non abbiamo mai beccato?» si intromise Antonio.

«Diventa molto più complicato, Anto'» rispose Rocco. Poi si alzò in piedi. «Me so' rotto il cazzo. Grazie, Astolfi», e uscì dalla stanza seguito dai suoi. «Astolfi, possiamo prendere tutto il materiale?».

«Padroni, è roba vostra, faccio richiesta e domani mandate qualcuno» rispose il vecchio agente.

«Munifici!» urlò Rocco in corridoio. «Portace a un bar che somigli a un bar».

«Subito» fece quello afferrando il giubbotto.

Il bar era in centro, accogliente, il bancone di legno scuro con una specchiera antica alle spalle gli dava un'aria solida e secolare, da antica farmacia. Rocco masticava un panino e contava i liquori sulle mensole. Munifici chiacchierava con Scipioni prendendo informazioni su Aosta, ma il viso dell'ispettore romano sembrava crollare man mano che Antonio gli descriveva la città.

Poi Rocco si voltò verso Casella. «Ugo!» gridò. «Qualche notizia da Carlo?».

«E mo' lo chiamo!» disse. Uscì fuori dal locale destreggiandosi come un giocoliere fra cellulare e pasta alla crema. Per un momento portò all'orecchio il dolce. «Non lo so se voglio veni' a Aosta» disse Munifici a Rocco.

«Fa' un po' come te pare».

«Una cosa è certa, se resto qui sbrocco. Non ho un amico, a parte un paio di colleghi, niente».

«Oh, ma che te lamenti? Te sei sposato!».

«Ma lei mica è di Ivrea. È di Terracina, la conosco da quando eravamo alti così! Qua so' bravi a fa' rafting. Me ce vedi su una piroga in mezzo alle rapide a evita' sassi o di annegare?».

«No. Non ti ci vedo Luca».

«Appunto. Però devi veni' a carnevale, danno di matto. Ma di matto proprio. Se tirano le arance».

«Ammazza, hai fatto una grande scoperta! Munifici, anni a Ivrea e sai solo questo?».

«C'era la Olivetti».

«Annamo bene». Rocco si pulì le mani e accartocciò il tovagliolino nel piatto nel momento in cui Casella rientrava rosso in viso. «Dotto', qualche novità ce l'ha».

«Bene, Casella». L'agente restò muto. «Oh, ce la vuoi dire oppure dobbiamo pagare?». Casella per un attimo parve imbarazzato. «Ugo, Munifici è un collega!».

«Sì, giusto, dunque. Allora, esaminando il vecchio portatile trovato nel deposito di Cosimo Brady, quello morto nel 2007, ha scoperto che usava un nickname per le sue cartelle e certi messaggi curio-

si. Il nickname è... aspetti che me lo so' segnato...
Cobra 54».

«Ma che è? Un taxi?» fece Munifici.

«Cobra 54. Bene. Facile. Cosimo Brady, sarà nato
nel '54, quindi Co-Bra-54. Insomma più o meno. E
poi?».

«E poi mi ha detto che il pesce ha abboccato».

Rocco lo guardò senza capire. «Spiegati Ugo, me pari la Gambino».

«Quello che lo doveva portare nel deep web c'è ca-
scato. E si sta facendo un giro sui siti, quelli pericolo-
si. Un po' si sta cacando sotto».

Rocco annuì. «C'è traccia di questo Cobra 54?».

«Macché, per ora niente, anche se, dotto', se è morto sette anni fa non c'è potuto andare su quei siti, no?».

«No. Allora Luca, io e i ragazzi ce ne andiamo. Tanto dobbiamo tornare, mi devo fare quattro chiacchiere con i Sensini. È stato un piacere vederti. Viemme
a trova' a Aosta, che ce metti?».

«E vengo sì, magari porto pure Isabella».

Rocco strinse la mano al collega e si incamminò, sigaretta in bocca e i pensieri che volavano via insieme
al fumo.

«Il computer di quel Giovanni Grange è più tosta-
rello da affrontare» disse Carlo mentre Rocco e Casella osservavano lo schermo dove sfilavano numeri, sim-
boli, un linguaggio incomprensibile per il vicequestore che pendeva dalle labbra di Carlo come fosse un ora-
colo. «Vi dico che ci sono state parecchie cancellazio-

ni, e questo diventa un problema perché dovrei esaminare l'hard disk e cercare delle tracce, ma siamo più nella fantascienza che nell'informatica».

«Di quella roba, deep web, dimmi un po'?».

Carlo si passò una mano tra i capelli. «Ho trovato roba da far drizzare i peli. Ci sono dei siti che spariscono nel giro di qualche ora. Appuntamenti, dritte, linguaggi in codice. Si scambiano materiale. C'è gente che gode guardando una ragazza spiacciare un verme, altri truccati da bebè si fanno cambiare il pannolino mettendo in bocca il biberon, e poi pedofili. Ce n'è quanti ne volete. Ora ho staccato, sto per vomitare».

«Ti puoi introdurre con il nickname di Cosimo Brady?».

«L'ho già fatto e chiesto in giro. Non mi rispondono. Se sanno che è morto, nessuno si affaccerà e capiranno che è una trappola. Sarebbe meglio trovare la chiave d'accesso di Giovanni Grange. È in carcere, no?».

«Già» fece Rocco. «Sempre che Grange frequentasse 'sti posti». Il vicequestore guardò Casella che teneva la mano sulla bocca. «Io spero di darti qualche notizia da Torino. Hanno dato una mano all'epoca della scomparsa di Mirko».

«Allora è certo? Si chiama Mirko?».

«Sì... questo era il suo nome».

Entrò Eugenia, truccata e vestita. «Sono pronta. Vogliamo andare?». Casella sorrise. «Sì, certo!».

«Dove ve ne andate di bello?».

«Una pizza con degli amici. Vuole essere dei nostri, dottor Schiavone?».

«Grazie, come accettato. Ugo, non fare tardi» gli disse e scoppiò a ridere insieme a Carlo.

«Dottore, io ho dei würstel tedeschi buonissimi e una birra olandese da sballo. Resta a cena con me?».

«Volentieri, Carlo».

Mercoledì

Aveva lasciato Antonio Scipioni a sbrigarsela con quelli della postale, insieme a Casella tornarono a Ivrea per parlare con i Sensini. Durante il viaggio l'agente e Rocco avevano scambiato sì e no dodici parole, e Rocco fu tanto grato al collega che prima di incontrare Amalia e Roberto gli offrì una bella colazione al bar del centro. Gli piaceva guardare Casella che mangiava il dolce. Sembrava un ragazzino, lo zucchero intorno alle labbra, le dita sporche di crema, masticava con una felicità negli occhi che dava soddisfazione. «Case', saresti stato la gioia di mia nonna».

«Come mai, dottore?».

«Mia nonna voleva bene solo a chi consumava cibo come un inceneritore. Non le piaceva restasse roba sul piatto, e se chiedevi una seconda o addirittura terza porzione diventavi automaticamente il nipote preferito. Solo per quel giorno, sia chiaro».

«Ha cugini lei?».

«Sì, tre. Mai più visti. Erano figli della sorella di mamma. Non so manco che fine hanno fatto. Soprattutto ce n'era uno che mangiava per tre persone. Se ha continuato di quel passo starà ricoverato da qualche parte».

«Pure nonna ci ingozzava. Noi di cugini eravamo 13. Quando arrivava Natale, dotto', non era una cena, sembrava un matrimonio. Faccia il conto: 13 nipoti, più», alzò gli occhi al cielo contando sulle dita, «... quattro zii e quattro zie andiamo a 21, nonno e nonna e fa 23, 24 con zia Italia che non si è mai sposata e che nessuno seppe di chi era zia...».

«Che vuoi dire?».

«Che zia Italia viveva a casa dei miei nonni con i miei zii da parte di papà, Luciano e Annarita. Da sempre. Mo' quando zia Italia morì, aveva l'età di nonna, faccia conto, zia Annarita andò dal marito Luciano e gli disse: Embè, mi dispiace per tua zia. E zio Luciano guardò in faccia la moglie e disse: Mia zia? Ma non era la tua? Insomma dotto', gira che ti rigira si scoprì che zia Italia non era zia a nessuno. Cioè non era parente».

«E com'è che stava a casa dei tuoi nonni?».

«Dalla guerra. Era una sfollata dalle parti di Foggia. Si trovò bene, e ci restò».

«Mi pare giusto e corretto».

«Sì, e lo sa? Era quella che ci faceva i regali a tutti i nipoti, Natale Pasqua e Epifania, sempre aiutava in cucina, la donna più dolce che abbia mai incontrato. Come cucinava i *turcenille* zia Italia... che sono budella di agnello e ci sta il pecorino...». A Rocco venne da vomitare. «Basta così, Ugo. Vuoi un'altra pasta o annamo a lavora'?».

«No, andiamo a lavora', oggi mi tengo leggero».

L'ispettore Luca Munifici li aspettava a via Palestro davanti al civico di Amalia Sensini già da un quarto d'ora, ma da buon romano non si lamentò. «Scusa il ritardo, Munifici» disse Casella. «Vedi Ugo, mo' ti rivelo una peculiarità sull'orario degli appuntamenti che si danno i romani» gli disse Rocco. «Se si dicono: ci vediamo verso le nove, significa che l'appuntamento comincia alle nove e l'orario si può protrarre anche per tre quarti d'ora. Quindi, ci vediamo verso le nove significa che i due si incontreranno fra le nove e le nove e tre quarti. Se invece vogliono essere più precisi, diranno: ci vediamo alle nove, nove e mezza. Insomma si danno un range».

«Ma scusi dotto', se uno si vuole vedere alle nove e tre quarti o alle nove e mezza, perché non lo dice direttamente?».

«Fa una brutta figura. Si abbagliano con il numero nove, poi si ritirano in buon ordine e aggiungono la parola: verso. Oppure: nove, nove e mezza, e chi aspetta sa che prima dell'orario massimo consentito l'altro non si presenterà. Spesso si incontrano felici alle nove e trenta perché tutti e due hanno bene interpretato. È un codice, tienilo a mente se vai a Roma».

«Sì, ma se c'è, che ne so?, un film, un appuntamento da un avvocato?».

«Sempre lo stesso. Nove, nove e mezza. Oppure verso le nove. Essere puntuali a Roma è cafone», ed entrarono nel palazzo.

Roberto Sensini li accolse nel piccolo salone della casa di Amalia che dormiva ancora. «Sembra caduta in letargo. Non riesco a farla reagire» fu la prima cosa che disse il fratello quasi a scusarsi. Lui abitava dall'altra parte della città e dalla notizia del ritrovamento di Mirko pensava fosse il caso di trasferirsi dalla sorella per starle accanto. «Non mangia, non parla, dorme più di 15 ore al giorno e non ha più lacrime». I poliziotti rifiutarono il caffè. C'era silenzio nella casa e un vago odore di frutti di bosco, qualche dispensatore di profumi nascosto forse nella piccola libreria o dietro le foto incorniciate di Mirko a bordo piscina. «Intanto le ho riportato gli incartamenti su Mirko», e poggiò la cartellina sul tavolo. «Sarà meglio che la custodisca a casa mia, Amalia meno li vede e meglio è...».

«La sensazione, signor Sensini, è che Mirko quel giorno aspettasse qualcuno davanti alla scuola. Non si era incamminato verso casa, come se sapesse che di lì a poco l'avrebbero prelevato con un'auto e accompagnato. Il 27 maggio era un martedì, che lei ricordi aveva qualche lezione, che so?, nuoto? Pianoforte? Calcio?».

«Avrebbe avuto piscina nel pomeriggio. Comunque dottore» riprese Roberto, sembrava che i ricci dei capelli quel giorno si fossero ribellati, ognuno puntava verso una direzione diversa, «chiamammo tutti gli amichetti di Mirko, parlammo con tutti i genitori, nessuno sapeva niente. Speravamo che Mirko avesse raccontato a uno di loro un dettaglio, anche una sciocchezza che ci facesse capire perché se ne stava sul muretto e non fosse tornato a casa. Ma niente, buio. Il suo compagno di banco, Giorgio, addirittura sarebbe venuto qui alle tre per andare in piscina insieme. Venne... ma in piscina non ci andarono mai». Tirò su col naso. «Era bravo Mirko, nuotava proprio bene. Faceva già le gare, sapete? Gli piaceva l'acqua». Casella e Munifici se ne stavano in silenzio a fissare il pavimento. «Siete convinti che...», ingoiò la saliva, «... che Mirko abbia subito violenza?».

Rocco annuì, gli occhi di Roberto si inumidirono. «Prima che me lo chieda, dottor Schiavone, io per quel giorno non ho un alibi».

Rocco lo guardò serio. «Che vuol dire?».

«Avevo un negozio, un'armeria, chiudevo all'una e riprendevo alle quattro. Andai a casa a mangiare e a fare un riposino».

Munifici fece un passo in avanti. «E quella mattina non emise uno scontrino?».

«Due, a dire la verità. Sono nella documentazione delle indagini in questura».

«Controlleremo» fece Munifici severo.

«Signor Sensini» intervenne Rocco, «chiederle l'alibi era l'ultima cosa che avevo in mente ma la ringrazio per avermelo riferito».

«Da quel giorno di maggio ci siamo messi a cercare Mirko». Roberto chiuse gli occhi e respirò profondo. «Non ci siamo mai arresi, io e Amalia. Mai» proseguì. «Sa quante volte ci siamo chiesti perché? Perché Mirko? Dove si è incontrato con l'assassino?».

«La rete» rispose Munifici. Roberto lo guardò. «Solo attraverso la rete. Oppure un incontro occasionale».

«Ha ragione il mio collega» disse Rocco, «però vede, il fatto che l'abbiamo ritrovato in Valle fa pensare, o almeno è una possibilità, che il tizio agisca da queste parti. Lei ce lo vede uno che da Reggio Calabria viene fin qua a fare le sue porcate?».

«No, non ce lo vedo».

«Peraltro viaggiando con un bambino in macchina, rischia di essere visto da un sacco di gente, e di telecamere. No. Io credo che Mirko sia morto lo stesso giorno della sua sparizione. E chi gli ha messo le mani addosso forse, ma siamo sempre nel campo delle supposizioni, non vive lontano dal bosco di Saint-Nicolas».

«Lei crede sia possibile mettere una croce laggiù?» li interruppe una voce alle loro spalle debole e spezzata. Si voltarono. Sulla soglia del salone era apparsa Amalia in camicia da notte. Le guance risucchiate, gli occhi sprofondati, pallida, appoggiata allo stipite della porta teneva le braccia lungo il corpo. «Signora... sì, credo di sì, non appena l'équipe della Gambino mi dirà che il lavoro è finito».

«Vorrei scriverci: qui hanno spezzato la vita di Mirko. Di' una preghiera per la sua anima innocente».

«È un bel pensiero, signora Sensini».

«Vero? A Mirko piacevano i caprioli e i camosci». Tirò su col naso, poi proseguì: «Chissà quanti caprioli e camosci si sono avvicinati a lui mentre dormiva. Magari l'hanno salutato... volete vedere la stanza? È piena di disegni e di fotografie. Da grande voleva fare il guardaparco, stare sempre nel bosco a osservare gli animali...», poi la donna si ritirò senza aggiungere altro. Rocco scrutò Roberto. «Ce l'avete un aiuto medico?».

Roberto annuì. «Sì, la voglio portare dal dottor Grimaldi, uno psichiatra che conosco da tempo. Era un mio cliente, cacciatore ma sparava sì e no due colpi a stagione. Doppiette ne comprava a decine. Siamo rimasti in ottimi rapporti anche dopo che ho chiuso i battenti».

«Ma è bravo?».

«In città è il numero uno».

«E ora cosa fa per vivere, Roberto?».

«Dopo il fallimento? Ho trovato un lavoro molto più tranquillo, sempre nel ramo. Faccio il controllo qualità per una delle poche aziende superstiti qui vicino. Ho messo al loro servizio tutta la mia esperienza. Di armi me ne intendo, e parecchio. Ero tenente del Battaglione San Marco. Ci lavora anche Amalia in quella società, alla contabilità».

«Senta Roberto, che mi dice del padre di Mirko?».

Roberto contrasse le labbra, sembrava volesse sputare per terra. «Cosa vuole che le dica? Un uomo da niente. Stava insieme a mia sorella, voleva fare il dj, figli, non li desiderava. Sono un peso, diceva, per la mia carriera», fece un sorrisino e alzò le spalle. «La sua carriera... come se mettere dischi e fare rumore con gli stereo fosse un lavoro. Comunque non lo voleva. Appena nacque Mirko, cominciò ad allontanarsi. Poi litigarono, lui e Amalia, e un giorno sparì. Mai più visto. Le ultime notizie, due anni fa, lo davano in Olanda. L'ho trovato su Facebook, sa?».

«Ah sì? E come si chiama?».

«Cosimo Righi, in arte DJ Cos. Se si vuole fare una cultura, visiti la sua pagina. Sta con una tizia, una del Suriname, e ci ha fatto due figli. Quelli vanno bene, Mirko invece era uno scarto, è chiaro. Perde tempo con quell'idiota. L'hanno pure arrestato due volte».

136

«Una vita spericolata, DJ Cos» disse Rocco.

«Già. Volete vedere la stanza di Mirko?».

Il letto singolo con la coperta azzurra, l'armadio coi vestiti, sulla scrivania dove Mirko faceva i compiti c'era poggiato un libro di letture, aperto. Mirko stava leggendo un estratto dal romanzo *Il cavaliere inesistente* di Calvino. Il poster di Capitan America troneggiava sopra il letto, statuine che lo raffiguravano prendevano la polvere su una mensola. Sulla parete opposta c'erano fotografie e disegni di camosci, daini, caprioli, l'altra passione di Mirko. «Voleva un cane e passare il tempo al Gran Paradiso a proteggere gli animali. Diceva sempre: Zio, mi compro un fucile da te e sparo ai bracconieri. E vediamo se la piantano!». Roberto si commosse al ricordo. Munifici e Ugo, restati sull'uscio, guardavano per terra, come se non tenessero lo strazio. Rocco si avvicinò alla libreria. Decine di giornaletti Marvel, una custodia di binocolo vuota, una vecchia PlayStation, una scatola di biscotti piena di pennarelli e una decina di compassi. «I disegni li ha fatti tutti lui» disse lo zio. «Sono belli, vero?». Aveva dato un nome a ogni animale ritratto. «Li copiava dai libri. Ogni tanto andavamo in montagna a osservarli, ma non sempre ci si riesce. Stambecchi sì, quelli se ne incontrano. Mirko li guardava in silenzio, sembrava in apnea. Quando scappavano per un rumore rideva felice e batteva le mani».

Camminando verso l'auto nessuno dei tre poliziotti parlava. Rocco si accese una sigaretta, quella valanga di dolore non la conteneva più. Passavano gli anni e c'era sempre meno abituato. Al contrario di medici e altri colleghi che riuscivano a ignorare gli orrori, le malattie, il sangue e le lacrime, Rocco sapeva che nel cuore come diga per arginare quella marea aveva poco più di un foglio di carta velina, sempre più fragile, che si sarebbe potuto spezzare al prossimo carico di disperazione. È l'età, pensò. Invece di indurirmi mi piega in due. Da giovane riusciva a staccare la spina, ne aveva sentiti di parenti e amici disperati piangere i propri morti, ma una volta a casa tornava a essere Rocco Schiavone e la voglia di vivere aveva la meglio. Come quando siamo in apnea in fondo al mare, accorgendoci di essere scesi un po' troppo in profondità, ci affrettiamo per tornare in superficie, i polmoni esplodono nella cassa toracica e il cuore batte nel petto. Poi riusciamo a prendere aria e quello è il momento più bello di una vita, una seconda nascita. Rocco quella boccata d'ossigeno non riusciva a prenderla più. Restava in apnea, con le vene dei polsi che scoppiavano e la testa che batteva a tamburo.

«Munifici, ci vuoi accompagnare da Goffredo Mameli?».

L'ispettore romano sorrise. «Avevo già pronto l'indirizzo. Sta dietro il castello sulla circonvallazione».

«Andiamo con la tua».

«Dottore?» lo richiamò Casella mentre si avvicinavano all'auto. «Ma se ha un alibi che ci andiamo a fare?».

«E io ci voglio parlare lo stesso. Tu osserva, stai alleprato e pure tu, Luca... non vi perdete un movimento. Magari oggi facciamo un passetto in più, no? A stare in questura non si risolve una mazza».

Goffredo Mameli aveva una quarantina d'anni. Storto, era il primo aggettivo che venne in mente a Rocco. Guardandolo meglio realizzò che Goffredo Mameli altro non era che una Solea solea, detta comunemente sogliola, che ha gli occhi uno di fianco all'altro e la bocca che forma una O piena di stupore, una sorta di ritratto cubista. Vivono adagiate sul fondo marino per mimetizzarsi, e Rocco ebbe l'impressione che quella fosse anche una prerogativa di Goffredo. La casa buia era stipata di mobili scuri, zampe tornite e dorate, specchi bruniti; tappezzeria e tende bordeaux di tela pesante toglievano la luce al salone. Marmo bruno a terra, alle pareti rivestite di stoffa bronzea erano appesi quadri antichi dei quali a malapena si individuava il soggetto. Una pecora, un viso austero, un pesce sotto un paio di uccelli appesi a un gancio. Odore di naftalina che Rocco non riuscì a capire se venisse dalla casa o dai vestiti di Goffredo, una tuta da ginnastica nera con le strisce bianche laterali, ai piedi un paio di ciabatte da piscina, sotto una maglietta della Juventus. Magro, quasi scheletrico, le mani pallide e sottili attraversate dalle vene, come le tempie. «Vi starete chiedendo se siamo parenti del poeta» esordì mentre li accompagnava in salone dove stava anche il padre accomodato su un divano di velluto verde e lo sguardo sul televisore spento. «Mio padre diceva di sì, io invece vi dico di no. Quello era di Genova, noi con

Genova non abbiamo niente da spartire. È un caso che portiamo lo stesso cognome del famoso patriota italiano. Io addirittura il nome. Prego, accomodatevi, posso offrirvi qualcosa?».

Casella e Munifici avrebbero accettato, ma Rocco li prevenne rifiutando categoricamente. «No, stiamo bene così. Vorremmo fare quattro chiacchiere». L'uomo si sedette sul divano accanto al padre che aveva superato gli 80 anni. Sguardo spento, bocca semiaperta, l'unica vibrazione vitale era nelle mani poggiate sulle ginocchia che tremavano appena.

«Questo è mio padre, mi dispiace, ma non ci sta più tanto con la testa. Vero papà?», e si girò a guardare il vecchio che non ebbe reazione. «Visto? Ogni tanto la mente si riaccende, si guarda intorno, sorride e mi riconosce, poi si spegne e torna così...», e rise.

Rocco prese posto davanti all'uomo, Casella e Munifici restarono in piedi.

«Goffredo, si ricorda Mirko Sensini?».

«Mirko?».

«Sensini».

«Chi era questo signore?».

«Non era un signore, era un bambino di dieci anni che fu rapito davanti alla scuola elementare qui a Ivrea».

Goffredo abbandonò l'espressione gioviale. «Ancora? Ancora con questi sospetti? Io non ho mai fatto male a una mosca. Siete venuti tanti anni fa, ero in ospedale a Novara per un'appendicite, era ancora viva mamma. Controlli!» gridò rivolgendosi a Munifici, il viso rosso e le sopracciglia contratte. «Controlli nelle deposizioni dell'epoca se sto dicendo una bugia!».

«Ora se lo ricorda?».

Il viso di Mameli tornò innocente e ingenuo, come il tono della voce. «Certo che lo ricordo, lì per lì il nome non mi diceva niente».

«Goffredo, lei andava spesso davanti alla scuola elementare?».

«Io? No, perché avrei dovuto?».

«Noi sappiamo qualcos'altro» intervenne Munifici. «Forza Goffredo, non nascondiamoci dietro un dito, hai beccato più di una denuncia. Allora?».

Chinò appena la testa, stringeva le mani muovendole appena, come se le stesse lavando. «Ogni tanto, ma non per quello che credete voi. A me piacciono i bambini, e non nel senso che pensate, portavo regali, qualche dolcetto, mi piace parlare con loro, ma non ho mai fatto male a nessuno».

«Ricordi questo amichetto?». Rocco fece un gesto, Casella tirò fuori dalla tasca una copia della fotografia di Mirko Sensini. «Questo. Te lo ricordi?».

«No, proprio no».

«Eppure stava in quella scuola».

«Eppure non me lo ricordo». Goffredo guardò Rocco negli occhi. Un piccolo sorriso gli increspò le labbra.

«Posso vedere la tua stanza?» gli chiese il vicequestore.

«Perché?».

«Perché sono curioso».

«Senta, io...».

«Senti, io mi sono già rotto i coglioni. O collabori con gentilezza oppure mi fai incazzare, torno con l'ordine del giudice e ti guardo pure i peli sul culo».

Goffredo annuì e si alzò. «Seguitemi» mormorò.

«Goffredo, chi sono questi signori?» urlò il vecchio all'improvviso con una voce potente e stonata. Casella sobbalzò, Rocco si voltò a guardarlo.

«Niente papà, amici».

«Forza Milan!» disse, e tornò nel suo mondo distante.

Dopo un piccolo corridoio c'era la camera. Le pareti erano tappezzate di manifesti della Juventus, foto dei calciatori dagli anni Settanta in poi. Sulla piccola libreria custodie di giochi, un tavolino con sopra un computer Mac e sulla mensola accanto alla finestra la più grande collezione di orsetti di peluche che Rocco avesse mai visto. Goffredo notò lo sguardo indagatore del vicequestore, si avvicinò e cominciò a indicare tutti gli orsetti a uno a uno. «Zoff, Gentile, Causio, Cuccureddu, Cabrini, Bettega, Rossi, Conte, Iaquinta, Trezeguet...». A Munifici scappava da ridere, Casella era estasiato.

«Va bene Goffredo, basta così, grazie» gli disse Rocco.

Goffredo soddisfatto si sedette sul letto.

«Sei mai stato portato in questura per atti osceni? Dimmi la verità, mi risparmi solo una ricerca in archivio».

«Sì, più di una volta».

«Lo dici tu il perché o lo dico io?» fece Munifici.

«Ogni tanto io... sento come delle formiche che salgono, e mi arrivano fino alla testa, e mi dicono che devo tirarmi giù i pantaloni. Però... poi mi dispiace, mi viene da piangere e scappo».

«Hai anche un cellulare?».

«Certo» fece Goffredo. Si infilò una mano in tasca e tirò fuori un vecchio telefonino della Nokia.

«Non sei ancora passato agli Android, vedo».

«Quelli per andare su internet? No, non ci vado mai, perché dovrei?».

Casella intanto osservava il computer. Munifici invece non staccava gli occhi da Goffredo Mameli.

«Caro Mameli, noi torneremo, su questo ci puoi giurare, quindi la prossima volta fai così, rispondi subito alle domande e cerca di dire la verità». Rocco si voltò verso Casella che stava armeggiando col cellulare. «Ce ne andiamo...».

«Signorsì» rispose quello. Goffredo sorrise. «Vi accompagno?».

«Conosciamo la strada» disse Munifici, e Rocco ebbe la sensazione che l'ispettore stesse morendo dalla voglia di prenderlo a capocciate.

«Secondo me se non lo chiamavano Goffredo veniva normale» commentò Munifici appena fuori quella casa.

«Se ne sentono di cose strane» disse Casella. Rocco lo guardò. «Infatti. Ora ci porti alla scuola di Mirko».

«Certo, tanto poi fra viceispettore e tassinaro non è che c'è tutta questa differenza».

«Stai facendo dell'ironia, Munifici?».

«Non mi permetterei mai!».

«E guida come se fossi a Ivrea e non alla Garbatella, 'cci tua... all'andata 'n artro po' e vomitavo».

«Secondo voi il padre recitava la commedia?» fece Munifici accendendo l'auto.

«No, Luca, quello sta così...» rispose Casella. «Però c'è una cosa che non capisco».

«Di' un po'?».

«Ecco, il computer, non era collegato a internet. E allora ho acceso il cellulare per vedere se c'era il wi-fi, insomma se aveva un router in casa. Ma il mio cellulare non l'ha trovato».

«Bravo Case'... che ne deduciamo?».

«Che questo non va in rete. Invece tutta quella gente che Carlo sta osservando, che va sul deep web, hanno tutti internet».

«Allora escluderesti Goffredo da qualsiasi sospetto?».

«Io sì».

Rocco ci rifletté per un istante. «Se ha detto la verità».

«In che senso?».

«Nel senso, Case', magari ha un altro cellulare che ci ha nascosto, oppure uno di quegli attrezzi per andare su internet...».

«La saponetta?» suggerì Munifici.

«Per esempio. E che magari ora ha acceso e sta comunicando ai compagnucci che la polizia ha fatto una capatina a casa sua».

«Ha ragione, dotto'... può essere».

«Se però è così» intervenne Munifici, «allora è invischiato nel rapimento?».

«Oppure vuole solo nascondere i suoi traffici. Se gli becchiamo materiale che scotta, finisce dentro, lo sai. Comunque bravo, Case', com'è tutta 'st'iniziativa oggi?».

«Non lo so, forse la pasta alla crema di prima?».

«Sono dirigente scolastico da soli tre anni, non ho mai incontrato Mirko, ma conosco la storia». Isabella Senatori aveva una quarantina d'anni, alta, bruna, occhi scuri e profondi, sembrava sorridesse sempre, ma forse era una smorfia naturale. «Io voglio parlare con il maestro Bustoni, l'ultimo ad aver visto Mirko da vivo».

«Mi piacerebbe, dottor Schiavone, ma Bustoni non è più fra noi».

«In pensione?» chiese Ugo.

«No, è deceduto, due anni fa».

Rocco fece un respiro profondo. Guardò Casella. «Quanti anni aveva?».

«È morto che aveva 66 anni».

«Fu controllato?» chiese Rocco a Casella. «Chiama Antonio, fatti leggere le indagini della questura di Ivrea di allora».

«Sì dottore», e si allontanò.

«Non crederà che...».

«Professoressa Senatori, non credo a niente. All'epoca, quali altri maestri, intendo di sesso maschile, c'erano nella scuola oltre al compianto Bustoni?».

La preside annuì, raggiunse un grosso schedario e cominciò a scartabellare. «Ce ne era solo un altro, il maestro Coppini», e consegnò una cartellina a Rocco. «Insegnava nella sezione C, Mirko era nella B, non era il suo maestro».

Rocco lesse il foglio. «Casella!».

L'agente ancora impegnato col cellulare si voltò. «Vedi se hanno controllato pure un tale Aurelio Coppini».

«Signorsì», e si rimise al telefono.

«L'avranno già fatto» disse consegnando la scheda alla preside, «ma come si dice? Quattro occhi eccetera eccetera. Mi dica allora, ho qualcuno con cui parlare, presente all'epoca dei fatti?».

«Mi faccia pensare...».

«Una bidella?».

«Collaboratrice scolastica» lo corresse la preside.

Rocco alzò gli occhi al cielo. «Allora, una collaboratrice scolastica con cui farsi due chiacchiere?».

«Quella della sezione B, lei i ragazzi li conosce tutti. Si chiama Renata Busacchio, se vuole gliela faccio chiamare».

«La raggiungo io. Piano?».

«Primo. Vuole che l'accompagni?».

«Magari, così me la indica» disse Rocco e si alzò trascinando la sedia sul pavimento.

Salirono le scale e arrivarono al corridoio del primo piano. Le aule erano chiuse, lontano si sentiva il vociare di qualche bambino o di una maestra che sillabava una parola. «Allora dottore» fece Casella ansimando, «Bustoni fu sentito all'epoca dei fatti ma era a casa per il compleanno di sua nipote. Un sacco di testimonianze e fotografie avvalorano il suo alibi».

«Coppini?».

«Coppini aveva chiesto due giorni di ferie. È uno sportivo, corre le maratone».

«E?».

«E arrivò undicesimo a Pescara, c'è tanto di attestato e articolo di giornale. La corsa si svolse il 28 di maggio».

«Il 27 poteva essere qui».

«Il 27 poteva essere qui» concordò Casella.

«Rimedia l'indirizzo, io co' 'sto Coppini ci voglio parlare».

L'odore era lo stesso che Rocco ricordava della sua scuola elementare, un misto di detersivo, matite colorate e gesso. Alle pareti c'erano decine di disegni in esposizione. «Questi li fanno gli alunni. La nostra scuola didatticamente è molto attenta alle espressioni artistiche dei ragazzi. Quest'anno il tema era la pace nel mondo».

«Però, vi siete sforzati» disse Rocco e Casella trattenne una risata.

«In che senso?».

«No dico, a trovare il tema. Ti piacciono, Ugo?».

«Qualcuno è meglio dei quadri di Deruta».

«Annamo bene».

La preside si era zittita, offesa forse, ma Rocco non le diede peso. «Professoressa Senatori, lei ha da qualche parte i disegni di Mirko Sensini?».

«Mentre lei chiacchiera con la signora Busacchio vado a vedere nella sala degli insegnanti. Forse qualcosa trovo» rispose seria senza guardare Rocco. Poi all'improvviso accelerò il passo staccando i poliziotti e si avvicinò a una donna sui 60 anni seduta dentro un bugigattolo con un piccolo vetro che dava sul corridoio impegnata a fare la maglia, sembrava una bigliettaia di una stazioncina di provincia. «Renata? Questi due signori vorrebbero parlare con lei». La donna alzò il volto dai ferri e spostò gli occhiali sulla punta del naso per osservare Rocco e Casella. «Sono della polizia» aggiunse la preside. Renata non cambiò espressione, poggiò i ferri e uscì dallo stanzino. In piedi aveva la stessa altezza di quando era seduta. «Renata Busacchio» disse, «che volete sapere?». La preside si accomiatò senza un saluto e li lasciò soli. «Signora Renata, sono il vicequestore Rocco Schiavone, lui è l'agente Ugo Casella. Si ricorda Mirko Sensini?». Rocco ebbe la sensazione che a quel nome gli occhi della donna si inumidissero. Si tolse gli occhiali assicurati a una catenella di plastica e li lasciò penzolare sul petto. «Certo che mi ricordo, povero figlio. Non... non l'hanno più trovato?».

«No, a dire il vero l'abbiamo trovato».

Un sorriso si aprì sul volto della collaboratrice scolastica. «Uh! E com'è? Dov'era? Come sta? Sarà un ometto adesso!».

Si sentì un applauso provenire da qualche aula al piano.

«No signora, purtroppo abbiamo trovato solo il suo corpo» disse Casella che aveva cercato di usare il maggior tatto possibile, ma Renata scoppiò a piangere e si rimise seduta sulla sedia, sopra il lavoro a maglia lasciato a metà. Rocco si preoccupò che un ferro potesse deflorarle le terga e allarmato guardò l'agente che invece tirò fuori dei fazzoletti di carta e li allungò alla donna. La lasciarono sfogare per qualche secondo, poi Rocco riprese: «Lo so, è terribile signora, ma vede? Noi stiamo facendo il possibile per capire chi è stato, e forse lei ci può dare una mano».

«Io... io non... vorrei tanto», e si soffiò il naso.

«Si ricorda l'ultimo giorno che Mirko è venuto a scuola?».

«Sì, lo ricordo benissimo. Era primavera. Fece notizia, quella sparizione, ne parlarono tutti per più di una settimana, anche i giornali e la televisione, sa?».

«Che lei sappia, lo venivano a prendere spesso?».

«No, mai. Andava a casa a piedi da solo. Abitava qui vicino. Era un ragazzo sveglio, Mirko».

«Il giorno della sua scomparsa, qualcuno l'ha caricato in macchina e se l'è portato via».

«Dove?».

«E questo non lo sappiamo. Però sappiamo che forse è stato visto vicino al piazzale della stazione dei treni, in compagnia di qualcuno che il testimone non ha identificato, verso mezzogiorno e mezza».

Renata si asciugò ancora gli occhi. «Alla stazione? E che ci faceva?».

«Non ci siamo arrivati. Mirko e l'uomo sono stati visti puntare verso via Jervis».

«Via Jervis» ripeté Renata, come a volersi fissare in mente quell'indirizzo.

«La polizia all'epoca ha pensato a un negozio, una sala giochi, alla casa di qualche amico...».

«No dottore, che io sappia no...».

I passi della preside rimbombarono nel corridoio. La figura magra e scattante si specchiava sul pavimento lucido. Portava due fogli, uno per mano, il cardigan lungo a mezza coscia sembrava fluttuare nell'aria. «Dottor Schiavone» disse quando si trovò a un metro dai poliziotti, «ho trovato due disegni di Mirko. Magari possono servire», e li passò a Rocco. Il ragazzo li aveva fatti con la macchina da scrivere, una tecnica divertente che Rocco ricordava, risaliva ai suoi tempi liceali. Poi fu sostituita dalla stampante ad aghi, ma la tecnica era sempre la stessa. Alternando maiuscole e minuscole, spazi, numeri e segni si riusciva a tratteggiare un cavallo, una casa, i più bravi anche un volto con le ombre. L'abilità stava nel tirare le linee e muovere il foglio con precisione e pazienza sul rullo. Mirko aveva scelto come soggetto Capitan America. Lo scudo nel primo disegno, un ritratto a figura intera nell'altro. Gli era venuto panciuto, un supereroe un po' avanti con gli anni, coi muscoli rilassati, proprio per quello a Rocco piacque. Sotto, la firma Mirko Sensini con la grafia di un bambino delle elementari. «C'era qualcuno che ai miei tempi faceva disegni simili» disse mostrando le opere a Ugo, «con la macchina da scrivere».

«Sì, mi ricordo» si unì l'agente.

«Chissà chi gliel'ha insegnato» fece la preside.

«Quella di disegno? C'è un'insegnante di disegno?» azzardò Rocco. La donna sorrise. «No, ma le farò sapere. Sono belli, no?».

«Sì, lo sono, ingegnosi anche» rispose Rocco. «Magari li vuole la madre?».

«È giusto. Proverò a contattarla».

«Ugo, fai du' fotografie al Capitan America pensionato».

«Certo», l'agente inquadrò il ritratto col cellulare e scattò.

Munifici e Astolfi erano seduti nella stanza dei passaporti, l'unica libera in quel momento al commissariato di Ivrea. Rocco e Casella invece stavano in piedi, l'agente pugliese cominciava a dare segni di stanchezza. «Prima di tutto, Munifici mi ha chiesto gli scontrini dell'armeria di Roberto Sensini», Astolfi aprì un faldone voluminoso di carta gialla e stropicciata. «Ecco, qui ho le fotocopie. Uno di 23 euro alle ore 11 e 21 e l'altro di 40 euro alle 12 e 30».

«Bene» disse Rocco.

«Abbiamo controllato tutte le piste» riprese Astolfi toccando la cartellina mezza strappata.

«Allora cominciamo coi genitori degli amichetti di Mirko», e il vicequestore si appoggiò alla parete.

«Dotto', mi posso procurare una sedia? Mi cedono le gambe».

«Qui fuori c'è una poltroncina» disse Munifici. «Occhio che ha una rotella di meno».

Casella uscì. «Bene, sì, sono tre gli amici di Mirko. Roncisvalle, Pieroni e Camini. Qui risulta che tutti e tre i padri erano al lavoro quel martedì con tanto di testimonianza di colleghi, capufficio e colonnello nel caso di Camini che è un militare».

Casella rientrò con la sedia cigolante e zoppa. La spinse accanto al muro. Provò a sedersi ma pendeva di lato. Si alzò alla ricerca di una base per equilibrarla. Rocco, Astolfi e Munifici lo osservavano. Trovò un tomo di un'enciclopedia sulle scienze, lo sistemò per bene sotto la rotella vacante. «Manca ancora molto, Case'?».

«Sì, tutto a posto, scusate...», e con un gesto ieratico diede il permesso ad Astolfi di andare avanti.

«Cercammo di capire chi frequentasse quelle case, ma a parte un fratello di Pieroni, lo zio del piccolo Gianluca, non c'erano altri uomini».

«Avete controllato, immagino».

«Sì. Questo tizio, Amedeo Pieroni, non ha la patente. Poi contattammo il dentista di Mirko. Il dottor Sanna, anche lui a quell'ora aveva una paziente cui doveva montare...», Astolfi lesse da un foglio ingiallito, «... un impianto per il premola...».

«Asto', frega un cazzo che doveva fa' la paziente. Mirko andava in piscina. Aveva un istruttore?».

«Un'istruttrice, Donatella Piersanti».

«Altre attività?».

«Si stava preparando per la prima comunione. Andava a catechismo, gli insegnava don Sandro alla parrocchia della Beata Vergine del Carmelo». Astolfi guardò Rocco negli occhi. «Il prete all'epoca aveva 70 anni!».

«E sticazzi. Invece dell'età dimmi se aveva un alibi».

Astolfi annuì. «Insieme a due cuoche lui prepara ogni giorno per la mensa dei poveri».

Rocco si scurì in volto. «Che altro?».

«Abbiamo sentito il garagista dove lo zio portava la macchina, il proprietario del negozio di videogame dove ogni tanto Mirko comprava un giochino, insegnanti, il preside di allora, ma non è uscito fuori niente».

«Eppure Mirko doveva conoscere la persona che lo ha prelevato quel giorno!».

«Arrivammo perfino a pensare al fratello maggiorenne di uno dei suoi amichetti, Diego Roncisvalle, ma anche lui il 27 maggio era a Torino, all'università a sostenere il suo terzo esame di Lettere».

Rocco sbuffò e guardò il soffitto. «Noi torniamo ad Aosta. Luca, mando qualcuno a prendere il materiale delle telecamere».

«Quando vuoi».

«'Nnamo Case', e rimetti a posto la poltroncina».

Stavano per salire in auto quando squillò il cellulare di Rocco, che lesse il display e alzò gli occhi al cielo. «Chi è?» si intromise Casella, ma Schiavone aveva già accettato la telefonata. «Dottor Costa, mi dica, sono di ritorno da Ivrea».

«Che torna a fare, Schiavone? Non ha visto che le ho mandato l'indirizzo?».

«Indirizzo di chi?».

«Come di chi? L'ufficio a Torino che si occupa dei minori e lavora con la postale!».

«Ah sì, certo».

«L'aspettano».

«E io vado». Mise giù il telefono. «Ugo, ci tocca andare a Torino».

«Signorsì. Dove?».

A corso Tazzoli mollarono l'auto nei parcheggi riservati alla pubblica sicurezza. Casella e Rocco entrarono nel palazzo. «Cerco il sostituto Prosperi...».

«Sì, secondo piano, stanza 12» rispose un agente annoiato che sembrava non avesse niente da fare. Presero l'ascensore. «Stanza 8... stanza 9... stanza 10...».

«Case' le devi contare tutte?». La porta della 12 era aperta, Schiavone entrò. Seduto dietro una scrivania c'era un uomo minuto, con gli occhiali sul naso, i capelli grigi pettinati all'indietro. «Dica?».

«Vicequestore Schiavone, questura di Aosta!».

«Ah sì, prego, prego. Accomodatevi», e l'uomo indicò davanti al tavolo dove sedie non ce n'erano.

«Volentieri. Dove?».

«Non ci sono sedie?» fece allungando il collo.

«Nossignore» rispose Rocco.

Sbuffando si alzò, non arrivava al metro e 65. «Con permesso» disse. Emanava un profumo di lavanda. Rocco e Casella si guardarono intorno. Nell'ufficio con due finestre c'era la scrivania e dall'altra parte un enorme tavolo pieno di scartoffie che quasi soffocavano un computer. Mensole stracariche di faldoni correvano tutto intorno alle pareti, sembravano dover cedere sotto il peso da un momento all'altro. Il sostituto Prosperi rientrò trascinando due sedie. Casella scattò per aiutarlo. «Ecco, loro me le fregano, io le rifrego. Va avan-

154

ti così da mesi. Un giorno di questi vado da Ikea, ne compro due e le incateno alla scrivania». Rocco e Ugo si sedettero. «Allora, spiegatemi un po' la situazione».

Rocco gli raccontò dello scheletro, che al 98 per cento apparteneva a Mirko Sensini. «Di anni 10, quasi 11, scomparso davanti l'uscita di scuola il 27 maggio 2008». Prosperi si alzò come avesse una molla sotto la poltroncina e con un dito davanti alle labbra si mise a esaminare tutte le cartelle accatastate sulla mensola. «Dunque... Sensini, Sensini, Sensini... eccolo qui!», e tirò fuori una cartella colma di documenti. Cominciò a sfogliarli. «Sì, sì, sì... sì!», e la consegnò a Rocco tornando al suo posto. «Brutta storia».

«Bruttissima. È morto strangolato e non escludiamo abbia subito violenza».

Prosperi si passò la mano fra i capelli radi. «Ti dico un po' di dettagli. Noi teniamo d'occhio la rete, collaboriamo con polizie di tutto il mondo. Questi tizi...».

«Figli di puttana» lo corresse Rocco.

«Se preferisci, sono organizzati molto bene. Usano cellulari prepagati con schede slovene, francesi, svizzere, rimbalzano gli indirizzi, gli IP per intenderci, navigano sul deep web, dove le chat vengono cancellate ogni 48 ore. Si servono di nickname per parlare fra di loro. E lo fanno in codice. Per esempio per dire l'età della vittima, scrivono y8, che significa 8 anni. Credimi, a volte abbiamo trovato y2».

Casella fece una smorfia.

«Io mi sono concentrato sui pochi sospetti di Aosta e dintorni» disse Rocco.

«E hai fatto bene. Dove hai detto che è stato ritrovato il corpo?».

«Sepolto nel bosco di Saint-Nicolas...».

«Hai una lista di questi nomi?».

«Li so a memoria. Pierino Blanc...».

«Gross» fece Prosperi sorridendo. «Era il suo nickname. Ora il tizio, anzi il figlio di puttana, sta a Buenos Aires».

«Conosci?».

«Organizzava scambi di materiale pedopornografico. Filmini casalinghi, oppure craccati su siti asiatici, soprattutto thailandesi, fotografie e anche, come vogliamo chiamarli? Souvenir?».

«Cioè?».

«Abiti, intimo, scarpine, anche dei ciucci».

«Ma santa Madonna!» esplose Casella. «Ma che cazzo...».

«Caro collega, è così. Quanti anni mi dai?».

Casella guardò Rocco imbarazzato, con un cenno il vicequestore lo incoraggiò a rispondere. «Non lo so. 62?».

«Ne ho 51. E secondo te perché?». Casella non rispose, si limitò ad annuire. «Bene, ditemi i nomi degli altri».

«Giovanni Grange, oggi in carcere a Milano, arrestato il 2 giugno ma il 27 era ancora in circolazione. E poi ho Cosimo Brady».

«Anche questo lo conosciamo. È morto».

«Sì, nel 2007».

«Il bambino è sparito nel?».

«A maggio del 2008» intervenne Casella.

«E allora via Brady una volta per tutte» disse Rocco. «Infine c'è un tizio di Ivrea, la città di Mirko Sensini, si chiama Goffredo Mameli».

«Goffredo Mameli è un ponte».

Rocco e Casella lo guardarono. «Mi spiego meglio. Lui non colleziona, non fa niente di criminale, ma scatta fotografie. E le mette in rete, con nome, cognome del bambino. Insomma gioca, e giocando adesca le vittime. Cambia spesso nickname. L'ultimo che usava era Scipio, ma ha usato anche...», Prosperi scartabellò fra i faldoni ritrovando una lista, «ecco. Fionda, Kaspar e Polaroid».

Casella segnò i nomignoli sul suo taccuino.

«Non andrebbe fermato?» chiese Rocco.

«Il suo computer e il cellulare sono sotto controllo 24 ore al giorno. Da anni non sgarra. Appena si muove lo usiamo come esca con la quale speriamo di acchiappare qualcuno».

«Vedi Case'? Avevo ragione, quella merda su internet ci va... a noi ha mostrato un cellulare vecchio e al computer non ha linea internet».

«Il vero cellulare lo tiene ben nascosto, a casa. Per noi Goffredo Mameli non è un mistero. Adesso in rete si fa chiamare Scipio».

«Per via dell'elmo?».

«Ça va sans dire».

«Non ho capito» disse Casella.

«Cazzo Ugo, ricantate l'inno!», poi Rocco si rivolse a Prosperi: «E secondo te, fotografie a Mirko Sensini ne ha scattate?».

«Per ora non ci risulta, ma è molto probabile. Nel 2008 ancora non era sotto la lente d'ingrandimento. Ora noi dobbiamo sperare che l'autore del delitto...».

«Il figlio di puttana» si intromise Casella.

«Esatto, sia a noi persona nota. Potrebbe essere un dormiente oppure uno che l'ha fatta sempre franca. Ti mostro una cosa...». Prosperi si girò verso un piccolo schedario che teneva alla sua destra, prelevò dei fogli dal primo cassetto e li porse a Rocco. «Sono trascrizioni di chat beccate in rete. Prego, prego, date un'occhiata».

Rocco e Casella avvicinarono i volti per leggere.

CLUMSY
Toc... toc... c'è nessuno? Apostrofo rosa!

IVANHOE
Al galoppo, al galoppo miei eroi. Honi soit qui mal y pense!

JEDY
Chi te l'ha detto? Abacus?

IVANHOE
Abacus non è presente.

CLUMSY
Non fidatevi di Abacus. Non è lui.

IVANHOE
Chi è?

CLUMSY
Message in a bottle.

JEDY
Oh oh oh allora via! Dai puffi!

Dialoghi incomprensibili, pagine e pagine di un copione degno del teatro dell'assurdo, che però con il teatro non aveva niente a che vedere.

«Non ci capisco un cazzo» fece Rocco restituendo i fogli.

«Io di meno» si unì Casella.

«Qualche esempio, se volete. Abacus era un nostro infiltrato, lo hanno intercettato. Alla domanda: chi è? quello che si fa chiamare Clumsy ha risposto: Message in a bottle, che era una canzone dei Police. Chiaro?».

«Invece i puffi?».

«È un dettaglio toponomastico che non abbiamo mai capito. Si tratta di una casa, questo è certo, dalle parti di Linate. Lo vedi, Schiavone? È un oceano, noi abbiamo una barchetta che ogni tanto tira su qualcosa, ma niente di più».

«Che mi consigli?».

«Segui questa strada. Io mi concentro e cerco di raccapezzarmi su Mirko Sensini. Qualsiasi novità te la faccio sapere immediatamente. Intanto bisognerebbe sensibilizzare genitori e parenti mettendo filtri, bloccando siti, anche se per i messaggi peer-to-peer i blocchi vengono facilmente aggirati. Cercare di prevenire per ora è l'arma migliore che abbiamo, quando è troppo tardi e il fattaccio è avvenuto rintracciare la vittima è molto complesso».

«Chi sono 'sti figli di puttana?» chiese Casella.

Prosperi alzò appena le spalle. «Professori, impiegati, operai, dai 20 ai 60 anni, il tuo vicino di casa, il salumiere che ogni mattina sorride e ti serve un etto di prosciutto, il postino, il direttore di banca che non ti concede il mutuo. Sposati, con figli, celibi, vedovi, single, divorziati».

«Tutto e niente».

«Vedila come una massa grigia di insospettabili senza occhi né volto, un corpo confuso, nebbioso, senza forma. Come lo affronti?».

Solo, nella sua stanza, Schiavone cercava di infilare un anello di fumo dentro l'altro per comporre una catena, ma non gli riusciva. A quel giochino era bravo Furio, addirittura ne ficcava quattro con piccoli colpi di glottide. Rocco a malapena riusciva a crearne uno. Sebastiano ce la faceva solo con il sigaro. Chissà dov'era a quest'ora Sebastiano. Se rideva pensando a come l'aveva preso in giro, o se invece passava i giorni a stordirsi con l'alcol. Non l'avrebbe più rivisto, ne era certo, ma sperava un giorno di poterlo sentire almeno al telefono e chiedergli: Perché? Perché non mi hai parlato? Perché hai mandato tutto a puttane senza cercarmi? Perché non hai provato a convincere Furio, oppure Brizio, a starti vicino quando c'era ancora il tempo per aggiustare la faccenda? I fatti corrono, scivolano via come oggetti in una scarpata e vanno a finire in luoghi nascosti dove recuperarli è impossibile. Solo le parole, a volte, possono fermarne la corsa.

Un bussare secco alla porta e Antonio Scipioni si affacciò. «Vieni qui Anto'». Rocco aveva una mappa della città di Ivrea. Afferrò un pennarello. «Ecco qui. Questa è la scuola», e segnò un punto. «Diciamo che Mirko è sparito a mezzogiorno, massimo mezzogiorno e dieci e dopo venti minuti il netturbino l'ha visto vicino alla stazione, esattamente qui», altro segno rosso.

«Diciamo di sì».

«Allora lui a piedi da qui a lì non è arrivato. È stato prelevato da una macchina».

«Giusto».

«Ora il punto è: perché erano diretti verso via Jervis che è quaggiù? Lontana dalla stazione? Dove andavano?». Rocco si mise il pennarello in bocca.

«Forse è lì che ha parcheggiato?».

«Non ha senso. Ha parcheggiato lì, poi sono andati a piedi chissà dove per poi tornare indietro? Vedi? Se l'ha visto di spalle, la posizione è più o meno questa. No, non torna».

«E allora?».

«Allora non lo so. Meglio, so che io voglio i video sequestrati dalla questura. Tutte le telecamere, queste del corso, questa farmacia all'angolo, quelle che hanno trovato sul tragitto dalla scuola alla stazione».

«Le rivediamo?».

«Dalla prima all'ultima, e domattina voglio la squadra al completo. Manda Italo a Ivrea a prelevare il materiale».

«Italo?».

«Sì, Italo. Perché?».

«Non c'è».

Rocco mollò il pennarello. «E dove è andato?».

161

«Ha staccato prima».

«Che significa ha staccato prima?».

Antonio allargò le braccia. «Che ti devo dire? È sempre la stessa storia, Rocco, ormai sembra che venga qui solo a fare presenza».

«È un povero coglione!» disse il vicequestore. «Non te ne occupare. Allora, evita di mandare Casella che è stato tutto il giorno con me, chi rimane?».

«Lo sai».

Rocco sbuffò. «D'Intino e Deruta?».

«D'Intino e Deruta».

«E vabbè, chiamo Munifici e lo avverto che arriveranno Stanlio e Ollio, almeno lo preparo psicologicamente».

«Se vuoi vado io».

«No. Tu riposati, abbiamo davanti giorni difficili e, non so se te ne sei accorto, ormai io mi fido solo di te».

Antonio Scipioni uscì lusingato da quella confessione inaspettata del vicequestore. Sembrava che il loro rapporto si consolidasse giorno dopo giorno. Ripensava a mesi prima, quando voleva lasciare la squadra, e detestava Schiavone, i suoi modi, contestava la sua etica e i suoi metodi. Che cosa era successo? Il ferimento di Rocco prima di Natale? Essere stato lasciato da tre donne la stessa sera? Il viceispettore di fresca nomina Antonio Scipioni non poteva ancora saperlo, ma alla soglia dei 30 anni stava finalmente abbandonando la lunga fase adolescenziale della sua vita.

La notte era già avanzata di parecchi passi, eppure Michele Deruta non prendeva sonno. Si rigirava nel letto fin quando svegliò Federico che con gli occhi ancora chiusi gli domandò: «Amore ma che succede?».

«Non riesco a dormire. Penso allo scheletro di quel bambino sepolto nel bosco di Saint-Nicolas».

«Si sa chi era?» gli chiese Federico che ormai si era svegliato con un paio d'ore d'anticipo.

«Si chiamava Mirko Sensini».

«L'hanno... ammazzato?».

«Già».

«Figli di puttana».

«È quello che dice il vicequestore».

«Vorrei mettergli le mani addosso».

«Tutti lo vorremmo, Federico. Ma non è così semplice. Il ragazzo è morto sei anni fa».

Zanna Bianca si alzò e abbandonò la cuccia ai piedi del letto. Sembrava offeso.

«Non puoi raddrizzare tutte le schifezze di questo mondo, Michele».

«No, non posso. Però sono stanco di vederle».

«Lo capisco».

Deruta si rigirò facendo frusciare lenzuola e coperta. «Io vorrei fare solo il pittore e pensare alle cose belle».

«Hai visto mai che la mostra vada bene e diventi importante?».

Deruta sorrise. «Federico, è una mostra della Pro Loco, e poi i miei quadri... li conosci, no?».

Federico lo accarezzò. «Io dico che sono belli».

«Perché mi vuoi bene. No, sono bruttini, lo so».

«Potresti fare il panettiere, allora. Mica è poi tanto

male. Ormai ti sarai abituato. Anzi…», guardò la sveglia, «fra un paio d'ore mi devo alzare e mi sa che mi serve una mano».

«Nooo» disse Deruta. «La signora Carmela pure oggi non può?».

«No, sta poco bene».

Michele ci pensò su. «Va bene, vengo, però in cambio non sto a dieta, mi merito due brioche, una con la crema e una senza».

«Andata» fece Federico e si girò per inseguire il sonno. Michele invece era rimasto a guardare il soffitto.

«Federico?».

«Mmm».

«Cosa ha pensato Mirko quel giorno che il mostro l'ha portato nel bosco? Immagina la paura che aveva. Come ha fatto?».

Federico si rigirò. «Avrà inventato che era una favola, che un mostro aveva preso un bambino per portarlo nella foresta, ma il bambino era più forte e ha cominciato a volare, fra i rami, lontano dalle zampe del mostro e con gli occhi laser lo ha incenerito. Poi è tornato a casa senza dire agli altri che lui in realtà era un supereroe, mantenere il segreto, ecco cosa era importante».

Deruta guardò il profilo di Federico. «Dici che è andata così?».

«Io dico di sì. Magari non se n'è accorto. Quando la realtà è così terribile, i bambini si nascondono nella fantasia. Mica li freghi».

«No?».

«No Michele, lo sanno fare meglio di chiunque altro».

Lupa russava come una segheria. Era spuntata la luna, poco più di una lama, Rocco cercava di leggere *Germinale* sul divano. Finiva la pagina e la ricominciava, non era concentrato, i pensieri erano più forti delle righe di Zola. Chiuse il libro. «Dove l'hai portato?» domandò alle ombre dell'appartamento. Era certo che Mirko Sensini non era morto nel bosco. Solo in seguito l'assassino l'aveva trasferito lì. Perché conosceva bene il luogo, perché l'avrà fatto di notte, si diceva, con la luna. Com'era la luna il 27 maggio di sei anni prima? Gli venne la curiosità di saperlo. Prese il cellulare e cercò. Era crescente, un solo spicchio, quindi buio, si sarà aiutato con una torcia?, si chiese. Mentre osservava le fasi lunari su un sito inglese, il cellulare suonò. Era Brizio.

«Amico, che succede?».

«Dormivi?».

«Macché...».

«Senti un po', Furio sta sbroccando. Non gli riesco a togliere dalla testa l'idea di andare a cercare Sebastiano. Dice che si vuole girare tutte le ambasciate di Roma e capire dove s'è nascosto».

«Suggeriscigli di risparmiarsi 'sta fatica. Non lo troverà mai».

«E che non gliel'ho detto? Per ora è riuscito solo a capire che dalla Svizzera ha preso un aereo per il Messico».

«È un po' pochino... da lì può essere andato ovunque. Vuoi che ci parlo?».

«Se ti va... non ci dorme la notte. Ieri è entrato a casa di Seba, l'ha rivoltata come un calzino per cercare un indizio, un dépliant, un libro, un appunto. Ma non ha trovato niente. Dice che tu lo puoi scoprire facile».

«Ah sì? E come farei?».

«Perché tu gli hai dato un passaporto quando è venuto ad Aosta, e lui per lasciare l'Europa ha usato quello».

«È vero. Ma non basta. Perché se vuoi, io ti dico il viaggio che ha fatto, senza che Furio se va a impertica' co' ambasciate e varie».

«Di' un po'?».

«Sebastiano era nel giro della coca, c'era in mezzo l'Honduras, tu non te lo ricordi, io sì. Lì è andato, dove conosce gente, i fornitori, e da lì chissà con che passaporto s'è mosso per andare... ad Aruba? Alle Antille? In Giamaica? E sotto quale nome?».

Brizio era rimasto in silenzio. «Hai ragione, è andata così. Mo' glielo dico».

«Lascia perdere che quello è capace di andare in Honduras a cercarlo. E si mette nei guai, non è che gli amici de Seba laggiù fossero dei frati francescani. Erano trafficanti. Che vuole fa'? Lo dobbiamo andare a recuperare in qualche fosso?».

«Come lo fermo?».

«Parla con la madre. Ce pensa Agnese a fermarlo. L'ha sempre fatto».

«Giusto, metto in mezzo sora Agnese. Quella blocca i carrarmati... buonanotte Rocco».

«Pure a te...».

Giovedì

In quei momenti fra la notte e il giorno quando il cielo non decide ancora che veste indossare e qualche uccello invece ha già scelto che è il momento di mettersi a cantare, lo svegliò la telefonata di Antonio Scipioni in piena attività. «Rocco? Abbiamo un sacco di filmati. Fra mezz'ora ho chiamato tutti a guardarli».

«Fra un'ora Anto'... non ho dormito».

«Perché non ti pigli un sonnifero?».

Il consiglio di Scipioni cadde nel silenzio della comunicazione interrotta.

Nella stanza di Rocco s'erano radunati Italo, Antonio, Casella e D'Intino.

«Manca qualcuno».

«Deruta adesso arriva» rispose Italo.

«Sempre al panificio?».

«È probabile».

«Statemi a sentire. Ci prepariamo a guardare le immagini di tutte le telecamere che hanno filmato il giorno del rapimento di Mirko Sensini. L'hanno già fatto i colleghi di Ivrea all'epoca, ma noi ripetiamo l'osservazione».

«Non è inutile?» si oppose Italo.

«No» rispose secco Schiavone. «Dai Antonio».

«Allora», Antonio si avvicinò al computer, «ora mandiamo le immagini della telecamera del corso. Strada che chiunque abbia prelevato Mirko davanti alla scuola dovrebbe aver percorso».

«Bene...» disse Rocco. «Ma prima di tutto questo, devo andare in bagno una decina di minuti». Aprì il cassetto, con un gesto rapido afferrò di nascosto una canna, poi richiuse con la chiave e senza aggiungere altro uscì dalla stanza.

Il bagno del corridoio almeno era pulito, aprì la finestrella in alto e si accese il cannone. Lo fumò seduto sul water, a guardare fisso il soffitto di polistirolo e il neon bianco lattice. Qualcuno bussò. «Occupato!» rispose Rocco. Chiunque fosse si lavò le mani per poi uscire.

«Sarebbe tutto più semplice se ti lasciassi andare».

«Pure nel bagno, non posso avere un po' di privacy?». *Marina si siede sulle mie ginocchia.*

«Come ci si sente?».

«Che intendi?».

«Il futuro. Ad avere un futuro», *e inchina appena la testa.*

«Non lo so che importanza abbia il futuro, il mio almeno. È una stanza senza finestre».

«Se uno ci si chiude dentro, ma resta una porta».

«Non la vedo, Mari'».

«C'è, te lo dico io. La devi aprire, amore mio. Oh, lo sai che dopo sette anni c'è la crisi di coppia?». *Non capisco.* *«Mari', noi l'avevamo passata indenni, ricordi? Ti*

regalai un maglione azzurro, era di cashmere e tu eri convinta che facesse i pallini!».

«Mi riferisco a questi sette anni. Da quando me ne sono andata. Fra un po' scadono».

Mi viene da ridere. «Ah sì? E che crisi potremmo avere io e te?».

«Salvifica».

Non la seguo. «Non ti seguo».

«Salvifica, almeno per te».

Adesso ho capito. «Non lo so Mari', non ho la pelle giusta mi sa, sai che ci sono tanti tipi di pelle? E tanti odori? Mi dicevi sempre che io odoravo di pane tostato».

«È vero. E io invece di...? Te lo ricordi?».

Mi chiede se me lo ricordo. Certo che me lo ricordo. «Burro. Odoravi di burro».

«Eravamo una colazione!», e scoppiamo a ridere insieme. «Mi dici quella poesia? Quella dell'anima che ti piaceva tanto? Mi fa compagnia quando non ci sei».

«Non ci sono mai».

«Ci sei sempre».

«Aspetta, vedo se me la ricordo. Ma tutta?».

«Va bene, solo l'inizio».

«Anche perché tutta non me la ricordo».

«Poche storie, forza!».

Mi schiarisco la voce, che io le poesie mica le so recitare. «Anima mia, fa' in fretta, ti presto la bicicletta, ma corri. E con la gente (ti prego, sii prudente) non ti fermare a parlare smettendo di pedalare».

«Grazie».

Non c'è più. Butto la cicca nel water e tiro l'acqua. Am-

*mazza. C'è parecchio fumo. Il prossimo che entra qui
dentro sta stordito tutto il giorno.*

«Allora, miei validi e instancabili agenti, preso il
caffè? Siamo pronti?». Anche Deruta si era unito alla
compagnia. «Bene, Deruta, com'è andata al panificio?».

«Insomma».

«Hai litigato con Federico?».

«No, con lui tutto bene. È che non riesco a smettere di pensare a Mirko».

Gli agenti si zittirono.

«Pure io» si aggiunse D'Intino. «Pensate che a Mozzagrogna tenevo 'nu zio che...».

«Stop!» gridò Rocco. «Niente storie di D'Intino, grazie. Allora siccome a guardarci negli occhi non risolvia-
mo una mazza, diamoci da fare e studiamo con molta
attenzione i video. Anto', quante telecamere sono?».

«Sono sei telecamere in tutto per il tragitto più corto dalla scuola al piazzale della stazione». Antonio lesse la legenda sul foglietto del cd. «Quella del Monte
Paschi, quella della farmacia, dell'Avis, la stradale vicino al castello sabaudo, la banca prima del ponte e infine quella della Cisl».

«Il giorno è il 27 maggio 2008?».

«Esatto, il giorno è quello della sparizione di Mirko».

«Forza, cominciamo con la prima telecamera. Qual
è?» chiese Schiavone.

«Quella del Monte Paschi».

«Pronti» rispose Casella. Qualcuno aveva girato il monitor. Si sedettero sulle sedie e sul divanetto scaccian-

do Lupa che brontolando andò vicino alla pompa di calore e il filmato della prima telecamera partì. «Prendete appunti e segnate tutte le macchine che vedete» suggerì Rocco.

Dopo due ore di visione la noia aleggiava come il fumo all'interno della stanza. Il primo ad alzarsi fu Italo che si stiracchiò.

«Che cosa abbiamo?» chiese Rocco.

«Allora, molte macchine si ripetono ma a me ne risultano solo due percorrere tutte e sei le telecamere» fece Casella.

«A me tre» intervenne Italo. «La Opel Astra, il furgone che dovrebbe essere bianco e la Golf scura».

«Sì, anche a me tre» si intromise Antonio.

Rocco sbuffò. «Allora adesso scorriamo i filmati delle ultime tre telecamere. Indicatemi le auto ogni volta che passano».

Un'altra ora. D'Intino dormiva, Deruta invece coi fogli in mano non era più concentrato, guardava la cornice del monitor e ogni tanto il cielo fuori dalla finestra. Casella sbatteva le palpebre come se gli pizzicassero gli occhi.

«Alla stazione sono arrivate tutte e tre. Però due hanno proseguito, la terza, il furgone, si è fermata in seconda fila».

«Per circa 23 minuti» aggiunse Antonio. «Poi è ripartito ed è entrato in una specie di garage».

«Cosa dice il rapporto dei colleghi di Ivrea? Hanno notato le stesse macchine?».

Il viceispettore controllò il documento allegato. «No. Loro ne hanno due. Il furgone bianco e la Golf. Nessun accenno alla Opel», e guardò Rocco.

«Visto? Serviva ributtarci un occhio. Ora cerchiamo di individuare le targhe di questi tre veicoli. Lo farei dalla telecamera 4, quella della stradale, è la migliore».

Antonio cercò il punto esatto e fece ripartire il filmato. «Stop!» urlò Schiavone mentre il furgone bianco passava davanti all'obiettivo. «Targa di questo?». Italo si avvicinò. «Sì, la leggo... AM79810... ha anche la sigla della città ma non si distingue».

«Andiamo avanti... stop! La Golf!».

Italo controllò la seconda targa. «Ammazza che culo Rocco, si vedono benissimo. BJ273AS».

«Bene, riparti col filmato». Attesero pochi minuti e videro passare la Opel Astra. «Eccola!».

«CZ889KF» fece Italo. «Ce le abbiamo tutte?». D'Intino si svegliò e sorrise soddisfatto come se la scoperta fosse la sua.

«Sì».

«Ringraziamo D'Intino e Deruta per l'applicazione e la partecipazione, 'tacci vostra!» fece Rocco ai due agenti che non avevano spiccicato parola. «E adesso Casella per favore controllare tutte e tre le targhe alla motorizzazione».

«Un momento, non è finita» fece Antonio. «Queste sono le telecamere se il percorso fatto dall'assassino fosse stato il più breve. Adesso ci sono quelle dell'altro percorso, quello più lungo, che parte da via dei Mulini e attraversa la città in senso inverso, e in quel tragitto ne abbiamo altre cinque». Rocco si sentì svenire. «Cazzo, me l'ero scordato!». Casella si appoggiò alla parete, D'Intino richiuse gli occhi, Deruta sbuffò lasciandosi andare sulla poltroncina, Italo si accese una sigaretta. «Sono quelle del centro per l'impiego» proseguì Antonio, l'unico che sembrava non provare la stanchezza e la noia, «della farmacia, di via Ginzburg, la banca di via Ribes e infine quella del piazzale della stazione».

Sconfitti i poliziotti si prepararono alla visione.

Ancora due ore per avere in mano altri tre veicoli che avevano attraversato per intero il percorso. «La Mini che deve essere verde o celeste, chissà, la Punto bianca e la Lancia che è chiaramente grigio metallizzata. Targhe poco chiare. Ai colleghi di Ivrea è sfuggita la Mini, per il resto sono giunti agli stessi risultati. Un po' distratti, no?».

«No Italo, perché loro indagavano su una sparizione, noi siamo certi dell'omicidio» disse Rocco, «ecco perché... le targhe?».

«Solo della Mini si distinguono le seconde due lettere, GG, ma neanche un numero, per la Punto invece due numeri soltanto, 84» riassunse Casella. «Un bel guaio» commentò Antonio.

«Aspettate!» fece Rocco bloccando l'immagine. «Qui, telecamera numero 3. La Lancia grigio metallizzata». Si avvicinarono al monitor. «Almeno di questa si legge la targa».

«BF406WY» disse soddisfatto Italo.

«Anche questa era sfuggita ai colleghi» disse Antonio controllando il documento.

«Almeno una. Allora abbiamo quattro macchine con targa acclarata, sempre che quel netturbino sia un testimone attendibile e Mirko fosse dalle parti della stazione. Ma è l'unica pista, dunque insistiamo» disse Schiavone. «Casella e Antonio, chiamate Munifici, informatevi se qualcuno a Ivrea ai tempi era riuscito a risalire ai proprietari. Poche speranze ma proviamoci».

Antonio e Casella uscirono dalla stanza. «Noi?» chiese Deruta.

«Per voi ho un compito molto, ma molto delicato», un lampo di eccitazione passò negli occhi di D'Intino. «Questo non vuol dire che sei perdonato D'Intino, mi devi ancora un rene. Allora, li avete gli evidenziatori?».

«Shine» rispose D'Intino.

«Bene, evidenziate le sei auto sospette che abbiamo appena visto. Ma fatelo bene, eh? Ognuna con un colore diverso».

«Benissimo. Giallo, verde, rosa, azzurro...». Deruta rimase con le quattro dita davanti alla faccia. «E non ci sono altri colori dotto'. Le macchine da evidenziare sono sei».

«Giusto. E allora fate così. Su un cartello scrivete, in alto, in grande, col pennarello nero: percorso più breve, e sotto le tre targhe che abbiamo scoperto e il modello delle auto. In un altro invece scrivete: percorso più lungo, e sotto le altre tre targhe, due semisconosciute e l'altra che invece abbiamo, a questo punto potete riutilizzare due dei colori del primo cartello. Chiaro?».

I due agenti annuirono e uscirono di corsa. «Ma non si accorgono che li prendi in giro?» chiese Italo che era rimasto solo nella stanza con Rocco.

«No, se metti in mezzo gli evidenziatori. Non capisco perché ne subiscano il fascino, come due abitanti della foresta amazzonica per la prima volta davanti a una telecamera».

«Hai qualche ordine, capo, o posso andare pure io?» disse scherzoso Italo.

«L'hai letto l'*Amleto*?».

Italo fece una smorfia. «No».

«L'hai visto a teatro?».

«Non ci sono mai andato a teatro».

«Essere o non essere, quello almeno l'hai sentito?».

«Sì, a quello ci arrivo» rispose piccato Pierron.

«Significa: darsi una mossa o non darsi una mossa? Cioè, sto qui a non fare niente, passivo e distratto, oppure mi do da fare e cerco di raddrizzare i torti? Leggo libri, vado a teatro, mi informo oppure resto come un coglione a casa a giocare alla PlayStation? Continuo a prendere in giro la gente perché tanto la farò franca, oppure divento un uomo e mi assumo la responsabilità delle mie azioni?». Rocco lo guardò. «Sta a ognuno di noi decidere. Testa sotto la sabbia oppure occhi ben piantati sull'orizzonte? Restare adolescenti, con una scusa sempre pronta, oppure diventare adulti che pagano per le proprie scelte?». Italo taceva. Restava solo il rumore della pompa dell'aria che soffiava un leggero refolo di riscaldamento nell'ufficio e il russare di Lupa. «Tu una risposta l'hai trovata?».

«Io sì, Rocco. Mi prendo la responsabilità di quello che faccio. Sempre».

«Davvero?».

«Ci provo. E comunque, come ti ho già detto, non ho bisogno di un padre né di un fratello maggiore. Avevo bisogno di un amico, ma è difficile trovarne».

«Il guaio è che con gli amici c'è il problema di dover essere leali. L'amicizia è gratis, non costa niente, solo impegno e sincerità, e di quella roba tu ne possiedi poca».

«Tu invece?».

«Io? Sono un uomo schifoso, ho fatto cose schifose e altre è probabile che ne farò, ma mai a un amico. O a una moglie, che poi è un amico con cui vai anche a letto. E pago ogni errore, pure caro. Tu puoi dire lo stesso?».

«Anch'io pago, Rocco, ho il portafogli sempre aperto».

«Bravo. Perché prima o poi il conto arriva, Italo, mettici una mano sul fuoco». Stettero zitti per qualche secondo, poi Rocco si infilò le Clarks, le allacciò e quando si alzò in piedi, Italo era andato via. «Coglione...» mormorò e afferrò il telefono. «Schiavone, questura di Aosta. Devo parlare con il sostituto Prosperi».

«Un momento...».

Attese qualche secondo poi la voce del poliziotto risuonò nella cornetta. «Che si dice a Torino oggi?» gli chiese Rocco.

«Bah... niente di che. Cielo coperto, temperatura in discesa, i granata se la passano maluccio».

«Senti Prosperi, me lo fai un favore?».

«Se posso certo».

«Mi mandi gli stampati delle chat dei figli di puttana, da sei anni a oggi?».

«Ma sei matto? Saranno 400 pagine!».

«Devo fare dei riscontri».

«Che cos'hai in mente?».

«Ho pensato, hai visto mai che uno dei nostri sospettati di sei anni fa è ancora in campo e ha parlato di nuovo con qualcuno?».

«Brady è morto, Grange sta in carcere, no? E quel Blanc detto Gross sta a Buenos Aires. Mameli invece sulle chat non ci va mai, fidati».

«Lo so, magari perdiamo tempo, ma agenti per fare 'sto lavoro ne ho».

«Come vuoi. Te li mando per mail. Tu hai novità?».

«Macché, per ora giriamo come una trottola. Ti saluto, Prosperi...». Chiuse la comunicazione.

Aveva fame e due alternative. Il bar sotto la questura o quattro passi verso il centro a cercare qualcosa di più commestibile.

Passò per il corridoio e si affacciò nella sala degli agenti. D'Intino con la lingua di fuori era intento a ricopiare le targhe su un cartone bristol. Deruta teneva il foglio in mano e dettava. «Deruta, lascia D'Intino a fare l'amanuense, ho un altro compito per te».

«Mi dica».

«Arriva una mail fra poco, so' 400 pagine minimo. Stampala e dalla a Casella. Digli di cominciare a leggerla».

«Sissignore. 400 pagine?» chiese spaventato l'agente.

«Carlo, sono il vicequestore».

«Mi dica dottore». Rocco sentì una tastiera ticchettare.

«Hai novità sul computer di Grange?».

«Niente di niente. Si dilettava a scrivere racconti, ne ho letto uno, banale e noioso».

«A parte l'attività letteraria?».

«Fatture, link di internet, per lo più case in vendita, un sacco di foto di montagna, era iscritto a un club d'alpinismo, doveva amare i cani lupo, ha una ventina di fotografie».

Rocco attraversò la strada. «Senti, secondo te, quel computer è stato usato di recente?».

«Su questo posso essere preciso. L'ultima volta che Grange ha memorizzato qualcosa era il 2006».

«2006... Poi più niente?».

«Più niente».

«Non è strano? Il tizio è stato fuori fino al giugno del 2008, in due anni ti pare che non ci abbia più messo mano?».

«Boh... in effetti... se guardo la serie di memorizzazioni fino al 2006 sono praticamente quotidiane».

«Il che ci fa supporre?».

«Che il tizio abbia un altro computer?».

«Centro, Carlo! Dovresti venire a lavorare con me».

«Non lo sto facendo?», e lo sentì ridere.

Aveva scelto il bar sotto la questura, di camminare non gli andava. Il panino lo mangiò Lupa, Rocco si era accontentato di un vecchio cono gelato di una marca sconosciuta che sapeva di sapone per i piatti, ed era stato attento a non intavolare dialoghi coi colleghi. Tornando in ufficio vide Costa che apriva lo sportello dell'auto di servizio nel parcheggio. Rocco lo salutò con un gesto del capo, quello gli fece cenno di avvicinarsi. Aveva perso l'aria sorridente e allegra ripiombando nel suo solito umore grigiastro. «Progressi?».

«Non ancora. Avrei bisogno di una convocazione in questura per questa sera».

«Chi?».

«Domitilla Ciai».

«E chi sarebbe?».

«Una persona informata sui fatti, la moglie di Giovanni Grange, uno che al momento sta in galera».

«Parliamo sempre del bambino?» chiese il questore facendo cenno all'autista di aspettare.

«Sempre di quello».

Costa guardò Rocco, poi entrò nella vettura. «Schiavone?».

«Dica».

«Non mi faccia pentire».

«Ma quando mai...».

Entrando in questura fece un rapido calcolo degli uomini a disposizione. Su Italo non contava più, Casella era troppo anziano e poco agile, gli restava Antonio Scipioni, l'unico con un grado accettabile per ricevere la signora Ciai. Poi vide la Gambino scendere le scale verso il suo laboratorio. «Michela?».

«No, purtroppo non ho novità rilevanti. Abbiamo esaminato tutto il...».

«Non si tratta dello scheletro. Ti devo chiedere un favore molto importante».

«E dimmi».

«Non qui» le disse, poi le fece cenno di seguirlo fino alla stanzetta dove era piazzato il telefono che tante chiamate aveva ricevuto nei giorni precedenti e che ormai giaceva muto sulla scrivania. Chiuse la porta. L'aria cospirativa aveva acceso una luce di eccitazione negli occhi di Michela. «Di che si tratta?».

«Sei in grado di sostenere un interrogatorio?».

Michela annuì. «Ho una soglia del dolore molto alta, so resistere a 12 tipi diversi di torture e ho affinato una tecnica per restare in apnea per circa due minuti, so anche raggirare la macchina della verità» disse orgogliosa.

Rocco la guardò. «Di che cazzo parli?».

«Mi hai chiesto se so sostenere un interrogatorio».

Rocco sbuffò. «Intendevo, se lo sai fare».

«Ah! Sì, se conosco il motivo, i fatti, le persone coinvolte».

«Ti ragguaglio su tutto. Devi trattenere una persona in questura almeno un paio d'ore. Stasera. Dalle 19 alle 21 per intenderci».

Gambino fece una smorfia. «Che c'è Miche'? Dov'è il problema?».

«Glielo dici tu ad Alberto?».

«Che c'entra Fumagalli?».

«Dovevamo andare a cena fuori».

180

«E ci andate alle nove e mezza. Guarda, offre la casa».

«In questo caso la risposta è sì. Mi metto in divisa e passa la paura».

«Ecco sì, evita colbacchi e copriorecchie parabolici».

Michela lo guardò infastidita. «Va bene, allora dimmi tutto, chi devo interrogare, come nasce, che medicine prende...».

Nell'ufficio trovò i due cartelli disegnati da D'Intino e Deruta inchiodati a una mensola della libreria. Il primo portava la scritta: *tragitto più breve*, e sotto i numeri delle tre targhe conosciute. L'altro invece era intitolato: *tragitto più lungo*, e aveva solo un paio di cifre e i modelli delle macchine sospette. Si tolse il loden mentre Antonio Scipioni entrava insieme a Italo controllando un piccolo taccuino. «Allora Rocco, qualche notizia ce l'abbiamo. La Golf targata BJ273AS appartiene alla signora Rosanna Buonvino, oggi ha 74 anni, ex professoressa di italiano, pensionata. Vive sola e la macchina la usa lei dal momento che il figlio vive e lavora in Gran Bretagna».

«E allora fuori uno», e Rocco tirò una linea nera sul cartellone.

«Poi abbiamo la Opel, CZ889KF, è di colore rosso, proprietà di Chiara Luttazzi, figlia di un maresciallo dell'Arma, all'epoca studentessa di veterinaria, oggi medico, esercita a Ivrea e la macchina non la possiede più da almeno quattro anni. Rottamazione nel 2010».

«Sì» si intromise Italo, «ci furono gli sconti per acquistare una Fiat, una bella campagna che...».

«E sticazzi Italo? E allora via pure la Opel Astra». Cancellò anche la seconda vettura.

«Siamo al furgone bianco targato AM79810. Era di proprietà di Emilio Biancavalle, che di mestiere fa il muratore. Lo usavano lui e la ditta che è composta da Luigi Biancavalle e Renato Biancavalle, sono tre fratelli, la ditta è a Pont-Saint-Martin».

«E allora mettiamo un bel punto interrogativo vicino al furgone bianco. Passiamo all'altro cartellone».

«La Lancia grigio metallizzata BF406WY» rispose Antonio leggendo gli appunti. «Quella era una vettura a noleggio ed è un po' complicato. Al momento risulta rottamata».

«Un bel punto interrogativo anche vicino a questa. Bene, ottimo lavoro. Pure il cartellone di D'Intino serve a qualcosa. Immagino che delle altre due di cui non conosciamo la targa non abbiamo notizie».

«Be', la Punto la escluderei» fece Italo.

«Il motivo?».

«Ho riguardato bene il video, e la guida un magrebino».

Rocco annuì. «Bene Italo, e non combacia con la descrizione del netturbino, quindi... zac!». Cancellò anche quella. «La Mini?».

«Stanno facendo una ricerca su quante Mini ci sono in circolazione che hanno per ultime le lettere GG. Ci vorrà per arrivare a una risposta».

Rocco si infilò il cappotto nel momento in cui Casella entrava portando un plico di fogli con lo sguardo smarrito. «Allora abbiamo tre auto. La Mini, il furgone e la Lancia metallizzata. Voglio sapere la storia della Lancia metallizzata. E lavoriamo anche sulla Mini».

«Dove andiamo?» chiese Italo.

«Rimediate dove stanno 'sti fratelli Biancavalle, io e Antonio li andiamo a sentire, per non lasciare niente di intentato. Fatevi comunque quattro chiacchiere con quella della Opel Astra e poi con la signora Buonvino della Golf. Chiedete se hanno avuto un furto, se l'hanno prestata, qualsiasi dettaglio può essere importante».

«E io che faccio? Sono arrivati i 400 fogli che ha chiesto da Torino» chiese Casella.

«Mettiti su quei fogli, fatti aiutare da Italo e tanti auguri».

Il villino vicino Bard era uno scheletro. Il tetto finito, mancavano però porte e finestre. Dalle pareti ancora da imbiancare spuntavano fili elettrici, pannelli di cartongesso rivestivano i soffitti. Una piccola betoniera girava guardata a vista da un uomo alto poggiato a una pala. Altri due operai con una carrucola stavano issando mattonelle al primo piano. Rocco e Antonio si avvicinarono all'uomo col badile. «Vicequestore Schiavone... cerco i fratelli Biancavalle». Quello si mise la mano all'orecchio, non aveva capito. Rocco gli fece cenno di spegnere la betoniera. «Spegni!».

«Si rovina il cemento».

«Allora allontanati», e gli mostrò il tesserino. L'uomo alzò gli occhi al cielo e si allontanò. «Cerco Emilio, Renato o Luigi».

«Io sono Emilio. Renato e Luigi sono loro» e indicò i due con la carrucola. Prese uno straccio che aveva infilato nei pantaloni e cominciò ad asciugarsi le mani. «Luigi? Vieni qui!» gli urlò indicando la betoniera. Il fratello, magro e allampanato, corse a controllare il cemento. «Che volete?».

«Eravate proprietari di un furgone bianco della Ford targato…».

«AM79810» disse Antonio.

«Boh, non mi ricordo la targa, però sì, ce l'abbiamo ancora un furgone, quello lì», indicò il mezzo parcheggiato vicino a una baracca prefabbricata. «Lo usiamo insieme all'autocarro per lavoro».

«Gliel'hanno mai rubato?».

«No».

«Lo ha mai prestato?».

«E a chi? Non è mai entrata la terza, se uno non lo sa guidare ci si impicca».

«Le devo fare una domanda difficile. Cerchi di concentrarsi. Il 27 maggio del 2008. Lo so, impossibile ricordarselo, il furgone è stato visto a via Ravaschietto, alla stazione, verso l'ora di pranzo».

«Via Ravaschietto? Può essere, lì c'è Giulio, il meccanico».

«C'è ancora?».

«Se non l'ha ammazzato la moglie sì», e scoppiò a ridere. «Ci andavamo spesso, io o mio fratello Renato, Luigi no, non sa guidare. Luigi è quello accanto al cemento».

«Il giorno 27 maggio era un martedì» si intromise Antonio, «stavate lavorando?».

«Senta, io capisco che...».

«Che ci mette a controllare? Chiami il commercialista, ce l'ha un commercialista?».

«Certo».

«Lo chiami!». La perentorietà del viceispettore non ammetteva repliche. Emilio, sbuffando, prese il cellulare e si allontanò dai due poliziotti. Rocco guardò il collega. «Ti sta sul cazzo?» sussurrò.

«Un po'» rispose Antonio. Mentre Luigi guardava ipnotizzato il fusto della betoniera che girava e mescolava l'impasto grigio scuro, l'altro fratello, Renato, fingeva di lavorare, e ogni tanto gettava un'occhiata dal primo piano della palazzina in costruzione. Appena uno dei due poliziotti alzava lo sguardo, si rimetteva di corsa all'opera scartando pacchi di maioliche. Emilio tornò sorridente. «Allora sì, il commercialista ha guardato sul computer... nel maggio del 2008 stavamo rifacendo i bagni alla scuola elementare».

Rocco prese una sigaretta dal pacchetto e l'accese. «Che orari di lavoro fate?».

«Stacchiamo a mezzogiorno, mezzogiorno e mezza al massimo se c'è qualche consegna, poi alle due ricominciamo».

«Lavoravate nella scuola elementare vicino a D'Azeglio?».

«Sì... ma perché?».

«Chi fa le domande?» fece Rocco.

«Lei» rispose un po' intimorito Emilio.

«Non ricorda niente, e questo è chiaro. Avevate contatti con i maestri o i bidelli?».

«No, solo buongiorno e buonasera... figuriamoci».

«Lei è sposato?».

Emilio scoppiò a ridere mostrando tre denti mancanti nell'arcata superiore. «Ma è matto? Con tutta la gnocca che c'è in giro?».

«Che immagino non veda l'ora di saltarle addosso» fece Antonio.

«Be', me la cavo» e si batté la mano due volte sull'addome prominente. «Voi siete sposati?».

«Emilio, se la infilo dentro la betoniera, crede che riuscirà a smetterla con 'ste cazzo di domande?» lo minacciò Rocco. «Quindi nessun contatto. Neanche con il preside?».

«Ah, quello...», fece una smorfia, «quello lo ricordo anche perché lo conoscevo. Un rompiballe di prima. E pulite qui, e pulite lì...».

«E coi bambini?».

«E perché? Noi mettevamo il cartello guasto fuori dalla porta e lavoravamo in santa pace. Non capisco tutte 'ste domande, commissario».

«Si faccia i cazzi suoi, Emilio, e sono vicequestore». Rocco gettò il mozzicone per terra, poi alzò gli occhi verso il fratello al piano di sopra. «Mi chiami Renato».

Con un gesto Emilio avvertì il fratello che mollò il lavoro e sparì all'interno dello scheletro in costruzione. «Ma almeno mi può dire cosa cercate? Magari possiamo essere più utili».

«No». Rocco e Antonio si allontanarono, raggiunsero il piano terra della palazzina in costruzione e si fermarono sull'uscio di quella che sarebbe diventata la porta d'ingresso. Renato era pallido, nervoso, i capelli e la barba nera sporchi di calce. Portava i jeans e un maglione di lana giallo. «Vicequestore Schiavone. Come va Renato?».

«Eh? Bene, bene».

«Lei quel furgone lo guida?».

«Non gli entra la terza. Non gli è mai entrata, a dire la verità. Però sì, ogni tanto».

«Com'è stato lavorare alla scuola elementare nel 2008?».

Renato fece una smorfia. «Alla scuola? Non... non mi ricordo...».

«Avete rifatto i bagni» cercò di aiutarlo Antonio.

«Ah sì? Guardi, se è per le tasse fa tutto mio fratello Emilio».

«Non è per le tasse» disse Rocco. «Lei è sposato?».

«Sì e ho due figli. Uno va in prima elementare e l'altro...».

Rocco lo fermò con un gesto della mano. «Chi porta il furgone al meccanico?».

«Mah... di solito se ne occupa Emilio», poi abbassò il volume della voce. «Io con Giulio mi intendo poco».

«Si spieghi meglio».

«Giulio era... era il fidanzato di mia moglie. Ecco, non me l'ha mai perdonata».

Rocco guardò Antonio e gli sorrise. «Viceispettore, questo è il suo campo».

Antonio annuì. «Quando gliel'ha strappata?».

«Sette anni fa».

«Ha fatto subito un figlio».

Renato abbassò la testa. Antonio capì. «Era già incinta?».

«Sì» confessò Biancavalle.

«Quindi mentre stava con Giulio sua moglie in realtà s'era innamorata di lei».

«Sì».

«Farete altri figli?».

Renato sorrise. «Io ne vorrei quattro, mia moglie mi ha detto che piuttosto si getta dal ponte».

«Comprensibile» concordò Rocco.

«Ma che abbiamo fatto?».

«Niente, Rena', ancora niente. È un controllo. Puoi tornare al lavoro. Quello che ci hai raccontato è vero o dobbiamo andare a ispezionare?».

«Lo giuro sulla testa dei miei figli».

«E allora è facile che non ci vedremo mai più».

«Cosa non ti convince?» chiese il viceispettore a Rocco. «Li hai visti nervosi?».

«Un po', ma è normale se la polizia viene a fare domande sul tuo posto di lavoro. No, qualcosa mi sfugge. E lavoravano proprio alla scuola di Mirko. Non ti fa pensare?».

«Ho sentito i brividi quando l'ha detto. Anche se...».

«Cosa, Anto'?».

«Se avessero qualcosa da nascondere non l'avrebbero nominata con tutta questa leggerezza».

«Ma neanche avrebbero fatto il contrario. Non puoi nasconderlo, poi quando la scuola sarebbe venuta fuori, come ti saresti giustificato? Andiamo da Giulio, va'...».

«Il meccanico?».

Giulio era un uomo irascibile. Quando Rocco e Antonio entrarono nel garage stava facendo una ramanzina a un ragazzo che teneva in mano uno spinterogeno. «Quante volte te lo devo ripetere Ahmed? Quante? Se non lo pulisci come dico io, che lo rimonti a fare? Mi togli gli schiaffi dalle mani, mi togli». Sul ponte c'era un'Audi, sotto i finestroni in fondo erano parcheggiate due automobili luccicanti col cofano aperto. Le pareti erano pulite, non sembravano quelle di un garage, gli attrezzi in ordine sulle rastrelliere e i fusti per l'olio esausto messi vicino all'entrata. «Non c'è manco un calendario con le donne nude» disse Antonio, «che razza di meccanico è?».

«Signor Giulio?» urlò Rocco. L'uomo si girò. «Che è per la jeep?».

«No, polizia» disse Rocco. L'uomo scattò e si avvicinò sorridente. «Salve, è per la denuncia di venerdì?».

«No. Sono il vicequestore Schiavone, questo è l'ispettore Antonio Scipioni».

«Piacere, Giulio Seganti. Cosa posso fare per voi?».

«Conosce i fratelli Biancavalle?».

Il sorriso sparì dalle labbra di Giulio. «Certo, sì».

«Si servono ancora da lei?».

«Non più, da qualche anno».

«Immagino da quando Renato le ha rubato la ragazza».

Sgranò gli occhi e strinse le labbra. «Sì, esatto, proprio così. Che hanno combinato?».

«Loro niente. Dobbiamo andare indietro col tempo. Nel 2008... può risalire a quell'anno per controllare che nessuno le portò il furgone? Lo so, è complicato, ma servirebbe...».

«Guardi, commissario».

«Eccheccazzo! Le ho appena detto che sono vicequestore! Ma è così difficile da imparare?».

«Colpa della televisione» fece Antonio.

«Allora signor Seganti?».

«Mi scusi vicequestore, ma davvero io non so come aiutarla. Sono passati tanti anni, mi è impossibile risalire a quella data».

Rocco guardò il viceispettore. «Noi abbiamo la certezza che quel giorno del 2008 il furgone fosse parcheggiato in questa strada».

«Sì, ma qui, mi creda, difficile che siano venuti. Se erano parcheggiati qui è perché hanno un magazzino, dieci numeri più in là, al 12b».

«Un magazzino?» chiese Rocco.

«Sì, ci tengono cose del lavoro, credo».

«Grazie Giulio, grazie soprattutto per l'aiuto».

«Si figuri, dovere».

Appena fuori dal garage, Rocco prese il telefono. «Sei tu Deruta?».

«Sì, dottore».

«Allora segnati questo indirizzo. Via Ravaschietto 12b, a Ivrea, fatto?».

«Sì, dottore».

«Preparati a passarci la notte. Portati il caffè e da mangiare».

«Che è, un appostamento?».

«Certo».

«Dotto', l'appostamento, lo ha detto lei, è una rottura di coglioni del nono livello!».

«Per me, per te un diversivo dalla vita di merda che fai».

Sentì l'agente sbuffare.

«Miche', qualcuno se ne deve occupare».

«E poi sto facendo le fotocopie!» protestò Deruta.

«Tranquillo, le finisce Italo».

«Posso fare venire pure D'Intino?».

«E che è 'na gita?».

Deruta sospirò. «Non lo so, è che stare da solo...».

«E vada per D'Intino. Volate qui a Ivrea che vi spiego un po' di cose. Oh! In borghese!», e chiuse la telefonata.

Antonio si era acceso una sigaretta. «Li metti di guardia?».

«Sì. I Biancavalle ora sono allarmati. Se lì dentro c'è qualcosa che non torna, questi vengono stanotte stessa. E i nostri baldi agenti li fermeranno».

«E ti fidi di Stanlio e Ollio? Lascia me».

Rocco lo guardò. «Sei viceispettore, questo è un lavoro per agenti».

«Ma chissenefrega Rocco, lo faccio io».

«No, ti hanno visto, preferisco rischiarmela con i fratelli De Rege. E poi mi servi stanotte, ricordi?».

«Allora manda Italo». Poi Antonio si corresse. «Già, ma su Italo non possiamo più contare».

«Andiamo a trovare Roberto Sensini, ho bisogno di qualche dettaglio da lui...».

Lo aspettarono nel cortile della fabbrica, la Juger armi, un parallelepipedo di cemento armato scorticato ingentilito da rampicanti e cespugli di rose anemiche. Roberto Sensini si diresse verso i poliziotti con passo affrettato, sembrava gli scappasse la pipì. «Buonasera dottor Schiavone... ispettore...». Rocco gli strinse la mano, Antonio chinò appena il capo. «C'è un fatto che non ci è chiaro. Probabilmente questa domanda gliel'avranno già posta i colleghi di Ivrea. Mirko aveva un computer o qualche attrezzo per andare in rete?».

«No, dottor Schiavone, e sì, questa domanda ce la pose già l'ispettore di Ivrea. Amalia aveva un portatile a casa, un vecchio Acer, che la polizia sequestrò ma non trovò nulla di interessante. Però lui e i suoi amici si vedevano spesso in centro, c'era una specie di sala giochi che aveva i computer. Ora purtroppo quel posto non c'è più, ha chiuso anni fa, però magari da lì si collegava per cercare le sciocchezze che frequentano i ragazzi in rete».

«Sciocchezze non direi. Qualcuno ha contattato Mirko, altrimenti chi aspettava davanti alla scuola quel martedì?».

«Ci pensammo, e a lungo. Nessuno dei suoi amichetti però ci aiutò».

«E allora lei come giustifica il fatto che fosse seduto sul muretto all'uscita della scuola invece che incamminarsi come ogni giorno verso casa?» gli chiese Antonio.

«Non lo giustifico, infatti. E credetemi, mi sono spaccato il cervello per cercare una soluzione. L'unica che mi è venuta in mente è che il tipo frequentasse la scuola. Oppure uno dei genitori dei suoi compagnucci».

Antonio e Rocco si guardarono. «È una probabilità da scartare, già controllati».

«Allora io proprio non lo so».

Era tardo pomeriggio quando gli agenti Pierron, Casella e il viceispettore Scipioni furono convocati da Rocco nella stanza per fare il punto della situazione. Lupa aveva rimediato chissà dove un osso di prosciutto e masticava felice. Il primo a prendere la parola fu Italo. «Allora, sono stato da Chiara Luttazzi, la proprietaria della Opel Astra. L'auto non ce l'ha più, rottamata nel 2010, ora guida una Smart. Difficile che l'abbia prestata, ogni tanto la usava suo padre che è maresciallo dei carabinieri. Non si ricorda molto del 2008, però, dice, se era andata alla stazione forse doveva prendere il treno per Torino. Mai un furto, vicolo cieco».

«La Buonvino, quella della Golf?».

«Lo stesso. Mai prestata e mai un furto, la macchina ce l'ha ancora, il figlio è a Manchester e non ha la patente. Alla stazione ci va spesso, sua sorella Bianca abita lì e si ricorda che la polizia di Ivrea all'epoca della sparizione era già andata a farle quelle domande».

«Lei se lo ricorda, Astolfi invece no. Eliminati tutti. Ancora niente della Mini o della Lancia?».

Italo allargò le braccia. «Bene. Allora sciolti. Deruta e D'Intino sono diretti a Ivrea, la Gambino interrogherà la signora Ciai».

«Su cosa?» domandò Casella.

«Non ne ho la più pallida idea. Antonio con me!». Prese il loden e fece per uscire dalla stanza.

Italo si avvicinò irritato. «Che ci dobbiamo fare con le fotocopie delle 397 pagine arrivate da Torino?».

«Quelle le dobbiamo studiare, pagina dopo pagina, sono chat di gente che non sta bene. Tu e Casella vi mettete seduti e le spulciate. Qualsiasi cosa non vi torni, nomi ricorrenti, date che vi fanno suonare un campanello, segnate e mettete da parte».

«Che cerchiamo?».

«Qualsiasi dettaglio che si possa collegare al rapimento di Mirko. Non so neanche io quale, Italo, ma tenete lo sguardo a 360 gradi».

«È una parola».

«Fai conto che stai andando a un piatto con una coppia vestita e rilanci di quattrocento euro. Calza l'esempio?».

«Vengo con te e lasciamo Antonio qui?» chiese Italo, sembrava stesse dando un ultimatum a Rocco.

«Sinceramente Italo? No» gli disse il vicequestore, e uscì dalla stanza. Antonio e Lupa, con l'osso fra le fauci, lo seguirono. Italo guardò cupo Casella. «Dove ci mettiamo?».

«Nella stanza nostra. Siamo solo io e te».

«Ti rendi conto? 397 fogli?».

«Io non ho mai letto niente che andasse oltre la trentina, che poi erano le istruzioni dell'armadio Ikea».

«A chi lo dici Ugo». Si incamminarono per il corridoio.

«Senti un po' Italo, Rocco ti tratta di merda, ma che ha dei problemi con te?».

«Gli passerà».

Erano le sette meno dieci, Antonio e Rocco erano a Châtillon seduti in macchina con gli occhi puntati sul villino di Grange. Videro la luce del giardino accendersi, la signora Ciai uscire di casa per poi salire su una utilitaria bianca, una Nissan Micra. La donna mise in moto e si allontanò verso il centro. «Bene, è andata in questura, ci siamo, Antonio».

«Io che devo fare?».

«Aspetti un mio segnale e tieni gli occhi aperti». Rocco scese dall'auto. Scavalcò agilmente il cancelletto del giardino, girò intorno al villino. C'era un patio ma aveva gli infissi protetti con una grata di ferro bianco. Guardò il tetto del portico. Si aggrappò alla grondaia. Le Clarks scivolarono un paio di volte, poi finalmente riuscì a tirarsi su. Si guardò alle spalle. Solo abeti scuri e silenziosi che si infittivano verso la montagna. Alla fine della copertura in tegole c'erano due finestre a doppio vetro. Prese il coltellino e cominciò a lavorare sulla prima. Il telefono gli squillò. Veloce lo afferrò per silenziarlo, sul display il nome di Antonio. «Oh, Rocco! Qualcuno sta entrando in casa. Ha preso la chiave da sotto lo zerbino...».

«Porca... qualcuno chi?».

«Boh. Un uomo. Tu dove cazzo sei?».

«Sul tetto del patio... aspetto qui...».

«E se quello non se ne va?».

«Troveremo una soluzione».

Chiuse la comunicazione e guardò nella casa. Un chiarore si spandeva dal piano di sotto.

La Gambino era nella stanza di Rocco, stava aspettando a far entrare la signora Ciai, l'attesa l'avrebbe innervosita e confonderla era una priorità. Guardava la scrivania, il divano pieno di peli di cane, la ciotola di Lupa vuota, le carte che si ammassavano sul piano, il computer che Schiavone non accendeva quasi mai. Aprì il primo cassetto e ci trovò caramelle, timbri, penne e un preservativo. Il secondo invece era chiuso a chiave. «Che cerchi?» le chiese Fumagalli.

«Faccio passare il tempo. Così si innervosisce».

«Oh, io però sto zitto. Non è il mio mestiere».

«E neanche il mio».

Fumagalli passeggiava in su e in giù. «Alberto per favore trova pace e fermati. Sennò mi gira la testa».

«Comandi», e l'anatomopatologo prese posto sulla sedia vicino alla libreria. «Be'? La facciamo entrare oppure no? Io mi comincio a rompere i coglioni e alle nove e mezza voglio essere seduto al ristorante, alle 11 e un quarto paghiamo il conto e alle 11 e trentacinque ti scaravento sul letto».

«Così alle 11 e quaranta posso dormire».

«Non mi fai ridere».

«Non era quella l'intenzione. Alle 11 e trentacinque, dottore, la farò piangere».

«E vediamo!» disse dandole un bacio. «Senti Miche', visto che quella deve attendere, perché non cominciamo sulla scrivania di Schiavone?».

«Amunì piccio', fammi lavorare». Si alzò e andò alla porta. Fuori, nel corridoio, la signora Ciai aspettava seduta su una panca di formica. «Prego signora... si può accomodare».

La donna si alzò, si stirò la gonna, la borsa appesa al gomito, il mento in su, superò Michela per entrare nella stanza. «Allora buonasera... sono la sostituta Gambino, lui è il dirigente Fumagalli». Alberto chinò appena il capo, la donna sorrise a entrambi e si sedette di fronte alla scrivania. Fumagalli e la Gambino la fissavano. «Bene, signora. Si chiederà perché l'abbiamo convocata».

«Sì, dal momento che siete già venuti a casa mia a prelevare un computer di mio marito».

«Vero, vero... ma c'è dell'altro e vorremmo sentirlo dalla sua voce».

«Sono accusata di qualcosa?».

«Ma quando mai?» disse Michela. «Abbiamo semplicemente bisogno del suo aiuto. Allora, lei è Domitilla Ciai, nata a Cocconato d'Asti il 12 febbraio del 1950?».

«Corretto».

«Ha sposato il signor Giovanni Grange il 14 febbraio del 1974».

«Corretto».

«Suo marito al momento è detenuto presso il carcere di Milano Opera con una pena che dovrebbe scadere...».

«Il 15 di ottobre del 2016, giorno più giorno meno».

«Lei si vede con qualcun altro?» sparò all'improvviso Michela prendendo di sorpresa la donna. «Eh? Io? No, ma come le viene in mente» fece quella sgranando gli occhi.

«Ha figli?».

«No».

«Parenti?».

«Mio fratello, che da quando Giovanni è detenuto passa ogni tanto da casa mia a portarmi la spesa... anzi stasera doveva venire per farmi ripartire la centralina di Sky».

«Conosce le accuse fatte a suo marito?».

«Ho già spiegato a un suo collega che era tutta una montatura» rispose paziente Domitilla Ciai.

«Casa sua è protetta?».

La donna guardò Michela senza capire. Poi si voltò verso Alberto che se ne stava impassibile, gambe accavallate, ad ascoltare. «Protetta da cosa? Dai ladri? Sì, ho le inferriate e...».

«No, protetta dalle onde elettromagnetiche».

«Non... non capisco».

Michela schioccò le labbra. «Le spiego subito. Ha mai fatto otturazioni da un dentista?».

«Sì».

«E lo sa che sono degli ottimi conduttori? Insieme ai cellulari e ai computer con telecamera sono i mezzi che si usano per spiare l'intimità delle persone. Lei ha un computer con telecamera?».

Domitilla ci pesò un attimo. «No...» balbettò.

«Attenda». Michela si alzò dalla sedia e uscì in corridoio.

«Rocco?».

Schiavone, sempre accucciato sul tetto del patio, rispose ansimando. «Che vuoi?».

«Due notizie. Ha un fratello che stasera deve venire a casa sua... le deve aggiustare la centralina della televisione».

«Me ne sono accorto...».

«Secondo, mi gioco la pensione che un computer a casa c'è».

«Grazie Michela».

«Dovere, torno a interrogarla. Perché sento il vento?».

«Miche', sto accucciato sul tetto di un portico. Mo' se non hai altro da dire chiuderei qui la comunicazione».

«Ricevuto!». Michela Gambino tornò nell'ufficio di Rocco. Domitilla Ciai era sempre seduta con le mani sulla borsa poggiata sulle ginocchia, Alberto non si era mosso di un millimetro, si era limitato a guardare la donna negli occhi. «Mi scusi, una telefonata urgente del questore... allora torniamo a noi... niente computer ma mi diceva del suo decoder».

«Esatto, fa i capricci, col brutto tempo non si vede più niente».

Gambino sorrise. «Immagino abbia un'antenna della televisione sul tetto.

«Sì. Pure, la terrestre e quella di Sky».

«Ah!» gridò Michela e con un pugno colpì la scrivania. «Ha visto, dottor Fumagalli?».

Ieratico come un rabbino cui avessero svelato una verità sul Talmud, Alberto chinò il capo tre volte. «Ho visto, sì, ho visto e sentito, e non è bello, no».

«Sappia, mia cara signora, che loro di lei sanno tutto», poi si avvicinò sporgendosi sul piano del tavolo. «E quando dico tutto, intendo... tutto!».

In casa Grange il fratello non sembrava volersene andare. Non saliva dove Rocco era convinto ci fossero le camere da letto, armeggiava al piano di sotto accendendo e spegnendo le luci della cucina e del salone. «Ma che cazzo fa?» bisbigliò Antonio al cellulare.

«Pare sia il fratello della Ciai e sta aggiustando il decoder...» rispose Rocco.

«'Ste cose non mi piacciono, Rocco. Mi spieghi perché devi entrare lì dentro?».

«Tu devi avere fiducia in me...».

«Sì, come nella verginità della Madonna».

«Anto', ti viene in mente qualcosa per liberarci da 'sto rompicoglioni?».

«No, niente. A te?».

«Niente», si affacciò ancora all'interno della stanza. Tutto buio tranne la luce fievole che giungeva dal piano di sotto. Poggiò l'orecchio sul vetro ma non sentì nulla. Lontano un cane abbaiava allo spicchio di luna. «Rocco, mica abbiamo tutta la notte. Se la Gambino molla la Ciai...».

«Non la molla prima delle nove, su questo puoi stare certo» disse Rocco, «la Gambino attacca delle pippe che può stordire un cinghiale».

«E quindi, signora Ciai, lei ora si domanderà: se sanno tutto, perché mi fanno venire qui?».

«Infatti» disse la donna.

«Infatti che? Loro sanno tutto, mica noi».

«Ma loro chi?», la signora Ciai cominciava a perdere l'orientamento.

«Allora le spiego. Da una parte c'è la polizia, noi. Dall'altra i servizi segreti, l'AISI, loro, che sono divisi in servizi segreti buoni e servizi segreti deviati. Se le informazioni che la riguardano le amministrano i servizi segreti buoni, lei può stare tranquilla e dormire fra due guanciali. Al contrario è autorizzata a farsela addosso».

«Oh mio Dio...».

«Niente Dio. Qui ci sono solo uomini e donne al servizio o meno dello Stato. Allora io che faccio parte della polizia le chiedo gentilmente: lei ha mai usato un bancomat presso un traliccio dell'alta tensione?». Alberto cominciava a sorridere. Michela se ne accorse e lo redarguì con uno sguardo feroce. «Io? Non lo so, vado in città e uso il primo che capita».

«Cos'è il controllo, signora Ciai? Imporre a un sistema dinamico, la sua vita, un comportamento specificato, un andamento desiderato. E come si fa? Con le informazioni. E dove si prendono? Dalla rete, per esempio. Lei naviga?».

«Io no, abito ad Aosta» rispose la donna.

«Intendo in rete, su internet, ci va?».

«Mio fratello mi ha insegnato a usare Facebook».

Michela si fece una risatina. «Bene. Lei è un libro aperto. Se solo sapesse, signora, l'importanza delle scie chimiche che campeggiano sui nostri cieli... ha mai avuto l'impressione di sapere il russo?».

«Oddio, no».

«A me è capitato» confessò Michela. «Una mattina mi sono svegliata e sapevo le prime strofe dell'Internazionale a memoria. Vuole sentire? Vstavaj prokljat'em zaklejmënnyj, Ves' mir golodny i rabov! E io il russo non l'ho mai studiato! Glossolalia. Si figuri che nel cristianesimo si pensava alla glossolalia, cioè alla capacità improvvisa di parlare lingue sconosciute, come a un dono divino per mezzo dello Spirito Santo. Ha mai letto gli Atti degli Apostoli?».

«No».

Michela si lasciò andare sulla poltrona. «E lo sapevo. Neanche la prima lettera ai Corinzi?».

La signora Ciai fece no con la testa.

Paziente, la sostituta poggiò le braccia sulla scrivania di Rocco. «Torniamo al russo. Il giorno prima di conoscere l'Internazionale a memoria, cosa stavo facendo? Cercavo in rete notizie sulla tomba dei Romanov... le sembra normale?».

«Non mi sembra normale» rispose Domitilla Ciai, ma non si capiva se si stesse riferendo ai concetti appena espressi o alla persona che le stava davanti.

«Detto questo, consci del fatto che ormai siamo tutti dentro una cospirazione dei potenti per comandare

e ordinare il mondo, i famosi 300 che non sto qui a spie-
garle, lei si chiederà perché l'abbiamo fatta venire».

«Ecco sì, infatti, comincio a non capire più niente»
osservò Domitilla sconfitta.

«Lei e suo marito Giovanni siete al centro di una ra-
gnatela molto complessa tessuta dai servizi. Suo marito vendeva auto?».

«Una volta sì».

«A chi ha dato fastidio?».

«Ai suoi soci».

«E chi erano i suoi soci?».

«Il dottor Poretti».

«Poretti e di nome?».

«Michelangelo».

«Che, guarda caso, ha uno zio, Michael Poretti, che
lavora negli Stati Uniti d'America, e sa dove?».

«No...».

«Al 1000 di Colonial Farm Road, a Langley, Virgi-
nia. Sa chi ci abita a quell'indirizzo?». Michela guardò
con intensità Domitilla.

«No. Chi... chi ci abita?».

«CIA» disse Michela a bassa voce.

«Sta uscendo» disse Antonio. Rocco accucciato sul
tetto del villino aveva perso la sensibilità alle gambe
mentre un dolore fisso che partiva dal fianco sinistro
si allungava sul gluteo. Sciatica, pensò. «Antonio?».

«Dove sei?».

«Sempre sul tetto».

«Puoi riscendere?».

«Non credo. Non mi sento più le gambe».

«E allora aspetta, il rompipalle sta partendo con la macchina». Antonio chiuse la comunicazione. Appena l'auto del fratello della signora Ciai in Grange sparì dietro la curva, Scipioni imprecando fra i denti scese dall'auto. Si guardò intorno, non c'era anima viva. «Vaffanculo, 'ste cose non mi piacciono» mormorava nervoso. Si avvicinò alla villetta, scavalcò il cancelletto di recinzione ed entrò in giardino, raggiunse la porta di casa e alzò lo zerbino.

Rocco provò ad alzarsi facendo molta attenzione. Cercò di sciogliere le articolazioni del ginocchio destro in precario equilibrio sulle tegole fino a quando sentì la finestra aprirsi davanti a lui. Antonio Scipioni si affacciò. «Vieni...» lo invitò. Rocco annuì e un po' vergognoso entrò in casa. «Sto invecchiando» disse al viceispettore. «Già» rispose quello. «Ma perché mi costringi a questo genere di attività che detesto e a cui, onestamente, sono moralmente contrario?».

«Pari 'na lettera all'amministratore di un condominio».

Il viceispettore sbuffò. «E ora che siamo dentro?» chiese Antonio teso e con il respiro corto. «Diamo un'occhiata in giro» rispose Rocco.

«E che cerchiamo?».

«Un computer».

«Un altro?».

«Un altro».

«Quindi lei che mi consiglia di fare?» chiese Domitilla Ciai.

«Profilo basso. Non esageri coi prelievi al bancomat, cerchi di stare lontana dai ripetitori 5G, si faccia una carta di credito ricaricabile a nome di qualcun altro, eviti le mentine».

«Le mentine?».

«Le mentine. E soprattutto, non usi il computer».

«Non ce l'ho».

«Col cellulare va spesso su internet?».

«Mai».

«E allora come fa a collegarsi a Facebook?». Alberto fino ad allora era restato in silenzio. Domitilla Ciai si voltò verso l'anatomopatologo. «Eh?» chiese per prendere tempo. «No, ci vado ogni tanto».

«Col cellulare?» insisté Fumagalli.

«Sì, col cellulare» confessò Domitilla.

«Lo faccia il meno possibile» si raccomandò Michela. «Quando le arrivano telefonate da numeri sconosciuti o da qualcuno che vuole venderle un contratto per luce, gas, e magari sente una voce con accento straniero, non risponda, e se proprio deve rispondere non pronunci mai le lettere: A, Elle, Effe, Esse e Ci», le aveva nominate contandole sulle dita della mano.

Domitilla guardò stralunata la Gambino. «Perché?».

«Dottor Fumagalli, ha sentito? Chiede perché!».

«Roba da matti!» fece Alberto scuotendo la testa.

«Perché sono dei risuonatori di identità!» sbottò Michela. «Pensi, per esempio dicendo la parola *Falce* sarebbero in grado di stabilire la sua età, se ha problemi di calcoli biliari, le pulsazioni cardiache e anche le sue preferenze sessuali».

«Ma davvero?».

«Crede che stia perdendo tempo? Che mi stia divertendo?». Michela mollò un pugno sulla scrivania che fece sobbalzare la signora Ciai. «Ovvio che è così. L'antenna della televisione sul tetto, la sposti!».

«Dove?».

«La posizioni su un muro laterale, nord-nord est, vento di Grecale. Prenda nota».

«E si vedono lo stesso i programmi?».

«Perde Rai2 e La7. In casa ha molti mobili di truciolato?».

«Mah, non saprei, qualcuno sì».

«Se ne sbarazzi. Ha dipinto le pareti con tinture lavabili?».

«Oddio, non lo so». Domitilla Ciai si girava ora verso Michela Gambino, ora verso Fumagalli cercando di raccapezzarsi. «Le fece ridipingere mio marito».

«Glielo chieda. Se sono tinte lavabili va bene. Ma adesso l'argomento più ostico. Lei abita in un villino o in un appartamento?».

«Un... villino».

«Ahia» fece Fumagalli che cominciava a divertirsi.

«Ahia sì!» si aggiunse Michela. «Immagino che l'esterno sia stato pitturato con vernice al quarzo».

«Non... non lo so».

«Sicuro, è così. Il quarzo è diossido di silicio. Col silicio, signora, si fabbricano i chip dei cellulari! Sappia che lei vive in una trappola elettromagnetica. Quindi in casa, mi raccomando, poche parole, non sveli mai piani o intenzioni, faccia conto di avere un enorme orecchio sul tetto che la sta ascoltando».

«Ma perché ce l'avrebbero con me?».

«Signora Ciai, questo lo sapete solo lei e suo marito!».

Lo trovarono in un mobile della camera da letto, sotto una serie di riviste e cartelle piene di conti del commercialista. Un portatile Apple, bianco. Rocco sorrise ad Antonio. «Questo cercavo!». Antonio si avvicinò alla porta d'ingresso. Cauto guardò da una finestra. «Va bene, via libera». Aprì con prudenza, mise il viso fuori per sbirciare meglio la strada poi uscì con il vicequestore. Chiuse, rimise la chiave sotto lo zerbino e scavalcarono il cancelletto. «Dove lo portiamo?».

«Dritto da Carlo. Questo è il terzo che gli molliamo. Ne ha di lavoro il poveraccio» fece Rocco.

«E la signora non si accorgerà che il Mac non c'è più?».

«Se era a conoscenza della sua esistenza sì, altrimenti non saprà mai niente. Ma in caso non verrà mai a fare denuncia alla polizia, soprattutto se questo computer nascosto contiene quello che cerchiamo».

«E che cerchiamo?».

«Orme, tracce, nomi, materiale...».

Italo e Casella immersi in silenzio nella lettura delle chat ogni tanto scuotevano la testa. «Senti questo» fece Casella. «Allora, si fa chiamare Angioletto... dice: Viaggio in thai tutto di prima classe, ho info, solita casella postale per richieste». Alzò lo sguardo verso Italo. «Che significa?».

«Che se n'è andato in Thailandia a fare i suoi porci comodi, e offre informazioni e contatti. Che significa y9?».

Casella si morse le labbra. «Quello di Torino a me e Rocco ci ha detto che la ipsilon sta per l'età».

«Cioè allora, y9 sta parlando di un bambino di nove anni?».

Casella annuì silenzioso.

«Santa pace... Qui tale Argonauta riporta: agganciato y16. E questo tizio, Zanipril, gli risponde: Buuu vecchio!». Ugo e Italo si guardarono negli occhi. «Mio Dio» fece Italo, «la y sta per year. Cioè è l'età» ripeté a bassa voce.

Casella prese un respiro profondo e in un fiato disse: «Evidentemente uno di 16 anni è vecchio per 'sta gente».

Si rigettarono sui fogli. Ugo cominciava a provare una fitta dolorosa allo stomaco, ci poggiò sopra la mano e continuò a leggere, Italo invece sentiva crescere una rabbia che gli gonfiava la cassa toracica e gli faceva girare la testa. «Senti 'sta merda!» urlò all'improvviso. «Si fa chiamare Felibro 50... Hoé! Hoé, partennà, les amis? è tutto pronto! E 'sto Cerbiatto gli dice: Ci siamo tutti. y? e Felibro risponde: y12 con tre punti esclamativi. Tale Wedderburn aggiunge: festa in tre, festa da re! Hoé Hoé».

«Un festino?».

«Non hai capito Ugo?».

«Sì, ma non voglio capire».

«Staccate!». Rocco si era affacciato alla porta della stanza degli agenti. «Sono le nove e mezza».

Casella rimise a posto i fogli. «Com'è andata?» si informò Italo, ma Rocco non rispose. «Ugo, ho portato altro lavoro da Carlo. Dobbiamo pensare a fargli un bel regalo».

«Vero» rispose l'agente infilandosi la giacca.

«Brutta roba lì sopra?» chiese Rocco guardandoli. Italo e Ugo annuirono appena. «Andatevene a dormire, ci vediamo domani».

«Io alle sei sto qui» fece Casella, «pure se non serve a niente, tanto stanotte chi chiude occhio?».

Aveva gironzolato per la città insieme a Lupa, non aveva voglia di chiudersi in un ristorante. Alla fine Rocco s'era accontentato di un cartoccio di patatine fritte, cibo non ideale per chi ha affrontato una nefrectomia. A cento metri da casa Lupa era andata avanti accelerando l'andatura per quanto la pancia le permettesse, convinta di ritrovare Gabriele. I cani ci sperano sempre, e questo Schiavone non glielo invidiava. Qualche volta come Argo vengono premiati, più spesso le loro aspettative vengono disilluse. Come la madre di Mirko, aveva sperato per anni di avere notizie del figlio, poi quelle notizie erano arrivate. Pensò a tutte le persone su un divano o sotto le coperte a lottare col sonno che non vuole presentarsi, in attesa di avere qualche novità su un padre o una madre dispersi, un figlio, anche un cane. Quanta gente si perde ogni giorno, pensava Schiavone. Chi non trova più la strada di casa, chi invece la strada di casa non la vuole trovare più. Chi gioca, chi beve, chi si spara in vena e chi tira neve come fosse un aspirapolvere. Sempre la stessa storia, lo sapeva, la vita fa paura, a volte più della morte. Quella dura un attimo, la vita dura anni. Si piazzò davanti al televisore. C'era una partita di calcio, campionato spagnolo. I calciatori erano più veloci di quelli italiani, provavano a saltare l'uomo, avevano ben presente che il calcio è uno sport di contatto, raro vederli rotolare sull'erba per intere mezz'ore solo per aver ricevuto una spallata. Alla metà del secondo tempo il cellulare squillò.

«Dimmi Deruta».

«Dotto', qui niente... non s'è visto nessuno al garage. Che facciamo? Ce ne andiamo?».

«Ma quando mai. Allertati tutta la notte, domattina vi mando il cambio».

Deruta sospirò. «Va bene. D'Intino dorme».

«E tu sveglialo e dagli chiacchiera. Nessuno dorme durante un appostamento».

«Vero. Buonanotte dottore».

Rocco mise giù ma pochi secondi dopo il cellulare squillò di nuovo. «Ancora tu Deruta, che c'è?».

«Dottore, cambio programma. Stanno qui! Che facciamo?».

Ugo Casella guardava il soffitto mentre Eugenia accanto a lui cercava di prendere sonno. «Che hai?» gli chiese. «Ti fanno rumore i pensieri».

«Non lo so Eugenia» le disse Ugo. «Forse sono invecchiato, o mi sa che sono stanco, però ogni giorno è peggio. Non ce la faccio più».

Eugenia allungò una mano sulla coperta e gli carezzò il petto. «Quanto manca alla pensione?».

«Ancora un po'».

«Ci andiamo a fare un viaggio? Io non sono mai stata a Venezia, ci credi?».

«Ci credo sì, manco io. Mio cugino che tutti chiamano 'O Saccio perché qualsiasi cosa gli dici risponde sempre: 'O saccio, pure se sta parlando con un fisico nucleare, c'è andato. L'ha trovata molto umida».

«Ci credo, è sull'acqua».

«Che se ci penso mi viene da ridere. Pure il mio mestiere è costruito sull'acqua. A volte azzecchi, a volte invece cade tutto».

«Appena finisce questa storia del bambino partiamo, d'accordo?».

«Sì. Euge', ti va di fare l'amore?».

«No».

«Allora mi vado a preparare un panino», e si alzò dal letto.

«Fammi capire, fare l'amore con me equivale a un panino?».

Seduto sul materasso si voltò a guardarla. «No, ma io qualcosa devo mangiare, e allora mi accontento di un panino».

«Ugo Casella, sei un uomo strano».

Ugo uscì dalla stanza. Dietro la porta di Carlo sentiva la tastiera ticchettare, segno che il ragazzo stava ancora lavorando. Bussò. «Carlo? Ti va un panino?».

Carlo si voltò. Aveva gli occhi rossi e i capelli spettinati. «Con la bresaola».

«E rughetta».

«E qualche pezzetto di parmigiano».

«Ricevuto...».

«Ugo?».

«Che c'è?».

«Su questo computer che m'ha portato Schiavone...».

«'Mbè?».

«C'è roba da vomitare per tre generazioni. Io non ce la faccio più. Mi porti pure una birra?».

«O un goccio di whisky?».

Carlo ci pensò per un attimo. «Meglio il whisky».

Tornò in cucina. Ci trovò Eugenia col cellulare in mano. «Ugo? È il vicequestore. Dice che è urgente».

Silenziosi gli agenti Michele Deruta e Domenico D'Intino uscirono dalla macchina. Lontano un televisore mandava applausi mischiati alla voce di un presentatore. Percorsero la discesa che portava al garage. Il cancello di ferro era aperto. Sulla destra un chiarore filtrava da una porta basculante lasciata aperta per metà. «Aspettiamo gli altri?» sussurrò D'Intino. Deruta fece segno di no. «Seguimi» disse, «in silenzio!». Altre due porte alla loro sinistra erano chiuse. I tubi ancorati al soffitto scricchiolavano. Si avvicinarono alla basculante semiaperta. Deruta si chinò per osservare l'interno del magazzino. Vide le ruote del furgone e i piedi dei Biancavalle, stavano armeggiando con degli scatoloni. Sembrava stessero caricando merce pesante sul mezzo. Deruta si appiattì, tirò dentro la pancia e scivolò all'interno. D'Intino lo seguì.

Una luce al neon centrale illuminava lo stanzone dominato da due scaffalature di ferro cariche di scatoloni multicolori. Gli agenti si nascosero in una rientranza del muro, proprio dietro il furgone. Emilio poggiato al cofano osservava i fratelli all'opera. «Anche questo?» disse Renato sollevando un pacco. «Tutto quello che c'entra, Renato» gli rispose il fratello. D'Intino con un colpetto al gomito attrasse l'attenzione del collega. «Che fanno?» chiese sottovoce.

«Non lo so, ma non mi piace».

«E che usciamo e diciamo: polizia solo perché stanno a carica' scatoloni?».

«Mimmo, guarda bene gli scatoloni».

D'Intino strinse un poco gli occhi. «'Mbè?».

«Mi pare elettronica... cellulari, computer... perché dei muratori hanno 'ste cose? Guarda là. Pure macchine Nespresso...».

«Allora?» disse D'Intino.

«Allora seguimi!».

«Aspe'!». D'Intino lo bloccò. «La pistola mia è scarica, me l'ha ordinato Schiavone!».

«Mica glielo devi dire, loro non lo sanno...».

«Tieni ragione» concordò D'Intino.

Deruta uscì dal nascondiglio impugnando la Beretta. D'Intino gli stava dietro. «Polizia! Fermi e

state con le mani in alto!» gridò. La voce di Deruta rimbombò nello stanzone, Luigi fece cadere una
scatola che emise un rumore di ferraglie, Renato restò congelato a guardare gli intrusi, Emilio si staccò
dal furgone. «Oh, ho detto mani in alto, che non
ci sentite?».

Lentamente i fratelli obbedirono. Renato stringeva
le labbra, in difficoltà reprimeva la rabbia e guardava
Emilio. «Vediamo un po', che stemo affa' qui?» fece
D'Intino avvicinandosi alle scaffalature. «Tutti laptop,
collega, e pure hard disk, qualche televisore, e che abbiamo?» mise le mani in un pacco semiaperto. Tirò fuori una piccola custodia colorata. «Uh! Cellulari ultima
generazione!».

«Ora ci seguite in questura e ci spiegate cosa avete a che fare con tutta questa merce!» disse Deruta.
Emilio ritrovò il sorriso sdentato. «Agente, lo so che
può sembrare strano, ma noi non sappiamo di chi è
questa roba».

«Perché sta nel vostro magazzino?» chiese Deruta.

«Infatti...» insisté l'omone. «Però ho una proposta».

«E di' un po'?» fece Deruta con tono di sfida.

«Se fate finta di non essere qui, quei cellulari sono
vostri».

Deruta annuì e guardò D'Intino. «Sentito, collega?».

«Sentito sì».

«E abbiamo anche un tentativo di corruzione, abbiamo!». Deruta alzò la Beretta. «Forza, muovetevi e se-
guiteci. Mica abbiamo tutta la notte. Dai!» gridò.
D'Intino tornò alla porta basculante e con un po' di sfor-

zo riuscì a tirarla su. Emilio, Luigi e Renato sfilarono davanti a Deruta con le mani in alto e l'aria di resa.

L'auto con Rocco e Casella, seguita dall'Alfa di Antonio, arrivò al civico 12b di via Ravaschietto. Casella si fermò nel piazzale mentre Schiavone e Scipioni scesero di corsa e infilarono la rampa che portava ai garage. Davanti a una porta spalancata trovarono i due agenti che tenevano sotto tiro i fratelli Biancavalle. «E allora?» fece Rocco.

«Dotto', l'avemo arrestati in fragranza di reato».

«E che so' dei cornetti?» disse Rocco.

«Ha ragione, Mimmo» lo corresse Deruta, «flagranza, con la elle».

«Che stavano a fa'?».

«Un sacco di materiale rubato. Computer, cellulari, tutti impacchettati e nuovi».

Rocco guardò i fratelli. «Ricettate?».

«No» fece Emilio, «li teniamo per qualcuno che ci paga il deposito. Sa quelle situazioni che non puoi dire di no?».

«No, non le conosco. Antonio, chiama i colleghi di Ivrea, se la sbrighino loro co' 'sti mentecatti. D'Intino e Deruta ottimo lavoro! La prossima volta prima di agire aspettate, rischiare è inutile, chiaro?».

«Sì dotto'» disse D'Intino gonfio d'orgoglio mentre il vicequestore si avvicinava ai Biancavalle. «Dotto', so' cacciate la Beretta scarica, ha funzionato!». Rocco gli sorrise appena, poi si voltò verso i tre fratelli. «Brutti coglioni, mi avete solo fatto perdere tempo!». Si girò di nuovo verso i suoi uomini. «Antonio, aspetta qui quelli di Ivrea e domani datti da fare sulla Lancia grigio metallizzata. Deruta e D'Intino, andate avanti con la lettura delle 400 pagine insieme a Italo, che chissà 'ndo cazzo sta... Casella, accompagnami ad Aosta!».

«Pronto!» rispose quello dalla sommità della rampa che portava ai garage.

Venerdì

Rocco Schiavone arrivò in ufficio alle otto precise. Per la prima volta dopo tanti giorni era riuscito a dormire cinque ore filate. Si sentiva sereno, i muscoli della schiena, di solito contratti e marmorei, erano rilassati e bendisposti alla giornata, anche il formicolio sotto il piede sembrava attenuarsi passo dopo passo. L'incombenza dell'arresto dei fratelli Biancavalle era tutta della questura di Ivrea, il merito suo e dei suoi uomini, doveva metterne a parte Costa, quasi orgoglioso che Deruta e D'Intino fossero riusciti nell'impresa. Versò il cibo nella ciotola. Lupa mangiò appena e si mise a dormire mentre Rocco era impegnato nella sua preghiera laica del mattino. «Amore, cucciola, devi mangiare, non sei più da sola» le sussurrò, ma quella aprì un solo occhio per comunicare di aver recepito il suggerimento e si accoccolò sbattendo un poco le labbra. Schiavone uscì dalla stanza per raggiungere l'ufficio di Costa. Si affacciò dagli agenti e vide Deruta, D'Intino e Italo impegnati nella lettura. «Che si dice?» chiese. Alzò la testa solo Italo. «Parlano tutti cifrato. Frasi che per noi non vogliono dire niente. Guarda qui, le abbiamo segnate», e alzò un foglio pieno di scritte e cifre. «Ti faccio qualche esempio. Già i nomi sono tutti un programma. Andy Warhol, Prince, Brumaio... e poi i dialoghi sono incomprensibili».

«Senta questo» intervenne Deruta. «A che ora suonerà il big ben?, dice Masterpiece, e l'altro, tale Zampadiconiglio tutto attaccato, risponde: non appena il beefeater batte l'ascia bipenne». L'agente alzò gli occhi sul vicequestore. «Capisce? Tutto in codice».

«Tutto in codice» annuì Rocco. «Voi andate avanti. Io sono certo che servirà».

«È un lavoro bestiale e frustrante» obiettò Italo.

«Dovresti esserci abituato, Pierron, dal momento che fai il poliziotto», e li lasciò alla lettura. Prese le scale per raggiungere l'ufficio del questore. «Casella» urlò all'agente che stava scendendo verso il piano terra. Quello s'affacciò alla balaustra. «Dica».

«Di' ad Antonio di aspettarmi giù con l'auto accesa che andiamo a Ivrea».

«Avanti» disse il questore e Schiavone aprì la porta.

La donna era di spalle, seduta sulla poltrona davanti alla scrivania. Rocco notò solo la coda di cavallo. «Caro Schiavone, se l'aspettava?», e Costa la indicò con un gesto teatrale della mano. Il viceispettore Caterina Rispoli si era schiarita i capelli, sorrideva e aveva l'aria di chi è appena tornato dalle vacanze. «Salve dottor Schiavone» disse.

«Ciao Caterina...». Rocco si rivolse poi al questore: «Ha saputo dell'arresto a Ivrea?».

«L'ho saputo, encomiabile, encomiabile... Ma non è sorpreso di rivedere l'ispettrice Rispoli qui di nuovo ad Aosta?».

Rocco la guardò ancora. «Ci siamo già incrociati a Roma, al tribunale, quindi sorpreso no, contento sì», e accennò un sorriso che Caterina ricambiò. Aveva gli occhi sereni, sembrava a suo agio davanti al questore, mesi prima una situazione simile non sarebbe potuta accadere, Caterina Rispoli col questore non ci parlava mai e mai era stata convocata.

«Torna in forze alla nostra questura» proseguì Costa, «e se devo essere sincero, mi fa molto piacere. Ho note di entusiasmo dagli Interni, e io non posso che sottoscriverle».

«Ma non dovevi prendere la laurea e fare il corso per commissario?» le chiese Rocco. Caterina si morse appena le labbra. «Sì, proseguo gli studi nel tempo che mi resta fuori dal lavoro... spero che per te non ci siano problemi».

Rocco allargò le braccia. «Dovrebbero?».

«Appunto!» disse il questore. «Questa questura mette una task force all'avanguardia. Vuole i dettagli?».

«Se insiste».

«L'ispettrice Rispoli insieme ad altri quattro agenti agirà nel campo delle violenze domestiche. Le spiego. Se dobbiamo arrestare qualcuno in flagranza di reato, per le manette ci vuole un precedente. E allora che succede? Noi non possiamo intervenire e il carognone reitera la violenza, magari arrivando al delitto. Delitto che possiamo evitare adesso con il protocollo EVA, esame delle violenze agite».

«In soldoni?».

Caterina prese la parola. «Quando si interviene per una lite, anche senza denuncia, noi lasciamo traccia compilando una scheda a fine intervento coi dati e tutto. Così si sa cosa è successo, resta in archivio e buona lì. Ma se noi o i cugini dovessimo intervenire un'altra volta, sempre per la stessa situazione, quella traccia lasciata con una scheda vale come denuncia e possiamo arrestare il carognone».

«Capisce Schiavone? È rivoluzionario. Anche perché molte donne non denunciano per paura o perché ricattate. Con questo atto invece il problema è risolto».

Rocco guardò Costa. «Mi sembra un'ottima cosa».

«E magari, ogni tanto, la Rispoli avrà bisogno di lei. Anche questo le è chiaro?».

«Direi di sì».

«Lei invece voleva dirmi altro?».

«No, solo raccontarle dell'arresto dei Biancavalle, ma vedo che sa già tutto. Mi reco a Ivrea».

«Allora finisco di dare il benvenuto all'ispettrice Rispoli». Rocco salutò con un cenno della testa e uscì dall'ufficio.

Scendendo le scale non riusciva a decidere se la novità fosse una buona o una pessima notizia. Caterina di nuovo in questura. Cercò di ricordarsi chi dei suoi uomini sapeva la verità. A parte il magistrato, chi era a conoscenza del tradimento dell'ispettrice? Che poi tradimento non era. Arrivato al portone d'ingresso decise che non si trattava di una bella notizia. Anzi, era una rottura di coglioni del nono livello. Tendente al decimo. «Porca troia» smozzicò fra i denti salendo in macchina.

«Andiamo?» fece Antonio ingranando la prima.

«A via Jervis, a Ivrea» disse Rocco e si accese una sigaretta.

«Che cazzo è successo da Costa? Pare che hai ingoiato un litro di fiele».

«Vuoi saperlo? Preparati a dare il benvenuto a una collega».

«In squadra?».

«No, in questura».

«E chi è? Bona?».

«È la prima idea che ti viene, chiedermi se è bona, Anto'? La conosci».

«La conosco?». Scipioni rifletté solo un momento, poi capì. «Non mi dire...».

«Te lo dico».

«Caterina?».

«Caterina».

«Allora è bona», e scoppiò a ridere, Rocco invece rimase serio. «Embè? Non ti fa piacere?».

«No. E forse un giorno saprai».

Antonio passò alla quarta e aumentò la velocità. «Saprò che avete avuto una storia? Non ti preoccupare, lo so solo io e mezza questura».

«Lascia perdere, è molto, molto peggio», e gettò la sigaretta dal finestrino.

«Peggio?».

«Per ora fattelo bastare».

«Prevedo giorni duri in questura».

«E perché? Se ti riferisci alla presenza della Rispoli stai tranquillo, non cambia niente. Se ti riferisci alla storia di Mirko allora ti do ragione. Aspetta...», prese il cellulare e chiamò l'ufficio. «Chi è, D'Intino?».

«Sissignore».

«D'Inti', vai alla lavagna, al livello otto mettici: le rimpatriate».

«Le rimpatriate?».

«Bravo», e chiuse il telefono. «Il cartellone è bene tenerlo sempre aggiornato».

Antonio si diresse direttamente sul luogo dell'ultimo avvistamento del bambino. Scesero davanti alla stazione. «Dov'è 'sta via Jervis?».

«Laggiù».

Fecero un tratto di via Torino e svoltarono in via Jervis. Pochi negozi all'inizio sulla sinistra, prati sulla destra. «Non credo che venissero in questo ristorante o al colorificio» disse Rocco indicando due locali. L'aria era fredda, pochi passanti camminavano guardando per terra. Rocco si fermò davanti a un grande edificio industriale in mattoni. Superata quella costruzione raggiunsero una serie di fabbricati in vetro e metallo. «Questa è l'Olivetti» disse Antonio un po' emozionato. «Bella, eh?».

«Te credo, è patrimonio dell'Unesco». Rocco lo guardò per qualche secondo. «Patrimonio dell'Unesco» ripeté a bassa voce. «Almeno si sono messi a posto la coscienza».

«Non ti capisco, Rocco».

«Lo so io... cos'è?», una porta indicava l'ingresso per il museo tecnologico della grande azienda. «Un museo?» disse il viceispettore. «Che fossero diretti qui?».

«Che interesse poteva avere Mirko?». Alcuni cartelli erano affissi nell'atrio. Antonio attirò Rocco davanti a un grande poster a colori. «Vedi? Fanno mostre e corsi per le scuole».

I poliziotti lessero con attenzione. «Sì ma con visite guidate, organizzate, per appuntamento. Mirko da solo?» disse scettico Schiavone. «Non lo so, la vedo difficile. Certo in questa strada non c'è altro».

«Proviamo a farci due chiacchiere con qualcuno?» propose Scipioni. Rocco annuì ed entrarono nell'edificio.

Un silenzio irreale, camminamenti e scale in cemento e ferro, un odore di sapone e plastica. Lontano un ronzio, forse il riscaldamento o acqua nei tubi. Sembrava il set di un film dell'orrore, Rocco si aspettava un paio di zombie scappare fuori da un momento all'altro. «Posso essere utile?» rimbombò una voce. Non lo videro subito. L'uomo era seminascosto da una porta a vetri che dava nella hall principale. Neanche 40 anni, gli occhiali con la montatura scura e le lenti spesse, un maglione e un paio di pantaloni neri, i capelli tagliati corti, poteva essere un prete. «Schiavone, questura di Aosta», la voce di Rocco rimbalzò sui soffitti dell'ambiente deserto.

«Tagliamonti, Ruggero Tagliamonti».

«Che cos'è?» chiese Rocco guardando lo spazio intorno a sé.

«Questo? Un museo».

«Lei ci lavora?».

«Io sì». Si strinsero le mani. «Di che avete bisogno?».

«Non sappiamo se ci può aiutare. Anni fa è scomparso un bambino, che purtroppo abbiamo ritrovato fra i boschi in Valle».

Tagliamonti annuì contrito.

«L'ultimo avvistamento è stato al piazzale della stazione. Sembrava diretto da queste parti». L'uomo continuava ad ascoltare. «Io e il viceispettore Scipioni ci stiamo chiedendo appunto quale fosse la sua meta».

«Qui di bambini ne vengono a decine» disse Tagliamonti, «abbiamo programmi per le scuole molto interessanti. Perché oltre al museo c'è un laboratorio. Abbiamo la fabbrica dei talenti, introduciamo i bambini alla tecnologia, anche al cinema e al montaggio...». Tagliamonti illustrava le decine di attività con entusiasmo quasi infantile, gli occhi gli brillavano. Rocco ne aveva già le palle piene. «Insomma tutte le applicazioni possibili della tecnologia nel campo del lavoro e delle arti...». Tagliamonti recepì lo sguardo impaziente del vicequestore. «Ma soprattutto raccontiamo cosa fosse e cosa rappresentasse la Olivetti non solo per Ivrea, ma nel mondo».

«Una scuola, insomma» riassunse Schiavone.

«Anche. E mi creda, i bimbi si divertono come pazzi. Lo sa? Qui abbiamo il primo videogioco mai inventato. E l'avevamo fatto noi, l'Olivetti di Ivrea».

«Noi?».

«Mio nonno era ingegnere e lavorava proprio qui».

«La morte dell'Olivetti, secondo lei, non meriterebbe un processo tanto quanto l'omicidio di un essere umano?» gli chiese Rocco.

«Sì, lo meriterebbe. Ma del processo non ci sarebbe bisogno, già si conoscono i mandanti e gli esecutori».

Restarono in silenzio per qualche secondo. «La Silicon Valley era qui, dottor Schiavone, non in California. E qui sarebbe rimasta, perché l'Olivetti l'IBM l'aveva annientata. Ci pensa a quanto lavoro, denaro, innovazione scientifica, ricerca questo paese ha perso uccidendo quest'azienda?».

«Lei ha ragione da vendere, Tagliamonti, ma chi era al potere aveva interessi diversi da quelli del paese che governava. Se lei va un po' indietro con la storia, si renderà conto che la stessa sorte è toccata a un'altra grande persona. Si chiamava Enrico Mattei, e l'hanno fracassato nel bosco di Bascapè».

«Sì, con Mattei sono stati un po' più drastici».

«Direi... la ringrazio, ci siamo fatti un'idea. Da quanto tempo lavora qui?».

«Un anno e mezzo».

«Se dovessi avere bisogno di lei o dei suoi colleghi?».

«Mi chiami», e gli consegnò un biglietto da visita. Rocco lo lesse e scoprì che Tagliamonti era il responsabile dei laboratori del museo. «Grazie, dottor Tagliamonti».

«Quanti anni aveva?» chiese quando Rocco e Scipioni erano già arrivati all'ingresso principale.

«Dieci» rispose Rocco.

«Come... come è morto?».

«Era sepolto nel bosco» rispose Antonio. «È stato strangolato».

«Ha subito violenza?».

«Siamo inclini a pensare di sì» rispose Rocco.

«Avete una foto?» chiese come se avesse preso una decisione di vitale importanza.

«Gliela faccio mandare. Il motivo?».

«Chiedo ai colleghi se l'hanno mai incontrato. Se è venuto qui, e mi lasci dire a questo punto lo spero proprio, qualcuno ricorderà. Forse».

«Grazie dottor Tagliamonti».

Fuori dal museo, Rocco con le mani in tasca e con lo sguardo al cielo era rimasto impalato sul marciapiede. Antonio si avvicinò. «Embè? Non andiamo?».

Rocco prese un respiro. «Antonio, e se era un maestro della scuola?».

«Non li hanno controllati tutti? M'ha pure chiamato Casella!».

«Coppini... quello delle maratone. Ce l'abbiamo l'indirizzo?».

«Lo chiedo in questura, che ci metto?».

Arrivarono con l'auto a via Sant'Ulderico. Da lì partiva il percorso che Aurelio Coppini faceva per tenersi in allenamento. Una strada che saliva verso il lago Sirio. La Panda rossa del maestro era l'unica auto parcheggiata. «Che facciamo?» chiese Antonio.

«E che facciamo? Spegni il motore e aspettiamo» rispose Rocco e si accese una sigaretta.

«Ma tu con questo freddo andresti a correre intorno a un lago?».

«Anto', io non correrei intorno a un lago neanche con 25 gradi e un sole primaverile. Se proprio lo vuoi sapere, ginnastica e sport per me sono una rottura di coglioni dell'ottavo livello pieno».

«La palestra?».

«Nono livello».

«A me piaceva il tennis. Giocavo da ragazzino. Poi ho smesso».

«E non sei felice?».

«No. Era divertente, e si rimorchiava pure».

«E te pareva...». Rocco gettò la cicca dal finestrino. Sospirò. Si misero a guardare la strada deserta, in attesa. «Io una volta rimorchiai col flipper...», ma era solo un ricordo che aveva preso voce, Antonio non rispose.

Furio aprì la porta di casa in mutande. «Ciao Bri'» disse e sparì in camera da letto lasciando entrare l'amico. La casa non vedeva la donna delle pulizie da un po' di tempo. Sul divano del salone c'era una valigia aperta. Brizio osservò il bagaglio, poi l'amico che rientrava portando delle magliette e una pochette del bagno per sistemarle nella Samsonite. «Che stai a fa'?».

«Secondo te?» disse Furio pressando i panni per occupare meno spazio possibile.

«Che parti lo capisco. Dove vai?».

Furio alzò lo sguardo sull'amico. Sorrise, ma non era un sorriso dolce, somigliava a una smorfia malvagia. «Qualcosa ho saputo...».

«Che hai saputo?».

«Non sta in Honduras. Buenos Aires», e tornò in camera da letto. Brizio lo seguì. «Ma dove cazzo vai? Lascia perdere. Che lo vòi cerca' in un continente?».

Furio era mezzo infilato nell'armadio e non rispose. Brizio gli bloccò il braccio. «Oh! E pure se lo trovi che fai?».

I due amici si guardarono. «Allora? Che fai?». Furio si liberò dalla presa senza rispondere, poi tirò giù un pantalone appeso a una gruccia. «Ammesso che trovi Seba, che...».

«Brizio, fatti i cazzi tuoi!» gli ringhiò a pochi centimetri dalla faccia. «Me dovesse costa' sei mesi de ricerca, io a quello lo devo trova'».

Brizio scosse la testa. «Avevi promesso a me e Rocco che...».

«Non me ne frega un cazzo che avevo promesso. Oh, ma lo capisci o no? Io non ce dormo la notte. Seba è un infame e non può resta' impunito».

Brizio ridacchiò. «Allora ce pensi tu?».

«Ce penso io», e se ne andò in salone con i calzoni ripiegati sull'avambraccio. Brizio gli restò alle calcagna. «E spiegami un po', chi t'ha detto che sta a Buenos Aires?».

«Se dice» bofonchiò Furio.

«Ah, se dice. E te fai 14 ore de volo per un se dice?».

«Bri', come lo so' venuto a sape' so' cazzi miei. Mo' se c'hai altro da di' dillo e poi levate da li cojoni».

Brizio sospirò, guardò la valigia. «Bada che a Buenos Aires sta per cominciare l'inverno». Furio guardò spaesato il bagaglio. «Te devi porta' roba più pesante».

«Dici?».

«E dico sì... le stagioni laggiù so' al contrario. Fanno Natale con le palme e agosto cor cappotto».

«Nun c'avevo pensato».

«Annamo bene...».

Una macchia arancione si avvicinava a passo veloce sulla strada. L'atleta sputava e smocciolava dal naso. Quando si rese conto che due uomini lo aspettavano accanto alla sua auto, rallentò il passo, incerto se proseguire o girarsi e riprendere a camminare. «Pare don Abbondio...» fece Rocco ad Antonio che non capì. «Quando incontra i due bravi di don Rodrigo, l'hai letto, no? Starà pensando: chi sono? Che vogliono?».

«Non depone a favore della sua coscienza».

«No, Anto', siamo su una strada deserta. Te sei guardato allo specchio? Hai visto me? Io pure non mi fiderei».

Coppini arrivò pallido in viso con un sorriso teso sul volto. Maglietta e pantaloni in tinta di una stoffa riflettente, teneva i capelli con una fascia intrisa di sudore, in mano aveva le chiavi dell'auto. «Aurelio Coppini?» disse Rocco. Quello si fermò a due metri dai poliziotti e annuì.

«Vicequestore Schiavone, questura di Aosta».

A Rocco parve che il maestro tirasse un respiro di sollievo. «Buongiorno!» disse con una voce squillante. «Vi dispiace se prendo la felpa dall'auto? Altrimenti mi congelo».

«Si accomodi» rispose il vicequestore scansandosi e permettendogli l'apertura della portiera. Puzzava di sudore muffito, segno che la tenuta da runner non subiva un lavaggio quotidiano. La felpa bianca portava un distintivo cucito sul petto: una bandiera italiana con sotto una scritta indecifrabile. «Mi aspettate da molto?».

«Dottor Coppini, abbiamo bisogno che lei si concentri e richiami alla memoria fatti accaduti sei anni fa». Coppini si asciugava la fronte col gomito della felpa. «Dica, dica pure... ci provo», e con un respiro profondo placò una volta per tutte il fiatone.

«E precisamente il 27 maggio di sei anni fa, quando dalla scuola dove lei insegna sparì Mirko Sensini, anni 10. Ricorda?».

«Certo che mi ricordo. Non conoscevo Mirko, non insegnavo nella sua sezione, ma fu un brutto fatto. Bruttissimo anzi. Ne parlarono per giorni. Brutta storia».

«Bene. La questura di Ivrea la ascoltò e le chiese dove fosse. Lei all'epoca rispose, portando prove inconfutabili, che il 28 dello stesso mese aveva corso una gara a Pescara».

Coppini si morse le labbra e guardò per terra. «Pescara... Pescara... Se però all'epoca dissi così, mi creda, è la verità. Sarà stata la mezza maratona, ma sono tre anni che non ci corro più».

«Fatto interessante per lei, del tutto insignificante per noi. Lei il 28 era lì a correre. Ma non ci ha detto dove fosse il giorno prima».

«Il 27?» chiese Aurelio.

«Se la matematica non è un'opinione, direi di sì».

«Guardi, non me lo ricordo...».

«A che ora partì da Ivrea?».

Una luce si accese negli occhi di Coppini. «Certo, sì. Ho dormito a casa di un caro amico la sera prima della corsa... sì», e rimase in silenzio. Rocco allargò le braccia. «Allora?».

«Allora che?».

«Chi cazzo è 'st'amico?».

Il sorriso sparì dal viso dell'atleta. «L'amico di Pescara, intende?».

«Oh Madonna, no, l'amico di Canicattì! Certo!».

«Valeri».

«C'ha pure un nome?».

«È importante?».

Antonio fece un piccolo passo in avanti. «Senta un po', quando la polizia le chiede un nome lo vuole completo!».

Due colpi di tosse, poi si passò ancora l'avambraccio sul volto sudato. «Regana».

«Regana?».

«Sì. Il padre ha chiamato le figlie Regana e Gonerilla, e il figlio Alboino».

«Davvero?» fece Antonio.

«Strano, no?».

Rocco lo guardò negli occhi. «Ci serve una conferma del fatto».

«Ecco, vede? Regana Valeri non è che abiti proprio a Pescara».

«Ah no?».

«No. Abita a Ivrea».

Rocco cominciò a perdere la pazienza. «E allora, se sta qui, ancora meglio. La chiami e la faccia venire in questura».

«Devo proprio?».

«Coppini! Vuole che glielo dica chiaro? Lei è nella merda se non ci prova dove fosse quella notte».

«È... è sposata» disse con un filo di voce. «Non ero a Pescara. Ero qui. A Ivrea».

Rocco guardò Antonio «E qui so' cazzi, ispettore».

«Mi pare di sì».

«Caro Coppini, allora lei può scegliere: o si sputtana oppure finisce nell'indagine come sospetto di omicidio».

A quella parola Coppini sgranò gli occhi. «Omicidio?».

«Bravo. Si faccia i suoi conti. Diciamo, e glielo dico da esperto, è meglio che lei ci porti a fare due chiacchiere con Regana adesso, perché dovesse subire un processo il vostro rapporto diverrebbe argomento di dibattimento in aula. E sarebbe peggio, no?».

«Posso prima andarmi a fare una doccia?».

«Non sia ridicolo, ma quale doccia!» rispose Rocco. «Prenda l'auto, noi la seguiamo. Non faccia cazzate e tutto si risolve in un quarto d'ora».

«Va bene. A quest'ora è al negozio. Il problema è che ci sarà suo marito».

«Non siamo delle bestie, le verremo incontro».

Si fermarono in via Torino, trecento metri dopo il bivio con via Jervis. Rocco e Antonio si guardarono. «Non depone a suo favore se il negozio dell'amante sta da queste parti».

«Direi di no, Anto'». Avevano lasciato l'auto in doppia fila e osservavano Coppini che cercava di parcheggiare la Panda in uno spazio troppo piccolo. Rocco bussò al vetro, quello aprì il finestrino. «La lasci così... se arriva un vigile ci parliamo noi».

Coppini spense il motore e uscì dall'abitacolo. «Vi prego, non...».

«Stia tranquillo Coppini» lo rassicurò Rocco con una pacca sulla spalla. Si pentì subito dopo ritirandola umida di sudore, e cercò di asciugarla sul loden.

«È qui... la gioielleria».

Rocco guardò le vetrine. «Bene. Bussiamo ed entriamo. Dica che siamo vecchi amici...».

Con il viso terreo di un condannato al patibolo, Coppini premette il pulsante. Poco dopo la porta di vetro blindato si aprì.

Luci al quarzo si riflettevano sui legni tirati a lucido, sui cristalli e sui gioielli nelle vetrine. Un uomo sui 55 anni in giacca e cravatta, gemelli ai polsini, pettinato col gel a leccata di mucca, gli andò incontro. «Aurelio! E com'è da queste parti?».

Rocco vide subito la donna in fondo al negozio, accanto a una scansia stipata di argenteria. Era a bocca aperta, un rossore le si era acceso sulle gote e sul collo.

«Sono venuto per...».

«Accompagnarci» intervenne Rocco, «io e Antonio siamo vecchi amici di Aurelio».

«Sì, amici di maratona» fece il maestro Aurelio Coppini.

«Non se direbbe, vero?» fece Rocco.

Il gioielliere li guardò e sorrise. «È un piacere, è un piacere», si fregava le mani immacolate mostrando un Rolex di acciaio al polso sinistro. «E cosa posso fare per voi?».

«Il mio amico cerca un anello per la sua fidanzata». Rocco guardò Antonio che annuì.

«E allora mi segua» fece il gioielliere. «Prego, posso offrirvi un caffè? Aurelio?».

«Se hai dell'acqua».

«Fa' come se fossi a casa tua, la trovi dietro la tenda» disse il gioielliere e a Rocco gli venne da ridere, Aurelio da tempo faceva come se fosse a casa sua. «Io invece una collana per mia nipote...», e lanciò un'occhiata alla donna che teneva lo sguardo attonito davanti a sé. «Bene Regana, ci pensi tu?» fece il marito dall'altra parte del negozio.

«Sì?» disse quella come risvegliandosi da un'anestesia.

«Ti occupi tu del signore mentre io penso al giovanotto?».

«Certo, certo!». Scambiò una rapida occhiata con Aurelio che intanto si era infilato dietro una tenda nera in fondo al negozio, poi andò incontro a Rocco.

«Cosa... cosa posso fare per lei?» gli chiese.

«Collanine per una bimba di dieci anni».

«Prima comunione?».

«Diciamo di sì».

Mentre Antonio osservava gli anelli che il gioielliere gli mostrava sul banco alla destra dell'entrata, Rocco si sedette a una scrivania col marocchino in pelle viola. La donna depositò due espositori in velluto e guardò Rocco. «Ecco, allora...».

Rocco la fermò con un gesto della mano. Poi parlò sottovoce. «Lei ha capito che dei gioielli non me ne frega nulla. Continui a fingere di mostrarmeli e risponda alle mie domande».

Un fremito di terrore attraversò gli occhi azzurri di Regana, a Rocco parve che le si allargassero le iridi. «Ma...».

«Sono della polizia e mi serve sapere una cosa. Il 27 maggio di sei anni fa Aurelio doveva andare a Pescara a fare una maratona» riassunse Rocco sollevando un braccialetto che rimise subito a posto.

«Non... non ricordo».

«Dice che la notte prima l'avete passata insieme. È così?».

Regana si sedette aggiustandosi i capelli lunghi e lisci. Sulle labbra apparvero delle perle di sudore. «Ma adesso così su due piedi io non...».

«Ci pensi. Io le lascio il mio numero, mi porta una prova che quella notte l'avete passata insieme e sparisco».

Regana annuì. Sembrò distendersi, come se la situazione piano piano si stesse chiarendo nella sua memoria.

«Sto cercando di salvare lei e Coppini, con questa sceneggiata. Lo apprezzi».

«Lo apprezzo, dottore... mi creda. E credo anche di poterglielo provare. Perché vede, io e Aurelio non passiamo il nostro tempo a casa mia».

«Immaginavo».

«No, io...», abbassò lo sguardo e il volume della voce mentre Rocco esaminava interessato una collanina di oro bianco. «Andiamo qui vicino, un bell'albergo. Se sei anni fa siamo stati insieme, eravamo lì».

«Che scusa utilizza con suo marito?».

Alzò le spalle. «Mia madre sta nel Biellese. Dico che la vado a trovare».

«E ci va?».

«Il giorno dopo» rispose Regana.

«Ha una ricevuta di questo albergo?».

«No, non ce l'ho. Si chiama Hotel Elea, è una decina di chilometri dopo il lago».

«Avete dato i vostri nomi veri alla reception?».

«È un cinque stelle, dottore. Non potremmo fare altrimenti».

«Spero di non doverla disturbare ancora».

Coppini sbucò dalla tenda mentre Rocco si alzava e stringeva la mano a Regana. «Le tenga pronte, sarà mia moglie a decidere. Tu Antonio hai fatto?».

«Sono indeciso fra questi due» rispose il viceispettore mostrando due anelli con la pietra. Lo sguardo di Rocco bastò a farglieli poggiare e a salutare deferente il gioielliere. «Ci penso, allora».

«Faccia con comodo» rispose quello. Rocco e Antonio uscirono lasciando Coppini a sbrigarsela. Fuori sulla Panda c'era la multa. Antonio la mostrò a Rocco che rispose con un'alzata di spalle.

L'albergo si ispirava a una lussuosa baita di montagna. Sul tetto garrivano bandiere di mezza Europa, il ristorante prometteva specialità del Canavese, un cartello annunciava la riapertura del centro benessere.

Rocco poggiato al cofano dell'auto osservava l'impianto alberghiero. Aveva lasciato l'incombenza del controllo ad Antonio, ma era certo che l'alibi di Coppini reggesse. S'era stupito di non aver agito come un rinoceronte nella cristalleria di quel rapporto fedifrago. Neanche un anno prima se ne sarebbe fregato delle conseguenze e non avrebbe certo messo su quella sceneggiata per coprire i due amanti. Antonio uscì dall'albergo masticando una brioche. «Gentili lì dentro, m'hanno anche offerto un cornetto!».

«Allora?».

«Ci hanno messo un po' a trovare il registro, ma è tutto confermato. Coppini e Valeri la notte del 27 maggio l'hanno passata qui in albergo».

«Dovevamo tentare» disse Rocco salendo in macchina.

«Sì...», il viceispettore ingoiò l'ultimo morso del dolce e fece il giro dell'auto. «Lo sai che l'anello volevo comprarlo per davvero?».

«E farci cosa?».

«Non lo so, lo tengo in casa, alla prima occasione...».

«Di anelli te ne serviranno tre, se non perdi quel vizio».

Carlo Artaz arrivò in questura nel primo pomeriggio. Si guardava intorno, come fosse in visita a un museo. Rocco lo fece sedere al centro della sala degli agenti dietro alla scrivania principale, Casella gli rimase accanto, come a dargli manforte, Scipioni, Deruta, D'Intino e Italo ai loro tavoli attendevano in silenzio. Per l'occasione Rocco aveva convocato anche Michela Gambino. «Io che c'entro?» aveva protestato la sostituta della scientifica, ma Rocco non le aveva risposto, si era limitato a sorridere e riservarle la poltroncina più comoda. «Allora signori, per chi ancora non lo conoscesse, questo è Carlo, che spesso ci dà una mano» disse ad alta voce il vicequestore in piedi davanti alla finestra. I poliziotti lo salutarono. «Lu fije de la fidanzata di Casella?» mormorò D'Intino all'orecchio di Deruta che annuì. «Come tutti sapete, io e il viceispettore Scipioni abbiamo trovato un portatile a casa di Grange e l'abbiamo prelevato. Carlo l'ha studiato. E cosa hai trovato?».

Carlo aprì una cartellina e la poggiò sulla scrivania. Con un gesto della mano Rocco cedette la parola al ragazzo. «Ho trovato un sacco di schifezze» esordì. «C'è molto materiale pedopornografico, filmati e fotografie di bambini nudi. Non vi mostro i video perché, credetemi, me li sognerò finché campo». I poliziotti si guardarono, spaesati. Rocco fece cenno a Carlo di andare avanti. «Nessuna traccia di chat o similari, è evidente le abbia cancellate, ma sono risalito al suo indirizzo mail e ci sono due lettere in codice».

«Italo, Deruta, e anche tu Ugo, fate attenzione a quello che dice Carlo. Magari qualche dettaglio vi torna, per quella merda che v'è toccato leggere». Il silenzio denunciava la concentrazione di tutti i poliziotti. Michela si guardava una scarpa, sembrava imbarazzata. «Allora, vado... la prima dice: Fregatura! Non è libero. C'era la luce e siamo tornati indietro. Che cosa è successo? Non era vero?», e guardò i poliziotti che restarono in silenzio. «Che vuol dire?» chiese Antonio. Rocco allargò le braccia. «Sembra un appuntamento andato male» intervenne Michela. Carlo si schiarì la voce. «Leggo l'altra. I recapiti li hai. E grazie per tutto. In bon repou, Mon dzen petsou, Fé nëna, druma druma... Ah ah ah!».

«Boh» fece D'Intino, «'nce stenghe a capi' niente!».

«Invece quando parli tu si capisce, D'Inti'?» disse Antonio.

Italo alzò la mano. «È patois» disse.

«Cosa, la lingua di D'Intino?» chiese Antonio.

«No, quello che c'è scritto sulla mail... rileggi la parte in patois Carlo, per favore».

«In bon repou, Mon dzen petsou, Fé nëna, druma druma... Ah ah ah» declamò di nuovo il ragazzo.

«E sai che vuol dire?».

«No» rispose Italo al vicequestore, «ma lo riconosco se lo sento».

«E non abbiamo un collega qui in questura che ci possa dire che cazzo significhi questa roba?».

Casella alzò il telefono e compose un numero interno. «Oh, so' Casella. C'è Fausto? Lo mandi giù da noi? Sì ma adesso, non fra tre ore, digli di muovere il culo, il vicequestore gli vuole parlare». Mise giù la cornetta e guardò i colleghi. «C'è un tizio su, all'amministrativo, è di queste parti, magari ci aiuta!».

«Potrei provare a tradurlo su internet» propose Carlo.

«Lascia perdere, mo' arriva Fausto e ci illumina» disse Rocco. «Intanto non avete sentito niente che vi risuoni familiare?» chiese Rocco guardando Deruta e Italo. «No» risposero quasi in coro scuotendo la testa. «Cosa sappiamo? Che intanto Grange lo si può accusare di possesso di materiale pedopornografico».

«Sì Rocco, ma il computer lo abbiamo preso di nascosto» obiettò Antonio.

«Embè? Ora chiamo Baldi per il mandato, vi recate a casa di Grange portando in una borsa il computer e... sorpresa! Lo trovate nel cassettone in camera da letto». I poliziotti si guardarono. «Amunì e che sarà mai» fece Michela, «e che non siete capaci?».

«Certo» disse Casella, «certo che sono capace».

«Tu Carlo non hai sentito niente» lo ammonì Rocco guardando il ragazzo che alzò le mani. «Si figuri, io qui non sono mai stato!».

Bussarono sulla porta spalancata. Entrò Fausto guardando tutti i presenti. «Eccomi, Fausto Navillod, che succede?». Il poliziotto aveva una trentina d'anni, piccolo e scuro tutto sembrava tranne un indigeno della Valle. «Leggi, Carlo» comandò Rocco.

«I recapiti li hai. E grazie per tutto. In bon repou, Mon dzen petsou, Fé nëna, druma druma... Ah ah ah».

«Sentito? Puoi tradurre per favore?».

«Certo» rispose Fausto. «Dice: i recapiti li hai e grazie per tutto».

«E grazie ar cazzo, Fausto, quello è italiano, lo capivamo pure noi. Dopo, che dice?».

«Puoi rileggerlo?».

Carlo sbuffò. «In bon repou, Mon dzen petsou, Fé nëna, druma druma... Ah ah ah».

«Non è proprio il patois che conosco io. Sembra antico, poi lo sapete? Ogni valle parla quasi un patois diverso».

«Ma neanche un'idea?».

«Ma certo. Significa: buon riposo, mio bel piccolino, fai la ninna, dormi dormi... ah ah ah».

Un gelo calò nella stanza. «È una ninna nanna» disse Fausto imbarazzato per quel silenzio improvviso e le espressioni terree sui volti dei colleghi.

«Che sarebbe una nenia dolcissima se a cantarla non fosse un mostro» osservò Antonio e tutti condivisero, annuendo. Fausto li guardò. «Cosa sarebbe? Una lettera di...».

«Una lettera di un pedofilo, Fausto. Grazie, puoi andare». L'agente uscì dalla stanza rinculando nel silenzio e sparì nel corridoio. «Porca puttana...» mormorò Rocco. «Fai la ninna? Che intende con ninna?», e guardò gli altri. «Qualcosa mi dice che il concetto di ninna del tizio è abbastanza distante dal nostro» concluse Michela.

«Dice... dice che l'abbiamo trovato?».

«No Ugo, è solo una traccia. Mirko Sensini non è l'unica vittima».

«E neanche l'ultima, Rocco» aggiunse amara Michela.

«Carlo, me lo fai un favore?».

«Certo Rocco».

«Metti 'sta cazzo di ninna nanna online e guarda che viene fuori».

«Ci avevo già pensato. Posso?». Deruta annuì e Carlo prese possesso del computer dell'agente. Veloce digitò le parole, sillabandole: «... buon riposo, mio bel piccolino, fai la ninna, dormi dormi». Poi restò a guardare il monitor. «Abbiamo un risultato. Si tratta di un estratto di una poesia». Rocco, Antonio e Michela si avvicinarono al monitor. «Allora, la poesia è *La lenga de ma mére*, che vuol dire la lingua di mia madre, ed è di un tale Jean-Baptiste Cerlogne».

«Chi è?».

«È un poeta valdostano» intervenne Italo. «Scriveva in patois, a scuola ce lo facevano leggere. Niente di che».

Carlo continuò la ricerca. «Ecco qua. Linguista e studioso del patois, poeta, era un uomo di Chiesa... nato a Cerlogne e morto a Saint-Nicolas».

«Saint-Nicolas?». Rocco balzò e afferrò il monitor. Divorava le righe di Wikipedia. «Gli hanno dedicato un busto vicino al Bois de la Tour a Saint-Nicolas!». Scattarono tutti in piedi. «Vicino a dove abbiamo trovato lo scheletro?» chiese Deruta.

«Sul busto la seguente scritta» continuò Carlo. «Al felibro valdostano Jean-Baptiste Cerlogne che cantò la Valle d'Aosta nel dialetto dei suoi avi il paese natale gli amici gli ammiratori 1914».

Rocco restò pensoso. Fu Italo a scattare nell'immobilità generale e ad afferrare le 400 pagine mandate da Torino che lui Deruta e Casella avevano dovuto sorbirsi per ore. «Un momento...» diceva cercando fra le carte, «un momento, un momento...».

«Che cerchi?» gli chiese Casella.

«L'ho letto, da qualche parte l'ho letto... quella parola... quella, Ugo, eravamo insieme».

«Non mi ricordo...».

«Eccola qua!», e Italo alzò un foglio davanti al viso. «Si fa chiamare Felibro 50... Hoé! Hoé, partennà, les amis? è tutto pronto! Sta parlando di un festino con una vittima che ha 12 anni! Gli rispondono tale Cerbiatto e Wedderburn», porse il foglio a Rocco che lesse. «Felibro 50? Felibro, così chiamano quel tizio, il poeta».

«Che c'entra 'sto povero poeta con questi schifosi?».

«Il poeta niente, il posto sì» rispose Rocco alla domanda di Casella. «Felibro 50... Grange è nato?».

«Il 13 febbraio 1950!» disse Antonio che aveva la scheda proprio sul tavolo.

«Grange è Felibro 50» concluse Rocco.

«Ed è l'assassino?» domandò Michela con voce incerta.

«Non lo so, ma un po' di coincidenze ci sono, non trovi? Italo e Deruta, vi procuro l'ordine del magistrato, portate di nascosto il computer e ritrovatelo magicamente a casa di Grange così 'sta roba diventa ufficiale. Casella, voglio notizie su quella cazzo di Mini che ancora non abbiamo rintracciato. D'Intino?», guardò l'agente. Vuoto pneumatico, non gli veniva nessun ordine da consegnargli. «Mi dica dotto'!» fece quello ansioso.

«Dai una mano a Casella. Io e te Antonio torniamo a Saint-Nicolas». Poi Rocco guardò i colleghi. «Volevo ricordarvi che stasera c'è la mostra di Deruta. Inutile dirvi che ci saremo tutti. Compresa tu Michela, e voglio Fumagalli».

Michela sbuffò. «Comandi altro? Non so, vuoi lo Ius primae noctis di mia nipote?».

Rocco si avvicinò all'orecchio del sostituto della scientifica e le sussurrò: «Vedete di comprare almeno un quadro!».

«Posso venire anch'io?» chiese Carlo che era restato seduto, anche lui in attesa di ordini.

«Se vuoi, sei il benvenuto» fece Deruta.

«Con piacere» rispose il ragazzo.

Tornarono sulla strada statale all'altezza del luogo del ritrovamento dopo aver passato la frazione di Fossaz Dessous e visitato il busto in onore del poeta al Bois de la Tour. Il cielo era terso e lasciava scoperte le montagne avvolte dagli abeti. Scesero dall'auto. Rocco si accese una sigaretta e si guardò intorno. «Dove arriva questa strada?» chiese. Antonio alzò le spalle. «Non lo so Rocco. Sale…».

«E questo lo vedo anch'io. Ce l'hai una cartina?».

«Quella del cellulare». Si misero a studiarla con attenzione. La strada regionale si inerpicava come un serpente fino a Vens e al lago di Joux. Tornando indietro e ripassando per Fossaz, diretti a est, avrebbero incrociato i villaggi di Chaillod, Persod. «Dove stava il ragazzo secondo te?» chiese Rocco.

«Può essere ovunque» rispose il viceispettore. Rocco imboccò il piccolo sentiero che l'avrebbe riportato all'ultima dimora di Mirko Sensini. Si fece largo fra i rami bassi e le felci. Nel bosco la temperatura calava di almeno 4 gradi. Scivolò un paio di volte sul tappeto di aghi. Arrivarono allo scavo aperto. Rimasero a osservarlo per qualche secondo. Sul fondo la pioggia aveva creato una pozzanghera. Rocco si chinò e sbriciolò un pugno di terra. Ripresero a salire. Il sentiero si perdeva fra i tronchi e le piante del sottobosco. Non aveva alcun senso camminare in quell'intrico di vegetazione, Antonio lo sapeva, ma aveva capito che Rocco sentiva la necessità di riflettere proprio lì dove il bimbo era stato sepolto tanti anni prima. Lo seguì mentre affrontava la salita sul sentiero segnalato e cosparso di rocce e piante. «Sai a cosa penso, Antonio? A maggio la terra è più friabile, come la vedi a scavare qui in pieno inverno con il gelo e magari anche neve e ghiaccio?».

«Ma che fosse maggio ormai lo davo per scontato».

Rocco superò una radice che spuntava dal terreno. «Mai dare niente per scontato. Qui intorno la zona è turistica».

«Anche questo è vero».

«C'è gente che passeggia per i boschi, che magari va a funghi o porta il cane a spasso, tipo il tizio che ha ritrovato le ossa, Corrado Salati, il medico in pensione». Si soffermò a guardare la corteccia di un abete dove un'incisione informava il viandante che GG amava MS.

«Aggiungerei che qualcuno si può pure infrattare».

«Riesci a pensare ad altro Anto'?».

«Sì».

Si fermarono a riprendere fiato. «E allora scavare una buca, di notte, lo devi fare rapidamente e in un luogo che conosci».

«Anche questo è giusto. In più era poco profonda, ricordi? Tu dici che l'assassino conoscesse questo bosco?».

«Abbastanza. Non si sarebbe arrischiato, sennò. O comunque prima di ammazzare Mirko qualche volta c'è venuto a fare un sopralluogo. Mi segui? Come io e te in questo momento».

«Sono d'accordo».

«Tutto questo mi dice che la casa dove è avvenuta la violenza non è lontana da qui. Gireresti con un cadavere in auto in una zona turistica, anche se di notte?».

«Già, sì... ma case qui intorno ce ne sono a dozzine».

«Qui invece solo bosco» sospirò Rocco.

«Già. Oh... 'sto GG che ama MS ha un'ossessione!», e Antonio si avvicinò a un altro albero, anche su quello la corteccia era stata incisa. Rocco osservò lo sfregio. Guardò Antonio. «Torniamo giù...».

«Perché?».

«Tu a sinistra del sentiero io a destra. E controlla tutti gli alberi».

I due poliziotti ridiscesero verso il luogo della sepoltura. Venti passi e Antonio trovò una nuova incisione. «Anche qui, Rocco!».

GG continuava ad amare MS. «Mi viene un brivido, Rocco. GG e MS?».

«Anche a me, Anto'...».

Arrivarono a dieci metri dallo scavo. Guardarono tutti i tronchi lì intorno. Fu Rocco a trovare ancora un'incisione sull'albero che dominava la tomba improvvisata. «Porca troia» ringhiò. «Ancora una. Vieni, percorriamo il sentiero al contrario, riprendiamo ad arrampicarci e seguiamo questi sfregi», e ripartì seguito da Antonio.

Salirono per quattrocento metri che se in piano potevano essere una bella passeggiata, in mezzo al bosco fra gli alberi col sole che stava calando, era tutt'altra faccenda. Trovarono altre due incisioni. «Dici che è lui?».

«Io dico di sì. Seguitiamo, Antonio...».

Si alzò un vento leggero, lugubre, che fischiava fra i rami. Ancora una scritta. Antonio aveva cominciato a fotografarle col cellulare. «Qui!» urlò Rocco. Su un albero a metà di una piccola gola il taglio era chiaro ed evidente. Abbandonarono il sentiero e lo raggiunsero. Ora il terreno era impervio, scendeva all'improvviso, bastava un attimo di distrazione per ruzzolare giù di una ventina di metri. Con attenzione Rocco cominciò la discesa perdendo l'equilibrio e aggrappandosi ora a un tronco ora a un cespuglio. In mezzo al burrone scoprirono l'ennesimo abete intaccato.

«Ma che è, Pollicino?».

«Sì, al contrario, Anto'...». Superarono un cespuglio e si ritrovarono su un piccolo spiazzo coperto da rampicanti che calavano dai rami degli alberi. Facendosi largo fra le fronde sbucarono nuovamente sulla strada regionale. Una jeep passò con a bordo due turisti che osservarono curiosi i poliziotti uscire dal bosco. «Che vuol dire?».

«Qui, in mezzo a 'ste fratte, ha nascosto l'auto e s'è portato Mirko fin dove sappiamo».

«Perché?».

«Te l'ho appena detto. Questi rampicanti nascondono la macchina parcheggiata, ha avuto tutto il tempo e la tranquillità per seppellire Mirko. Ha seguito le incisioni sugli alberi».

Antonio annuì convinto. «Poi è tornato indietro e se n'è andato. Che vuoi fare?».

«Andiamo alla macchina, ma restiamo su questa strada. Io nel bosco non ci torno manco pagato. Mi svito un femore al prossimo scivolone».

«Senza contare i ragni».

«Che c'entrano i ragni?».

«Mi fanno schifo».

In discesa la strada era più comoda. Il sole s'era nascosto dietro i monti a ovest.

«Antonio, dobbiamo controllare tutte le proprietà della zona. Domani mattina, come prima cosa».

«Ricevuto».

La hall del teatro era piena di persone. Sulle pareti, sospesi a dei fili trasparenti, c'erano gli oli di Deruta. L'artista era accanto a uno dei 12 panorami con un bicchiere in mano, Federico al suo fianco parlava con un tizio che ricordava il ritratto di Verdi sulle vecchie mille lire. Un piccolo buffet gestito da due ragazze bionde in tailleur era stato attrezzato sul bancone della biglietteria, un concerto per archi accarezzava l'aria. «S'è organizzato bene» disse Rocco a Sandra che sorrideva salutando qualcuno. «Fatelo un trafiletto domani sul giornale».

«Tranquillo Rocco, vedo Piermonti, pagina culturale, ci penserà lui».

«Magari digli di andarci piano» suggerì Rocco.

«Non ti preoccupare, non è un critico, racconta solo gli eventi culturali o ritenuti tali della città. I critici non li legge più nessuno».

«Motivo?».

«Nessuno ascolta i pareri delle persone colte. C'è Facebook per le opinioni, non lo sapevi?».

I poliziotti si erano radunati in un angolo. Antonio teneva in mano un bicchiere con un liquido rossastro, D'Intino s'era fissato a osservare una tela con due mucche raffigurate, Casella accompagnato da Eugenia sfoggiava una cravatta a pois. Michela e Fumagalli chiacchieravano con Sara, l'archeologa, e un tizio alto e dinoccolato. La Gambino alzò il flûte per salutare Schiavone che le sorrise proseguendo verso Deruta. All'appello mancava solo Italo. Sandra raggiunse un gruppetto di persone al centro della sala.

«Oggi forse l'avanguardia è tornare al figurativo», Mille Lire parlava e si toccava i baffi.

«Dice?». Deruta non lo seguiva. Per fortuna Federico gli era accanto. «Io non penso che si debba dipingere pensando a quale corrente si appartiene» diceva, «credo che bisogna proporre sulla tela quello che più ci rappresenta».

«Vero. Ma a me tocca tirare le fila del discorso» lo ammonì Giuseppe Verdi.

«Dottor Amelia, ecco, lui è il mio capo, il vicequestore Schiavone».

Rocco strinse la mano al professore. L'aveva ruvida. La barba intorno alla bocca era giallastra e la giacca di panno emanava un sentore di mezzo toscano.

«Deruta, ora mi faccio un giro e guardo le tue opere».

«Grazie, dottor Schiavone. Sia buono» lo pregò Michele.

«Se ne intende?» si intromise Giuseppe Verdi.

«Mia moglie era restauratrice... un po' di quadri li ho visti».

«Restaurare è sempre stato il mio sogno» disse Mille Lire. «Ma non ho la mano. Preferisco godermi l'arte degli altri».

Schiavone si allontanò e cominciò a guardare i quadri. Erano tutti paesaggi, tele piccole. Montagne, pascoli, chiesette col tetto di neve. Erano dei quadri teneri. La mano non era baciata dalle Muse, ma l'amore e lo sforzo del pittore erano evidenti. Molti quadri avevano il bollino rosso, segno che erano stati venduti. Rocco scelse un paesaggio con degli alpeggi disseminati sulla costa della montagna. Indicò il quadro a Federico che annuì e rapido si avvicinò a Rocco e applicò un piccolo adesivo rosso accanto alla cornice. «Neanche chiedi qual è il prezzo?».

«Immagino non stiamo da Sotheby's».

«Centottanta».

«Buono» disse Rocco. Poi vide entrare Caterina insieme a un uomo sui 40 anni. I vecchi colleghi le andarono incontro. Si stringevano le mani, si scambiavano pacche, Antonio la studiava con l'attenzione di un predatore famelico, anche Sandra si era voltata per osservarla e poi puntare gli occhi su Rocco come a valutare che effetto facesse quella ragazza coi capelli chiari e la coda di cavallo sul vicequestore. Non c'era bisogno di un esperto di semiotica per leggere in quello sguardo una punta neanche tanto velata di gelosia.

Era tornata a giocare per la seconda volta a distanza di poco tempo. Ora che Italo guardava più attentamente la donna, che aveva detto di chiamarsi Berenice, nome che suonava come una stecca, si era reso conto che la tizia non aveva più di 35 anni. Erano i capelli e il vestito pastello ad aumentare l'età. Aveva cambiato borsa, anche questa di qualche griffe importante d'alta sartoria, e gli anelli che portava alle dita di sicuro non sembravano dei farlocchi da bigiotteria. La posta in palio quella sera era settemila euro. Il che voleva dire, per Italo, un netto di almeno millecinquecento euro. Stavolta a perdere dovevano essere Santino e Kevin, a Italo toccava il ruolo di collettore. Il che significava giocare lento nella prima parte e mantenersi a galla per poi sferrare gli attacchi sul finale e prendere la posta di Berenice, o qualunque fosse il suo vero nome. Italo non andava al punto con tris e scale, azioni che in una partita vera gli avrebbero provocato delle dermatiti. La macchina era oliata, attraverso le lenti a contatto e i segni sulle carte sapeva e vedeva tutto il gioco come se avesse i raggi X. Giocava benino, Berenice. Puntate basse coi punti, scartava bluffando, e non rincorreva la vincita, aveva adottato una strategia finto difensiva. Stava stretta sui rilanci coi punti, si allargava di più con doppie coppie neanche vestite. Cercava di spiazzare i suoi compagni di tavolo. Peccato che i suoi compagni di tavolo vedessero tutte le carte che aveva in mano e ormai, dopo mesi di tavoli di poker, cominciavano ad annoiarsi. Era un lavoro, per Kevin Santino e Italo, il piacere del gioco non c'era più. «Settanta» rilanciò Santino con una doppia coppia. Berenice aveva tre kappa, il piatto doveva essere suo. E così fu. «Mi pare una buona serata questa» disse la donna sorridendo. Il rossetto era un po' sbavato sul labbro inferiore. «Tre kappa... una scala minima, insomma si parte bene», e si accese una sigaretta. Kevin versò a tutti un goccio di cognac. Un vento violento e improvviso sbatteva qualche imposta. «Invece a me stasera il deserto» disse Kevin. Santino terminò di distribuire le carte. Bastò un'occhiata di Kevin che comunicò a tutti di lasciare anche questo piatto a Berenice.

Eugenia stretta a Ugo Casella guardava i quadri mentre il figlio Carlo aveva trovato di meglio cercando di strappare un appuntamento a una delle ragazze che versavano il prosecco. «Ti piacciono, Ugo?».

«Non me ne intendo» le rispose. «Sono bellucci, no?».

«Posso dirti la verità?».

«No» le disse Casella. «Guarda che Federico ha organizzato una cena solo per noi dell'ufficio. Dobbiamo andare».

Eugenia si avvicinò all'orecchio del compagno. «Chi è quella ragazza che è venuta e tutti l'avete salutata?».

«Ah, quella... è l'ispettrice Caterina Rispoli. È stata via per un po'. Qualcosa è andato storto con Schiavone, c'è di mezzo il cuore, mi sa».

«Avevano una storia?».

«Si dice...».

«Ha gli occhi tristi».

«Chi?».

«Quella ragazza».

«Sì, ce li ha sempre avuti. Non mi ha mai convinto. Non lo so, nasconde qualcosa».

«Ma torna a lavorare con voi?».

«No. Sta in una task force contro le violenze domestiche».

«Ah, bene. Così so a chi ti devo denunciare».

Rocco si era avvicinato a Caterina e all'accompagnatore. Spalle ai quadri, parlavano a bassa voce. «Rocco, ti presento l'ispettore Maurizio Bruschi, lavoriamo insieme». Fu facile per il vicequestore inserirlo nel suo bestiario ideale. L'occhio a mezz'asta, le labbra grandi che accennavano un sorriso, le narici del naso larghe e un po' in su, la barbetta che pendeva dal mento facevano di Bruschi un Connochaetes Taurinus Mearnsi, ungulato della famiglia dei bovidae meglio conosciuto come gnu dalla barba. Ce n'erano tanti in giro di bovidi, gnu, bufali, bisonti, antilopi, orici, gazzelle, ma Bruschi, col suo viso allungato verso il basso, era il ritratto sputato di quel mammifero africano. Triste vita quella dello gnu, che nella savana serve a due cose: spandere letame per le piante e diventare cibo per i leoni. Una specie di supermercato su quattro zampe. «Da domani cominciamo il lavoro» aggiunse Caterina.

«Sì, io la conosco, dottor Schiavone. Sono due anni che sono ad Aosta», la voce di Bruschi era bassa, gutturale, quasi un muggito.

«E non ci siamo mai incontrati» fece Rocco. «Domandiamoci perché».

Bruschi rimase con la bocca semiaperta.

«Ho saputo del ritrovamento a Saint-Nicolas», Caterina spezzò l'imbarazzo di quel silenzio. «Triste storia».

«Cateri', ne hai mai vissute di divertenti da quando sei in polizia?» le chiese Rocco.

«In effetti no».

«Operate solo in Valle?» domandò il vicequestore.

«Appoggiamo anche parecchi commissariati in Piemonte e un paio in Lombardia. Il lavoro è tanto» rispose Bruschi.

«Dove ce l'avete l'ufficio?».

«Al terzo piano, siamo nell'altra ala rispetto a voi».

«Bene. Allora buon lavoro e ben tornata ad Aosta». Rocco si allontanò puntando verso Sandra impegnata in una conversazione con Mille Lire.

«Rocco?». Caterina lo fermò per un braccio. Schiavone si voltò.

«Fra migliaia di questure e commissariati proprio qui dovevi farti assegnare?» le chiese a bassa voce.

«È per mia madre».

«Ma che cazzo dici, tu la odi».

«Lo so, ma non posso lasciarla sola. Non sta bene. Comincia a perdere i pezzi».

«Pure lei?» le chiese, ma Caterina non capì.

«Senti Rocco, abbiamo passato momenti terrificanti, io e te. Non vorrei che...».

Rocco la bloccò alzando le mani davanti a lei. «Stop! Io e te non abbiamo niente da spartire. Siamo finiti a letto qualche mese fa, neanche so perché».

«Cazzate» gli disse guardandolo negli occhi. «Tu sei venuto a letto con me perché lo volevi e lo volevi da tanto».

«E tu?».

«Io? Io non ho mai smesso di pensarti. Lo sai, quando non potevo dirti la verità, rivelarti che Mastrodomenico non era il mio alleato, mi sentivo morire. Ma dovevo tacere, rischiavo di mandare tutto all'aria. Dovevo frequentare quel pezzo di merda, invece lo avrei preso a schiaffi. E spero che lo chiudano dentro per un bel po'».

«Ma tu, per chi lavoravi? O lavori ancora?».

«È una storia lunga, e ora che è tutto finito prima o poi te la racconterò. Spero che il fatto che io sia ad Aosta non ti rovini i piani».

«Quali piani?».

«Con quella», e indicò Sandra Buccellato che li stava osservando chissà da quanto. «Se mi ricordo bene una volta la odiavi».

«Odiavo anche te, eppure ti sto parlando. Buon proseguimento Caterina», accennò un sorriso e raggiunse Sandra.

«È tornata la tua amica», le parole sussurrate gli arrivarono insieme al profumo di rosa misto a gelsomino di Sandra.

«Sì, l'avevo già incontrata in questura».

«Costa ha fatto la conferenza stampa. Domani esce un articolo su quest'ufficio che hanno messo su, contro le violenze domestiche. È un'ottima iniziativa».

«Non me ne frega un cazzo» le rispose Rocco.

«Immaginavo. Sta bene. Mi sembra in forma».

Rocco non rispose.

«Hai comprato un quadro?».

«Ho preso quello laggiù», e Rocco lo indicò.

«Vuoi restare ancora per molto?».

«Sono a pezzi, me ne tornerei volentieri a casa».

«Ti accompagno».

«Un attimo solo...». Rocco attirò l'attenzione di Fumagalli che alzò gli occhi al cielo e si avvicinò. «Che vuoi?».

«Tu e Michela avete comprato un quadro?».

«No, noi...».

«Fatelo».

«No, noi abbiamo...».

«Alberto, non mi fare incazzare!».

«Ne abbiamo presi due, se mi fai finire di parlare».

«Bravi!».

«Li mettiamo nel cesso. Ci stanno bene nel cesso».

«Sei un coglione».

«Può essere. Che fai, te ne vai?».

«Già».

«Hai novità?» gli chiese Alberto.

«Sì. Sappiamo i suoi movimenti prima della sepoltura nel bosco, abbiamo un sospetto...».

«Io invece ho pensato a un particolare triste ma te lo devo dire».

«Ti ascolto».

Michela li aveva raggiunti, teneva il bicchiere in mano pieno fino all'orlo. «Ma non lo bevi?» le chiese Rocco.

«Non mi piace».

«E allora perché l'hai preso?».

«Lo fanno tutti», e alzò le spalle.

«Allora Rocco», Alberto recuperò l'attenzione di Schiavone, «io non credo che abbia fatto le porcate nel bosco. Ma comodo comodo in una casa».

«Oppure in macchina in un luogo appartato?» azzardò Michela.

«No, dove avrebbe raccattato le foglie di orchidea?».

«Giusto» ammise Michela.

«Allora» riprese Alberto, «se l'ha fatto in una casa io cercherei una casa isolata. Non ce lo vedo col bambino che magari avrebbe urlato a pochi passi da vicini che potevano sentire».

«Sì, questo è giusto».

«E se l'ha drogato?».

«Vedi Michela, io credo che Mirko fosse sveglio al momento della violenza. Altrimenti perché strozzarlo?».

«Avrebbe potuto farlo dopo oppure mentre dormiva. Più semplice».

«Non lo so, non ce lo vedo. Questo è un malato di mente, quelli come lui godono nel vedere la preda soffrire. La vogliono guardare negli occhi, vivere ogni attimo di quella merda».

«E allora cerca case isolate» affermò Fumagalli.

«È vero» intervenne Michela. «In più c'è la storia della camicia» seguitò. «Tutti lo ricordano con indosso una camicia a scacchi, della quale non c'è traccia nella tomba...».

Rocco e Alberto la guardavano convinti. «Io lì ho trovato brandelli di felpa azzurra» aggiunse Michela. «Come se si fosse cambiato, e questo aiuta a pensare ancora di più a una casa, no?».

«Giusto, Michela...». Rocco si morse le labbra. «Giustissimo».

«Però, se era sveglio ed era in una casa, l'assassino non rischiava? I vicini... le urla...».

Rocco alzò un dito come a fermare un pensiero. Tornò a grandi passi verso il quadro che aveva comprato. Lo osservò con attenzione. «Ci ha ripensato dottore?» gli chiese Deruta. «Non lo vuole più?».

«No Deruta, non ci ho ripensato. Gli alpeggi. Dobbiamo controllare gli alpeggi».

«Sissignore» disse il poliziotto che non aveva capito.

«Antonio?» urlò Rocco attirando l'attenzione degli invitati. Scipioni, seguito da Casella e D'Intino, si avvicinò allarmato. «Che succede?».

«Gli alpeggi. Dobbiamo controllare alpeggi e case isolate, non quelle delle frazioni e dei paesini».

Antonio guardò il quadro. «Ricevuto».

«E poi ditemi dove cazzo sta Italo!».

Gli agenti allargarono le braccia all'unisono.

Dopo un'ora di gioco le fiches erano emigrate da Santino per raggiungere quelle di Berenice mentre Kevin e Italo erano sul pareggio scarso. Kevin preparò uno spuntino. Berenice telefonò al marito, Italo andò a fumarsi una sigaretta nel portico, Santino si distese sul divano. Ci doveva essere una festa nella casa di fronte. Molte luci accese e alcune macchine parcheggiate nello spiazzo davanti casa di Kevin, di solito deserto già alle cinque di pomeriggio. Leggerezza, ecco cosa mancava alla vita di Italo. Non ricordava da anni una serata spesa a ridere e a far passare il tempo. Se non era il lavoro erano i problemi di soldi, e ora che almeno quelli si erano risolti, il poker era diventato il suo nuovo capufficio. Neanche trent'anni, pensò, e faccio la vita di un uomo al termine della sua carriera. Gli vennero in mente i suoi compagni di istituto. Chissà che fine avevano fatto. Dall'alberghiero adesso magari lavoravano per grandi hotel a Venezia, Napoli, Roma, oppure in ristoranti lussuosi, tra avventure, risate, notti a tirare tardi e a gareggiare a chi la sparava più grossa. Lui invece era un poliziotto, e barare a carte era la sua nuova professione. Rientrò in casa infreddolito, la sigaretta l'aveva fumata il vento, e si rimise seduto. Ripresero il gioco, quell'interruzione era il segnale per capovolgere le sorti della serata.

Camminarono in silenzio per un pezzo di strada, ognuno immerso nei propri pensieri. Poi Sandra agganciò il braccio di Rocco. «Lo so che non ti va di parlare, però ti devo confessare una cosa».

«Ego te absolvo».

«Sono seria».

Rocco si fermò, prese il pacchetto di sigarette e si accorse che era vuoto. «Deviazione al distributore» le disse e la trascinò verso piazza Chanoux. Altri due minuti di silenzio, Sandra aveva trovato il coraggio ma sembrava ci avesse ripensato. Rocco non la spingeva a parlare, sentiva che quello che la donna stava per dire avrebbe avuto un peso specifico elevato. Arrivati al distributore Rocco infilò la tessera sanitaria, poi il denaro. Premette il pulsante. La macchina non reagì. Freddo, abitudinario, Rocco mollò un calcio preciso vicino al cassetto e di pacchetti ne caddero due. Sorridente li mostrò a Sandra. «Ho lo sconto notturno». Sandra lo guardava in silenzio. «Che c'è?».

«Ho avuto una punta di gelosia» gli disse tutto d'un fiato. Rocco si accese una sigaretta. «E ti confesso che non me l'aspettavo».

«A essere sincero neanche io».

«Io e te non siamo ancora riusciti a fare l'amore».

«No».

«Invece dimmi, per quale motivo ho la certezza che tu e Caterina non avete alcuna difficoltà?».

«Perché sono vecchio e funziono a fasi alterne».

«Cioè spiegami, io sono quella che ti capita nei momenti giù?».

«Sandra, non lo so».

«Fisicamente, ti piaccio?».

«Direi di sì».

«Tu ci sei andato a letto non troppo tempo fa, dimmi se sbaglio».

«No, non sbagli. Un paio di mesi».

Sandra annuì mordendosi le labbra. «Buonanotte Rocco».

«Buonanotte Sandra».

La guardò andare via, diretta verso il centro. Gettò la cicca dentro un tombino senza centrarlo. La spinse con il piede per farla cadere nel buco. Pensò al viaggio del filtro bruciacchiato, prima nella Dora, trascinato nel Po per finire depositato in mare dove una triglia l'avrebbe mangiato e quel pesce poi sarebbe finito sulla tavola di qualcuno. Le responsabilità delle azioni tornano sempre, magari non subito, col tempo, ma tornano. Rocco sapeva quanto fosse difficile sbarazzarsi dei problemi ignorandoli. Si ripresentano, sotto altre forme, a volte appesantiti e peggiorati. Che ci voleva a dirle una bugia?, pensò. Poi realizzò che forse la bugia l'aveva detta, travestita da verità. Sì, aveva fatto l'amore con Caterina e sì, con Sandra non ci riusciva. Ma dicendo quella verità aveva mentito. Era riuscito a nascondere con un'ammissione spontanea, dura e quasi spietata, che a lui Sandra piaceva, stava bene con lei, e sapeva che quella era la ragione principale per cui non riusciva a farci l'amore. Sandra era pericolosa per la sua stasi emotiva, Caterina invece no. Dunque era meglio svelarle la cruda verità di un amplesso con Caterina neanche così memorabile invece di ammettere il motivo dei continui fallimenti con lei. Se fossimo in un film francese, pensò, ora dovrei correrle dietro, sperando magari che venga a piovere, abbracciarla e dirle... Il suo pensiero si troncò in quel punto. Guardando delle piccole stelle adesive sulla vetrina di una profumeria, la mente tornò a Mirko Sensini, a quello doveva dedicarsi. E doveva

261

dare da mangiare a Lupa, assisterla durante il parto. Girò le spalle e tornò verso casa.

Passarono due ore a giocare, rilanciare, vincere e perdere piatti e le fiches di Berenice erano tutte dalle parti di Italo. L'ultimo piatto la donna provò a strapparlo con una scala ma niente poté contro il full di Italo. Berenice e Kevin erano senza soldi, la partita poteva finire lì. «Bene, signori, sembra proprio che la fortuna non mi guardi più in faccia. È chiaro che mio marito mi è fedele». Kevin rise goffo e sgraziato ciucciando il bocchino della pipa. La donna posò la borsa sul tavolo e compilò un assegno. Poi lo consegnò a Italo. «Ecco, a lei. Comunque bella partita». Poi si alzò e senza dire niente a nessuno andò alla porta di casa. La spalancò e irruppero cinque divise dei carabinieri. «Tenente Giorgia Mariani, siete tutti in arresto».

Michele Deruta era felice dell'esito della mostra. Gli avevano promesso un articolo sulle pagine locali della «Stampa», un altro su «Aosta sera» e aveva venduto otto quadri. Meglio non poteva andare. Alla trattoria a festeggiare c'erano tutti i colleghi, Antonio si era appartato con la cameriera bionda, D'Intino durante tutta la cena era stato ad ascoltare Carlo che faticava a introdurlo nel complesso mondo degli algoritmi, Casella ed Eugenia avevano addirittura accennato un tango e Federico gli era stato sempre accanto, spalla a spalla, e lui non si era mai sentito imbarazzato. Gli era dispiaciuta l'assenza di Italo, non vedeva l'ora di raccontargli il successo della mostra, anzi del vernissage, come lo aveva chiamato il professore con barba e baffoni. Andò a letto alle tre e decise, insieme a Federico, che il panificio per quel giorno avrebbe aperto più tardi. L'eccitazione gli impedì il sonno e l'alba lo trovò sveglio seduto davanti alla finestra con il cuore che ancora galoppava per le emozioni della serata. Di una cosa era certo. Avrebbe smesso con i paesaggi e si sarebbe concentrato sui ritratti. Sapeva che l'impresa era ardua, forse fuori dalla sua portata, ma se avesse intuito il segreto degli occhi o della postura, perché il ritratto era tutto lì, lo aveva capito, avrebbe avuto la strada spianata. Volle provare con Federico. Montò il cavalletto ai piedi del letto e mentre quello dormiva cominciò col carboncino a disegnare le fattezze del suo compagno sulla piccola tela bianca. Dopo dieci minuti di lavoro ininterrotto apparve una forma che non somigliava a Federico ma a una pecora dilaniata da un tir.

Sabato

Lupa era voluta restare a casa accoccolata ai piedi del divano nella sua cuccia di rattan rivestita con un vecchio plaid scozzese, oramai ridotto a una intricatissima trama di peli. Rocco sarebbe tornato all'ora di pranzo per vedere come stava, ormai sapeva che era questione di ore. Da Ettore non incontrò Sandra a fare colazione, meglio così, si disse. Faceva ancora freddo, a passo rapido raggiunse l'ufficio. Qualcosa non andava. Non ne comprendeva il motivo, ma nell'aria respirava una nota sinistra, quella persistente pesantezza che annuncia una brutta notizia.

Mercurio alato dell'infausta novella fu D'Intino che scendeva precipitoso la rampa con la faccia pallida e spaventata. «Dotto', ha successo 'na cosa brutta!».

«Dimmi, agente D'Intino».

«Hanno arrestato Italo!».

Rocco impallidì. «Ripeti».

L'agente abruzzese abbassò il capo. «Hanno arrestato Italo».

«Chi?».

«I cugini».

«Quando?».

«Ieri notte, a casa di tale Kevin...». Rocco lo interruppe con un gesto perentorio della mano. «Testa di cazzo!» ringhiò e prese a correre su per la scala.

«Chi, io?» chiese spiazzato D'Intino, ma Rocco non gli rispose.

«Si rende conto?». Costa gridava col viso verso il soffitto. «Un suo agente, Schiavone, che frequenta una bisca clandestina e bara a carte? La figura di merda? Per me, per la questura, per tutto il corpo di polizia?».

Rocco restava in silenzio sulla sedia, le mani davanti alla bocca, guardava la foto del presidente della Repubblica. «E lei immagino non ne sapesse niente!».

«No, io sapevo. Ma mi creda, ero già intervenuto. E avevo avuto la parola dell'agente Italo Pierron che l'avrebbe piantata con questa stronzata!».

«Vedo che lei ha una forte ascendenza sui suoi uomini. D'altra parte, se lei è l'esempio da seguire!», e scaraventò i giornali a terra. «Questo significa che adesso verrò crocifisso da tutti! Giornali, Regione, televisione... tutti!».

«Potremmo...».

«Un belino! Potremmo un belino! Il mio trasferimento si allontana a passi da gigante, e ora la falla chi la rattoppa? Indovini un po'?».

Rocco odiava le domande retoriche, quindi non rispose.

«Io lo mollo. Non ho nessun interesse a giocarmi la credibilità di un intero ufficio per una singola testa di cazzo che lei, Schiavone, doveva evitare facesse stronzate simili!».

«E come?».

«Per esempio parlandone a me! Lo avrei trasferito, e sarebbero stati problemi di qualcun altro».

«E se dicessimo che era un nostro uomo infiltrato per fare la stessa operazione dei cugini?».

«Se lo sogni. Io lo mollo».

«Un comandante non molla un uomo in mare».

«Primo, questa non è la marina. Secondo, l'uomo in mare ci si è buttato da solo. Terzo...», non gli veniva il terzo punto.

«Terzo, ognuno è artefice del proprio destino?» lo aiutò Rocco.

«Se preferisce sì, sintetizzando è questo il mio pensiero. Italo Pierron, si chiama così, no?, è una mela marcia e va allontanato dagli organi di polizia. Affronterà il processo e quello che gli accadrà, gli accadrà. Non ho altro da aggiungere».

Rocco si alzò in piedi. «Mi sta bene, dottore. Useremo sempre questo metro di giudizio?».

«Quello che dico vale per tutti, anche per me» disse Costa.

«Perfetto. Avverto la squadra e la saluto».

Uscì dall'ufficio di Costa e trovò D'Intino ad attenderlo dietro la porta. «Dotto', 'nu casino».

«Puoi dirlo forte D'Inti', chiama tutti».

«Ma è vero?» chiese Antonio.

«È vero» rispose Rocco appoggiato sull'uscio del suo ufficio a braccia conserte.

«Da quant'è che faceva così?» chiese Casella.

«Da un po'. Sembrava avesse smesso, e invece…».

«Invece niente. Coglione!». Antonio mollò un pugno sul bracciolo del divanetto.

«E il questore non lo copre?» chiese Deruta.

«No. Lo lascia andare» gli rispose Rocco.

«È giusto secondo lei?».

«Miche', dopo quasi vent'anni in polizia non mi chiedere cos'è giusto e cosa non lo è. No, non è giusto, oppure sì, almeno quel coglione cambia vita, questa non era roba per lui».

«E che farà? Se finisce in galera…».

«Ma non finisce in galera» fece Schiavone. «Poliziotto, fedina penale immacolata… certo se diventa un caso mediatico so' cazzi, ma noi non ne parleremo a nessuno. Anzi, evitate di andarlo a trovare».

«Non sembriamo traditori?» chiese D'Intino.

«Lo aiutiamo se teniamo il profilo basso» fece Rocco. «Non c'è via di uscita, è doloroso ammetterlo ma è così. Mi sono spiegato?».

Gli altri annuirono silenziosi. Poi si batté le mani energico. «Mettiamoci al lavoro. Ricordate le auto sospette, Casella era una tua ricerca, Antonio e Deruta andate al catasto, voglio sapere delle proprietà intorno a Saint-Nicolas. Case isolate, mi raccomando. D'Intino, chiama Prosperi, a Torino, raccontagli di Felibro 50, Grange, insomma mettilo al corrente della situazione». L'agente abruzzese lo guardava con occhi vuoti. «D'Intino, per favore, non è il momento di essere un deficiente, ti voglio reattivo! Hai capito?».

D'Intino annuì, poi rapido si asciugò una lacrima. «Mi dispiace per Italo».

«Dispiace a tutti, Domenico» gli disse Rocco poggiandogli una mano sulla spalla, «ma mica è morto. Vedrai che se la cava».

«Lei dove va?» chiese Casella.

«Diciamo che sono cazzi miei? Forza, al lavoro». Batté ancora le mani e uscì dalla stanza.

Scese di corsa le scale e raggiunse il parcheggio. L'auto si accese scatarrando e sputando fumo nero. Riuscì a mettere la prima e a uscire dal piazzale. Poi davanti al parabrezza si materializzò Caterina. Rocco aprì il finestrino. «È vero?» gli chiese.

«È vero».

«Dove stai andando?».

«Prima al tribunale, voglio sapere chi è il magistrato inquirente, poi dai carabinieri».

«Posso venire con te?».

«No Caterina, mi muovo più veloce da solo».

«Lo salviamo?».

«Non lo so. Costa lo molla».

«E tu?».

Rocco chiuse il finestrino e partì lasciando l'ispettrice in mezzo al piazzale.

La porta dell'ufficio di Baldi era chiusa. Rocco si ritrovò come spesso succedeva a osservare i ghirigori creati dai nodi del legno e passando il tempo d'attesa a scoprire disegni nascosti sempre nuovi. In basso si materializzò la cartina dell'Africa cui mancava il corno con la Somalia, mentre accanto alla maniglia le venature formavano un pesce senza la pinna caudale. Poi la porta si spalancò e un uomo sulla cinquantina uscì sorridente. Baldi, seduto alla scrivania, stava firmando delle carte. Senza alzare il volto, chiamò Rocco. «Venga Schiavone, venga!». Rocco entrò, mollò due fogli spillati sul tavolo, ma prima di riuscire a sedersi Baldi scattò in piedi come una molla e lo anticipò. «Andiamo in un bar qualsiasi, ho voglia di un caffè vero e qui non c'è», e afferrò il giubbotto appeso a un trespolo d'ottone senza forma che una volta doveva essere un lume a tre braccia. «Vedo che non ha portato Lupa. Ha partorito?».

«Quasi» rispose Rocco e seguì il magistrato.

«Che mi dice di Mirko Sensini?».

«Abbiamo una pista molto buona. Uno dei sospetti di Aosta, Giovanni Grange. Ma leggerà tutto sulla relazione che ho scritto ieri sera prima di addormentarmi e che le ho appena lasciato sul tavolo».

«Bene».

«E sono contento che le abbiano restituito l'ufficio...». Fino a due mesi prima avevano ridotto il magistrato in una specie di ripostiglio tre metri per due.

«Sì, anch'io sono contento». Era parco di parole, Baldi, come se pensieri più importanti gli occupassero la mente. Fuori l'aria era gelida, camminarono in fretta verso il bar accanto alla Regione. «Lei che prende Schiavone?» gli chiese il magistrato appena dentro al locale.

«Un caffè decente, se lo sanno fare».

«Mariotto? Due caffè decenti, se li sai fare» gridò al barman che rispose alla provocazione con un leggero sorriso. «Ci sediamo lì, Mariotto!», e condusse Schiavone a un tavolino davanti alla vetrina. Si accomodarono. Baldi lo guardò negli occhi. «Lo so perché è qui, non mi andava di parlarne in ufficio. Il suo uomo è una testa di cazzo».

«Al cubo».

«Da quanto tempo stava con quei due coglioni?».

«Da un po'... ho cercato di dissuaderlo, senza successo».

«La situazione ce l'ha in mano Sinibaldi... l'ha visto uscire dal mio ufficio. Sta firmando il fermo».

«Com'è?».

«Tosto. Va fino in fondo».

«Costa lo molla. Ho provato a convincerlo a inventare che anche l'agente Pierron era dentro sotto copertura, ma non ce l'ho fatta».

«Non può convincerlo perché l'agente ha un conto in banca di oltre ventimila euro, con entrate regolari cash che parlano chiaro, visto che in precedenza era sempre in rosso. In più, per convincere il tribunale che ci fosse una copertura, ci vogliono prove, un piano, delle relazioni, tutto materiale che andrebbe costruito ad hoc e si rischia troppo, nel caso di Costa. Senza pensare che lei ne sta parlando con me che sono un magistrato inquirente e questi dettagli neanche li dovrei conoscere».

Il barman depositò due tazzine sul tavolino. Baldi ci mise lo zucchero. A Rocco dispiacque constatare che era di gran lunga migliore del caffè di Ettore. «Diciamo che l'agente Italo Pierron rischia brutto. Qui il fatto grave è l'articolo 416, associazione a delinquere, e lì ci vanno con la mano pesante. Da 3 a 7 anni. Aggiungiamo il 640, la truffa...».

«Sì, lo sospettavo».

«E né io né lei possiamo niente. Ho due consigli che sento di darle. Cercare di tenere l'affare lontano dalle telecamere. Diciamo che polizia e magistratura non hanno bisogno dei soliti attacchi dei cialtroni».

«Sono d'accordo».

«E su questo il mio collega e i carabinieri saranno di parola. L'altro consiglio è per lei. Stia alla larga dalla faccenda, diciamo che il suo profilo non brilla certo per attaccamento al dovere e per il rispetto delle regole... a proposito, io ai suoi uomini ho dato il mandato per l'ennesima perquisizione a casa di Grange, gradirei che lei mi mettesse al corrente dei suoi movimenti prima che la frittata sia fatta».

«Ha ragione».

«E non mi dia sempre ragione, cazzo! Mi fa sentire un imbecille. Le sembro un imbecille?».

«Tutt'altro».

«Consigli un buon avvocato all'agente Pierron, uno che riesca a evitare le pene accessorie. L'associazione a delinquere è una storia brutta, come la truffa. L'interdizione dai pubblici uffici è minimo di 5 anni, ma la divisa non la mette più. Ora vado a leggermi la relazione sul caso Sensini. Lo prendiamo il bastardo?».

«Fosse l'ultima cosa che faccio. Se dovessi andare a Milano a parlare con Grange?».

«Lei mi chiama e per me se lo può anche portare a letto».

«Non volevo arrivare a tanto».

«Era una battuta, Schiavone».

«L'avevo capito, dottor Baldi, anche la mia».

Si guardarono. «Stiamo perdendo il senso dell'umorismo tutti e due?».

«Forse, e sarebbe la più brutta notizia della giornata».

Si alzarono. Baldi lasciò i soldi sul bancone e uscirono dal bar. «Non aspetta lo scontrino?» gli chiese ironico Rocco.

«Perde colpi, Schiavone. Era sotto la tazzina. Ah!», Baldi lo fermò afferrandolo per un braccio, sembrava avesse avuto un blocco del miocardio. «Ancora una cosa. Ho saputo che l'ispettrice Rispoli è di nuovo in questura».

«Sì. Una task force per...».

«Lo so quale sarà il suo compito. Il problema è quale è stato prima, il suo lavoro. Lei mi ha raccontato tutto, pensavamo stesse con quel cazzone di Mastrodomenico, invece poi è uscito fuori che lavorava per quelli della parte sana. Ora però, e resti fra noi, io devo scoprire chi siano questi della parte sana».

Solo in quel momento nella mente di Rocco si materializzò il viso del barracuda, al secolo Pietro Rakovic.

«Cos'ha?» gli chiese il magistrato.

«Niente... un pensiero. Per saperne di più credo lei debba andare a spulciare a Roma».

«E ci sto provando, Schiavone. Tutta la storia di quella donna non mi piace. Un po' come non mi piaceva la sua».

«E adesso, ha cambiato idea?».

«Adesso devo accettare la verità. Ma il panorama non mi è ancora chiaro. Mi prometta che se dovesse scoprire qualcosa...».

«Sarà il primo a saperlo».

«È ironico?».

«No».

«Bene. Buona giornata, Schiavone».

Era riuscito a convincere il capitano di via Clavalité. Seduto nella stanza con una sola finestrella in alto e una plafoniera centrale che illuminava l'ambiente di un bianco gelido, aspettava Italo Pierron. Non aveva chiaro cosa dirgli, ma incontrarlo era necessario, forse più per zittire la sua coscienza che per l'affetto verso l'agente caduto in disgrazia, affetto che ancora non riusciva a quantificare o a delineare. La porta si aprì. Un appuntato introdusse Italo. Era pallido, spettinato, occhiaie e labbra viola, si vedeva che non aveva chiuso occhio. L'appuntato restò sulla porta, Italo si sedette di fronte a Rocco. Si guardarono per qualche secondo. «Sei venuto a dirmi che avevi ragione?».

«No. Sono venuto a trovarti».

«Perché?».

«Non mi andava di lasciarti solo».

Italo si grattò la barba di qualche giorno. «Vuoi sentirmi dire che sono un coglione?».

«No. Mi dispiace».

«Cos'è, Rocco, una sconfitta personale? Un tuo sottoposto ha dirazzato e non sei riuscito a controllarlo?».

«Perché riduci tutto a una sfida fra me e te, Italo? L'hai detto tante volte, non sono tuo padre, non sono tuo fratello e non sono neanche tuo amico, se ci intendiamo sul significato della parola amicizia».

«Lo spero, visto la fine che fanno i tuoi amici. Portassi un po' sfiga, dottor Schiavone?», e Italo rise forzatamente della sua battuta.

«Forse. O forse mi circondo di coglioni».

«Allora questa visita è perché hai paura che racconti quello che io e te abbiamo fatto?».

«Ha paura solo chi ha da perdere qualcosa, e quello non sono io. Ho provato a convincere Costa a inventare che eri lì sotto copertura anche tu, ma non c'è stato verso».

«Non mi aspetto la generosità di nessuno. Non la voglio. Ho sbagliato? Pago».

«Lo sai quanto è il conto?».

«Me lo vuoi dire tu?».

«Associazione a delinquere, truffa, il gioco d'azzardo è il reato più tenero. Spero che resti sotto i due anni, così eviti il carcere, ma da come si mette la vedo difficile. Dipende dal pubblico ministero e dall'avvocato. Ce l'hai un avvocato?».

«Ho la faccia di uno che conosce avvocati?».

«E allora te lo procuro io».

«Non ce n'è bisogno».

«E piantala di fare il coglione!» gridò Rocco. Il carabiniere sulla porta si avvicinò. Il vicequestore gli fece cenno che era tutto a posto. «Vuoi farti la galera, deficiente?» gli chiese con un filo di voce.

Italo abbassò gli occhi.

«Sei incazzato con me e non capisco il perché».

«No, Rocco. Sono incazzato con me. Da morire. Non so vivere, mi muovo come un adolescente, mi metto nei guai e spero solo che mia zia non si senta male quando riceverà la notizia. Io facevo l'alberghiero, volevo lavorare nella ristorazione. Alberghi, resort, anche sulle navi. Questo lavoro non ha mai fatto per me. E se mi tolgono la divisa, va bene così». Rialzò lo sguardo. «Non ti caricare il mio peso sulle spalle, Rocco. Non te l'ho chiesto. Lasciami andare». Aveva gli occhi umidi.

«È questo che vuoi?».

«Diciamo che io la vedo come l'inizio di una nuova vita. Se migliore o peggiore di quella che ho vissuto finora, ancora non lo so. Però, dal cuore, grazie per tutto quello che hai fatto per me, con te mi sono divertito. Mi hai pure insegnato a capire il romano».

«No, quello non lo sai. Cioè, lo capisci un po' ma non lo sai parlare».

«Però la differenza fra sticazzi e mecojoni l'ho capita. Mi danno tre anni? Mecojoni! Lascio la polizia? E sticazzi! Giusto?».

«Più o meno. Ma a tre anni di galera io non direi mecojoni».

«No?».

«No. Tirerei una bestemmia».

Italo sorrise e scosse la tesa. «Mi hai sempre detto che somiglio a una faina. E ogni tanto la faina viene beccata nel pollaio, è solo questione di tempo. Posso dirti a quale animale somigli tu?».

«Se vuoi sì, sono curioso».

«Mi ricordi il cane di Federico, il compagno di Deruta. Cos'è, un lupo cecoslovacco?».

«Sì».

«Ecco. Mi ricordi quello. Ma non il viso, per come cammini e ti muovi. La tua faccia non mi suggerisce nessun animale». Si guardarono, tutti e due con un accenno di sorriso sulle labbra. «È grave?».

«Non credo».

«Rocco, secondo te in che rottura di coglioni sono adesso?».

«Un decimo livello pieno».

«E sì, con lode, come dici tu. Ti voglio bene, Rocco». Si alzò e senza aggiungere altro uscì dalla stanza. Rocco lo guardò sparire nel corridoio accompagnato dal carabiniere. Gli vennero in mente le parole finali con le quali un grande scrittore chiudeva il suo romanzo: «Addio! Che tu viva o che tu cada, addio! Le probabilità non ti sono favorevoli...».*

Seduto alla scrivania infilò la chiave nella serratura e aprì il cassetto. C'erano quattro canne già preparate. Richiuse. Bussarono alla porta con *ammazza la vecchia col flit*, era Casella. «Entra Ugo!».

L'agente spalancò la porta, teneva un foglio in mano, aveva gli occhi spiritati e il viso paonazzo. «Dottore! Questa è grossa».

* *La montagna incantata* di Thomas Mann, traduzione di Bice Giachetti-Sorteni.

«Di' un po'?».

«Ho scoperto che una Mini con le ultime due cifre GG sta a Ivrea, appartiene a un tale Filippo Roversi».

«Filippo Roversi? Chi cazzo è?» chiese Rocco.

«Non lo so... però non è questo il fatto importante. Chiamata la motorizzazione, questo Roversi s'è accattato la macchina di seconda mano nel 2008. Il passaggio di proprietà risale a...», lesse l'appunto, «... al 12 giugno».

«E a chi apparteneva a maggio?».

«A Domitilla Ciai».

Rocco sgranò gli occhi. «Mi stai dicendo che la Mini che il 27 maggio stava dalle parti della stazione di Ivrea era di Domitilla Ciai, la moglie di Grange?».

«Per essere precisi una Mini che potrebbe essere quella di Domitilla Ciai era da quelle parti».

Il telefono squillò. Era Costa. «Venga da me!» gli ordinò senza neanche salutare. Rocco abbassò la cornetta. «Ho una rottura di coglioni su dal questore. Tu non te ne andare, resta qui».

«Sissignore. Mi posso fare un caffè?».

«Padrone», e Rocco uscì dalla stanza.

Non poteva essere una coincidenza, il cerchio si andava stringendo, i sospetti su Grange si solidificavano sempre di più. «Dove vai?» gli disse Antonio che usciva dalla stanza degli agenti.

«Da Costa, non so che cazzo vuole. Tu?».

«Sto aspettando che Deruta torni dal catasto. Mi ha dato buone speranze».

«Raggiungi Casella nel mio ufficio, ha una bella

notizia. Aspettatemi lì, sbrigo 'sto settimo livello e arrivo».

«Avevi ragione, Rocco».

«Di che parli?».

«Del finale amaro, di Italo...».

Bussò alla porta del questore ed entrò senza aspettare l'invito. Seduta davanti alla scrivania con le gambe accavallate e l'aria annoiata c'era Sandra. Costa era in piedi accanto alla finestra. «Prego Schiavone, si accomodi». Il vicequestore eseguì. «Ciao» disse a Sandra.

«Ciao Rocco».

«Vado subito al dunque», anche Costa si sedette alla sua poltrona e poggiò le mani incrociate sul tavolo. «Ho chiesto a Sandra di non dare troppa enfasi all'arresto avvenuto questa notte del suo uomo...», e schioccò le dita per invocare un suggerimento.

«L'agente Pierron».

«Grazie, l'agente Pierron. E con mia sorpresa ha accettato. Cosa che spero faranno anche i colleghi della carta stampata e delle televisioni».

«Mi sembra un bel gesto» disse Rocco.

«Quello che chiedo anche a lei, Schiavone, e a quelli della sua squadra, è un silenzio tombale sull'accaduto».

«Ho già istruito i miei uomini».

«Molto bene».

Costa restò muto a guardare Rocco, il vicequestore annuiva appena mordendosi le labbra. Rocco interruppe quei secondi di imbarazzo. «C'è altro?».

«C'è altro» intervenne Sandra guardando diretto il questore. «A me interessa il caso Mirko Sensini».

«Anche a me» disse Rocco.

«Intendo… io mi do da fare per voi e voi vi date da fare per me».

Rocco guardò il questore. «Lei ci capisce qualcosa?».

«Sandra vuole in anticipo la notizia della chiusura del caso».

«Se mai ci sarà» dubitò Rocco.

«Se mai ci sarà, è chiaro».

«Da più di tre giorni usciamo con articoli sulla pedofilia, la violenza ai minori, e sensibilizziamo sul caso Sensini. Vogliamo essere quelli che chiudono la storia».

Rocco guardò la giornalista. Di solito quella era una questione che dibattevano loro due, in privato, e mai Rocco le aveva negato la precedenza sugli altri colleghi giornalisti. Il fatto che si fosse rivolta a Costa era un chiaro segnale che i loro momenti privati non ci sarebbero più stati, e glielo stava dicendo di fronte al suo ex marito. Rocco apprezzò la raffinatezza del gesto. Il vicequestore prese un respiro profondo. «Non si preoccupi dottore» disse Rocco guardando il superiore, «quando e se arriverò alla fine del viaggio l'avvertirò subito, le farò avere la relazione e lei in tutta comodità potrà riferire alla signora Buccellato con ore di anticipo sui colleghi».

«Non basta, Schiavone» obiettò Costa. «Io voglio che quando lei avrà la soluzione con il nome del colpevole, me lo comunichi immediatamente. Insomma il giornale di Sandra deve essere il primo a dare la notizia».

«A qualcuno non piacerà. Ma chissenefrega, no?».

«Esatto, Schiavone».

«Va bene, dottore. Appena il colpevole avrà una faccia, e devo essere certo che sia quella giusta, il suo sarà il primo numero che chiamerò».

«Oppure chiami Sandra» disse Costa con un sorriso appena accennato. Aveva compreso la situazione e quella rottura fra i due lo divertiva.

«No dottore, preferisco chiamare lei, così restiamo sull'ufficiale».

Costa socchiuse appena gli occhi. «Va bene».

«C'è altro?» chiese Rocco.

«No, direi di no».

«Allora vi auguro una buona giornata», e senza guardare Sandra uscì dall'ufficio.

Meglio, si disse scendendo le scale, non doveva più mentire, la loro storia si era chiusa in maniera squallida e anemica. Avrebbe preferito una bella lite, in mezzo alla strada magari, con qualcuno a fare il tifo, ma non era a Trastevere e Sandra non era romana. Aveva scelto di sferrare una pugnalata di ghiaccio al costato nel silenzio e nell'anonimato di un ufficio della questura.

Gli tornò in mente una lite con Marina, l'argomento era il Natale che Rocco avrebbe preferito passare a casa sua invece che dai suoceri. Era cominciata con una discussione accesa proprio dietro Sant'Andrea della Valle, poi toni e volumi erano saliti, tre persone si erano fermate ad ascoltarli, un vecchio annuiva e mormorava. «C'ha ragione» commentava indicando Marina, «er Natale se passa co' la famiglia». Marina lo aveva piantato dicendogli: «Ma stattene da solo, Rocco, fatti questo bel regalo». Era tornato a casa due ore dopo, l'aveva trovata a letto a fare le parole crociate. Rocco si era limitato a stendersi accanto a lei a spiare le definizioni. «Giapeto» le aveva detto, «il padre di Atlante». Marina aveva contato le caselle poi una volta scritto il nome lo aveva guardato negli occhi. «Che ne sai tu di Giapeto?».

«M'era capitato l'altro ieri...». Si erano messi a ridere, l'aveva baciata e Natale lo avevano trascorso a casa di Laura e Camillo, passando anche una bella serata.

«Lo vedi Mari'?» disse ad alta voce appena raggiunse il suo piano guardando il soffitto del corridoio, «non poteva essere lei...».

In ufficio trovò Casella, Scipioni e D'Intino. Deruta tardava. «Allora l'infame era a Ivrea» esordì Antonio.

«Ci sono ottime possibilità. Ora noi la macchina la dobbiamo vedere e confrontarla con quella del filmato. D'Intino, questo è compito tuo».

«Sissignore».

«Appena arriva Deruta andate a Ivrea, da questo Roversi... Casella, abbiamo un indirizzo di residenza?».

«Sissignore...», si mise una mano in tasca e tirò fuori il solito appunto. «Allora, Filippo Roversi abita a via Pietro Crotta, località Cascinette d'Ivrea».

Rocco guardò D'Intino che ascoltava come se non fossero fatti suoi. «D'Inti'!».

«Dica?».

«Ti devi segnare l'indirizzo».

L'agente sembrò risvegliarsi. «Shine, tiene ragione...», e si precipitò alla scrivania, afferrò una penna e strappò un foglio da un taccuino di Rocco. «Forza Ugo, dimmi un po'?».

Casella ripeté l'indirizzo che D'Intino trascrisse occupando con dei caratteri giganti tutto il foglio di carta. «Ecco, so' fatte!», e mostrò l'opera a Rocco. «Va bene?».

«Perché non ci fai pure la cornicetta?».

D'Intino restò pensieroso. «Dice?».

Rocco guardò sconfitto Antonio. «Allora D'Intino, fatevi mostrare la macchina, fotografatela davanti, dietro, di lato, dappertutto».

«Va bene se fotografiamo co' lu telefonino?».

«Va bene D'Intino, non è che ci aspettiamo una foto d'autore».

«Allora usiamo quello di Michele, al mio le foto vengono sbiadite, dotto'. Guardi!». Prese il cellulare dalla tasca e si avvicinò a Rocco. «Ecco, guardi qua. Me la so' fatte proprio a Crua' de Ville, a la piazza...» e mostrò il display a Rocco. Una immagine diafana, sbiadita, poco più di un ectoplasma circondato da un paesaggio avvolto nella nebbia. «Non si capisce un cazzo, D'Intino».

«Visto? Non le fa bbuone le foto».

Rocco guardò il cellulare dell'agente. «Ma tu pulisci la lente?».

«Che lente?».

«Quest'affare piccolino qui dietro... è la lente, se è sporca vengono foto di merda».

«Ah, non lo sapevo. Mo' lo faccio».

«D'Intino, scattale come te pare, ma nitide!».

«Eccomi, scusate il ritardo». Deruta entrò affannato, portava un rotolo di carta sotto il braccio. «L'impiegato ci ha messo un po' di tempo per fare la mappatura di tutte le proprietà isolate della zona. Ma io alla quarta l'ho fermato. Dotto', ci siamo!», e allungò il cilindro tenuto insieme con l'elastico. Rocco fece largo sulla scrivania gettando a terra tutti gli ammennicoli inutili che la abitavano e srotolò il foglio. I poliziotti si avvicinarono a guardare. «Qui dotto'!», e con l'indice sporco di pittura Deruta indicò un punto cerchiato con il rosso.

«Che sarebbe?».

«Sulla strada che sale a Vens, vede? Alla seconda curva, vicino a questa frazione che si chiama... Cerlogne. Ecco, ci si incammina un po' per il bosco seguendo questa stradina bianca, è questo rettangolino qui. È proprietà di Domitilla Ciai. Che lì per lì il nome non mi diceva niente... poi mi sono ricordato...».

«E pure questa è della moglie di Grange».

«Pure questa? Perché pure questa?» chiese Deruta ignorando la scoperta dell'auto fatta da Casella.

«D'Intino, racconta a Deruta cosa dovete fare a Ivrea e muovetevi. Noi tre andiamo a dare un'occhiata a questa casetta» disse Rocco guardando la mappa.

«Chiediamo il mandato del magistrato?» chiese il viceispettore.

«E da quando?».

Lasciarono l'auto sulla provinciale. Da una piazzola partiva un piccolo sentiero seminascosto dall'erba e da cespugli di rovi. L'aria era fredda, il cielo coperto non invitava a una passeggiata. Si incamminarono a passo spedito senza parlare, ognuno immerso nei propri pensieri. Pozzanghere e fango li costringevano a guardare per terra. Dopo dieci minuti la strada si biforcava. «E ora?» chiese Antonio. Gli alberi alti e snelli impedivano la vista. Rocco riaprì la mappa catastale su un tronco tagliato. «A destra» disse sicuro e si incamminò. Casella e Scipioni lo seguirono. «C'è odore di funghi» fece l'agente ma nessuno gli rispose. «Oppure è solo muffa. Dotto', ma è vero che il muschio nasce sui tronchi degli alberi esposti a nord?».

«Case', ma che cazzo ne so?».

«Quando ero nei boy scout così dicevano» disse Scipioni. «Io controllavo con la bussola, ma non era sempre vero».

Proseguirono fino a quando la strada sparì in una radura, l'erba era punteggiata di piccoli fiori bianchi alti una decina di centimetri, alla fine del prato era visibile la casetta. Una costruzione di pietra e legno, alcune assi avevano ceduto alle incursioni del tempo, della pioggia e del gelo. C'era una feritoia in alto sotto il tetto col vetro rotto. Una piccola finestra vicino all'ingresso aveva perso i battenti. La porta era bassa e di legno scuro, del piccolo portico restavano le assi di sostegno e qualche tegola rancida. A sinistra della baracca, una costruzione bassa e priva di tetto affogata dalle piante. Poteva essere una porcilaia o una stalla per gli ovini. Il comignolo pendeva da un lato. Rocco si avvicinò alla porticina, catena e lucchetto ne assicuravano la chiusura. Si affacciò alla finestrella accanto per sbirciare all'interno. Era buio, riusciva a scorgere a malapena una sedia. Con una gomitata secca spaccò il vetro facendo sobbalzare Antonio e Ugo. Ripulì la cornice dalle schegge e scavalcò. Ugo e Antonio lo seguirono. Era buio, un po' di luce penetrava dalle tegole sconnesse del tetto. Rocco raggiunse la finestra sul lato opposto e la spalancò. La stanza si illuminò abbastanza da poter distinguere un pavimento di vecchie assi di legno, davanti alla porta accanto alla finestra c'era un letto di ferro battuto, il materasso macchiato perdeva l'imbottitura dagli angoli. Una coperta lurida era ammucchiata sopra l'unico cuscino. Sulla parete di destra c'erano una vecchia cucina economica sgangherata senza sportelli e un tavolo col ripiano di marmo accompagnato da due vecchie sedie spaiate. Sull'altro angolo della baracca, una scansia fatta con le cassette di frutta di legno dipinte di rosa e turchese. Era vuota. Terriccio e cerchi scuri sul legno denunciavano che una volta lì c'erano dei vasi. Sul pavimento, sotto al tavolo, due bottiglie di vino, una di cognac e una di champagne aperte e impolverate. Un piccolo tappeto di paglia divorato dai topi era steso ai piedi del materasso. Rocco lo scansò col piede. Nascondeva una botola. Antonio si chinò e cercò di aprirla. Rocco lo aiutò facendo leva col coltellino svizzero che portava sempre nella tasca del loden. Con uno scricchiolio il coperchio si aprì. L'aria gelata e umida li colpì in pieno volto. Una scaletta di ferro coi pioli cementati nella nuda roccia portava giù. Rocco accese la torcia del cellulare e si calò. Si ritrovò due metri sottoterra in una stanza gelida sulla quale correva una libreria piena di bottiglie di vino intonse. Ai piedi degli scaffali delle corde arrotolate. Rocco guardò in su. Casella e Antonio lo osservavano. «C'è vino» disse.

«Vino?».

«Vino, Antonio. Una trentina di bottiglie».

Poggiò il piede sul primo piolo per risalire. Arrivato all'altezza della botola aperta notò nel dente d'incastro una foglia secca e marcia. Con delicatezza riuscì a scrostarla dall'asse del pavimento. «Cos'è?» chiese Antonio accucciato accanto al vicequestore. Rocco gliela passò. «La portiamo alla Gambino». Antonio la prese e con delicatezza la consegnò a Casella, poi allungò la mano per aiutare Rocco nell'ultimo strappo. «Che cazzo è 'sto posto?» chiese Antonio. Ma Rocco non rispose.

«È la caverna dell'orco...» disse Ugo con un filo di voce mentre infilava la foglia marcita in una bustina di plastica.

«O degli orchi» lo corresse Rocco.

«Che facciamo?».

Rocco non rispose, scavalcò di nuovo la finestra che aveva spaccato qualche minuto prima. «Richiudete la botola. Noi qui non siamo mai stati».

All'aria aperta il vicequestore si guardava intorno. «Torniamo all'auto. Sono congelato e non sento più i piedi».

«Un giorno mi spiegherà perché non si compra delle scarpe adatte».

«No Ugo, non sono tenuto e fatti i cazzi tuoi».

«Cos'è?» chiese Michela Gambino guardando i resti della foglia attraverso la plastica trasparente della bustina che Casella le aveva appena consegnato.

«Questo ce lo devi dire tu, Michela».

«La mando a Cleo Di Capua, la nostra botanica». Si rigirava l'indizio tra le mani osservandolo in controluce.

«Più in fretta che può».

«Ma non potete dirmi altro?».

«L'abbiamo trovata in una baracca in mezzo ai boschi» fece il viceispettore. Michela si morse le labbra. «Ho capito. Pensate sia il luogo dell'omicidio di Mirko. Allora vado io stessa, tempo da perdere non c'è».

«Però usa un'auto di servizio. Con la tua non arriveresti mai».

Michela si fece sotto a Rocco. «Non ti permetto di offendere la mia macchina che ha appena passato i 45 anni di vita. Comunque sì, ne prendo un'altra, Sfinciona rischia di lasciarci le penne prima di affrontare l'autostrada».

«Sfinciona?».

«È il nome della mia auto, Antonio. Qualcosa in contrario?».

Scipioni alzò le mani in segno di resa, la Gambino guadagnò l'uscita.

«Forse è il caso di andarsi a fare due chiacchiere con quella merda di Grange» propose Antonio.

«Prima ci dobbiamo mettere di nuovo sulle 400 pagine che ci ha mandato Prosperi da Torino».

Antonio e Casella alzarono gli occhi al cielo.

«No, stavolta è più facile. Prendete solo i dialoghi dove appare Felibro 50, e riportate i nomi dei compagnucci con cui si scambia messaggi. E poi controlliamo se c'è un'altra coincidenza. Casella?».

«Dica».

«Ricordi quando abbiamo parlato con Prosperi a Torino? Loro avevano sott'occhio anche Goffredo Mameli, quello che chiamava ponte».

«Sì, certo. Quello che ha il padre un po' demente».

«Esatto. Vedi se 'sto Felibro 50 ha parlato anche con lui. Hai segnato i nickname che usava in rete lo stronzo?».

«Certo, ce l'ho qui», mise la mano nella tasca del giubbotto e tirò fuori il suo taccuino. «Polaroid, Scipio, Kaspar e Fionda».

«Bene. Vedi se ha mai avuto un contatto con Felibro 50».

«Se ha mai chattato. Quando si scambiano messaggi in rete si chatta, Rocco» lo corresse Antonio.

«Mi fa schifo solo l'idea di pronunciarlo».

«Come preferisci...».

«E al primo in questura che sento dire googlare, lo piglio a calci in culo».

«Ricevuto» dissero in coro Antonio e Ugo. «Perché cerchiamo 'sto Goffredo Mameli?».

«Devo sapere come Grange è entrato in contatto con Mirko. Perché ricordatevelo, Mirko quel 27 maggio era fuori dalla scuola e aspettava qualcuno. Dunque se è Grange, si dovevano conoscere».

«Giusto» ammise Antonio.

«Bene. Al lavoro».

«Dove va dottore?» chiese Casella.

«Prima chiamo Baldi, voglio un controllo sui conti di questo Goffredo Mameli, poi a casa. Ho una primipara in attesa della pappa».

«Ci saluti Lupa».

«Lupa!» gridò Rocco appena rientrato in casa. Ne aveva sfornati tre, due femmine chiare e un maschio dal pelo più scuro. Somigliavano a dei piccoli roditori ciechi seminascosti dalla mamma che guardava Rocco e sembrava sorridere. «Amore mio, sei stata bravissima!». Si chinò a carezzarla. «Sono bellissimi Lupa, ti somigliano. Ma guarda un po', ne hai sparati tre. Pensavo di più».

«Tre mi sembra un buon risultato» mi dice Marina. Seduta sulla poltrona guarda questa maternità canina con gli occhi umidi. Tiro su una femmina. Emette uno squittio e agita le zampe piccole dai cuscinetti rosa. La mostro a Marina. «Questa è una femmina».

«Come si chiama?» mi chiede.

«Non lo so. Secondo te?».

«A guardarle il muso secondo me...», si mette il dito accanto alla bocca. «Si chiama Porzia!».

«Porzia è un bel nome», sì, mi piace Porzia. La rimetto giù e prendo il secondo cucciolo. «Toh, è femmina pure questa».

«E se lei è Porzia questa sarà Nerissa».

«Porzia e Nerissa, benissimo». La bacio sul naso. Odora di latte. «E 'sto spelacchiatone scuro... ah, questo è un

maschietto. Guarda», ha la faccia ingrugnata, sembra incazzato di essere venuto al mondo. «*Questo lo chiamerei Rocco*» dice Marina e ci mettiamo a ridere. «*No, Rocco no. È scuro, incazzato...*».

«*Otello?*».

«*Ma a parte Shakespeare hai altri suggerimenti?*».

«*A parte Shakespeare non c'è niente*».

«*E vada per Otello. Però ha pure la faccia da Oberon... chi era, il re delle fate?*».

«*E chiamalo Oberon allora*».

«*Andata!*». Lo rimetto giù. «*Oberon, Porzia e Nerissa. Lupa, sei stata coraggiosa*».

«*È vero! Ora chiama il padre e dagli la bella novella*».

«*Sicuro! Mi devono aiutare a piazzarli*».

«*Rocco?*».

Alzo lo sguardo. «*Che c'è?*».

«*Mi dispiace non averti dato un figlio. Te lo meritavi*».

«*E che è una punizione?*».

«*Deficiente*».

«*Quando ero piccolo e avevo paura, pensavo all'odore della pelle di papà. Mi rifugiavo lì, e pensavo alle lentiggini che aveva sulle braccia, alle sue mani, mi facevo coraggio e mi passava, mi sarebbe piaciuto che qualcuno potesse fare lo stesso con me. Ma non è andata*». Papà aveva gli avambracci pieni di peli, ma erano rossi e odorava di legno. Strano, era tipografo, avrebbe dovuto prendere il profumo del piombo e della carta. «*Va bene così, Marina. I figli sono un'ipoteca, ti costringono a chiedere amore per tutta la vita, e spesso non te lo vogliono dare. Diventi un mendicante. Poi sono fragili, delicati, basta un niente e se ne vanno*».

290

«*I piccoli sono duri a morire, cosa credi?*».

«*No, questo non è vero, Marina. Non ci vuole niente...*».

«*Tu lo trovi, vero?*», parla dell'assassino.

«*Sì, lo trovo*».

«*Lo so che ce la fai. Sei bravo*». Mi ha fatto un complimento. È raro. «*Ti comporti come fossi suo padre*».

«*No, mi comporto come uno che certe situazioni non le sopporta. Amore, si vede che non era scritto che io diventassi padre*».

«*Li puoi ancora avere*».

«*Senza te? Non diciamo cazzate*». Lupa mi lecca la mano. Ha il pelo caldo e l'aria stanca ma soddisfatta. «*Nostro figlio come l'avresti chiamato?*» le chiedo.

«*Veniva femmina. Al cento per cento*».

«*E dunque?*».

«*Il nome ce l'ho sempre avuto, ero pronta*».

«*E sentiamolo 'sto nome*».

«*Sofonisba*».

Mi sta prendendo per il culo. «*Mi prendi per il culo?*».

«*No*».

«*Sofonisba? Ma sul mio cadavere! Ne avresti fatto un'infelice*».

«*Sofonisba è un bel nome*».

«*Fa schifo*» le dico.

«*Sofonisba Anguissola, una grande pittrice del '500. Una sua opera fu la prima che mi diedero da restaurare. E ho sempre pensato che se avessi avuto una figlia l'avrei chiamata così. Era una donna forte, ti immagini? Pittrice nel '500 quando per le donne... aspetta, com'era? Era più confacente una cultura da apprendere ma con moderazione,* perché alle signore si addice una tenerezza molle e delicata. Pensa tu! Questa invece era un'artista».

«Allora Artemisia! Fa schifo lo stesso, ma è meglio di Sofonisba».

«Non l'avresti spuntata, Rocco».

«Meglio che non l'abbiamo fatta. Sofonisba Schiavone, sembra un eritema».

«E non è neanche detto che avrebbe preso il tuo cognome».

«No, giusto. Fa' come ti pare. Io l'avrei chiamata Chiara. O Francesca. O proprio al limite, per venirti incontro, Sofo...». Scoppiamo a ridere come scemi. Giocavamo spesso a letto, la sera, interrogandoci sul nome della figlia o del figlio dopo aver fatto l'amore, casomai lo spermatozoo avesse infilato la porta giusta. Sofonisba è la prima volta che glielo sento dire. «Guarda, dormono». È vero, i tre cuccioli stanno ammucchiati su Lupa che invece è sveglia e attenta. Pisceranno per tutta casa. Allora devo chiamare la donna delle pulizie, dirle di venire ogni santo giorno e di lasciare aperta la porta del terrazzino della cucina. E devo chiamare anche il veterinario. E Federico e Deruta. «Mi va di darli via?» le chiedo.

«Mica puoi tenere quattro cani».

«Come la canzone».

«Lascia le canzoni dove stanno, Rocco. Di' ai suoceri di darti una mano». Si china anche lei a carezzare Lupa. «Brava Lupa». Ora sarebbe tutto normale, tranne il fatto che Lupa si volta e la guarda e chiude gli occhi per godersi la carezza. Allora è così, non è una sciocchezza, è vero che i cani vedono tutto. Addirittura le lecca la mano. «La pappa, Lupa, ti devi rimettere in forze adesso.

292

Ora devo andare, ci vediamo stasera» le dico. Marina non c'è più.

Scattò le foto ai cuccioli e le mandò a Gabriele. «Guarda che ha tirato fuori Lupa!» scrisse in calce alle immagini. Poi telefonò al panificio. Federico era entusiasta, voleva vedere i piccoli. Rocco gli lasciò le chiavi sotto lo zerbino. «Fa' come se fossi a casa tua! Ormai siamo parenti. E porta il padre!» gli disse, poi tornò in questura. Si era dimenticato il pranzo, decise per una puntata veloce da Ettore. «Che hai di salato?».

«La vita» rispose il padrone del bar centrale.

«Non me la posso magna'. Altro?».

«Questi...», e indicò il banco dove riposavano due file di tramezzini avvolti nel cellophane.

«Sei pazzo? Vuoi darmi il tramezzino avvolto nella plastica? Quante volte te l'ho spiegato? Il tramezzino riposa sotto il tovagliolo umido!».

«Per la legge invece no!».

«E 'sti gran cazzi, Ettore, 'sta roba da obitorio te la magni te e i clienti tuoi. Ce l'hai una pizzetta? Un cornetto salato?».

«Una brioche salata con prosciutto?».

«Bravo. Sbrigati».

«Scaldo e porto. Dov'è Lupa?».

«Ha appena sgravato. Sono tre... due femmine e un maschio».

«Allora offre la casa!».

«Co' tutti i soldi che t'ho lasciato, mi pare il minimo. Comunque vai forte, il locale è un deserto. Che succede?».

«L'ora di pranzo è passata da un pezzo dottor Schiavone, e pure quella del caffè. Senta un po'? Un cucciolo lo prendo io. Una femmina».

«Sicuro?».

«Sì. La chiamo Colette».

«Hanno già un nome. Porzia e Nerissa».

«Prendo Nerissa».

«Affare fatto. Il problema è che mica ti so dire chi è Porzia e chi è Nerissa».

«Embè?». Ettore portò il panino a Rocco. «Tanto loro mica lo sanno... Mia moglie sarà contenta, c'è morto Rolf da due mesi». Rocco addentò la brioche. «Senta un po' Schiavone, che è successo?».

«A che ti riferisci?».

«Alla signora Sandra».

Rocco mandò giù il boccone. «Buono, solo che se non mi dai l'acqua muoio per occlusione dell'esofago».

«Subito». Ettore si chinò a prendere una bottiglietta dal frigo. «L'ho vista qualche ora fa. Aveva gli occhi rossi. Deve aver pianto».

«Mi dispiace, ma non ne ho la più pallida idea».

Ettore lo guardò sospettoso. «Non è colpa sua?». Poggiò l'acqua sul bancone.

«Direi di no, Ettore, e comunque direi anche che non sono cazzi tuoi».

«Peccato, eravate una bella coppia».

«Sempre come sopra, Ettore». Svitò il tappo e bevve l'acqua direttamente dalla bottiglia.

«Fra l'altro era pure un buon partito. Dovrebbe vedere la casa che la famiglia...».

«Ettore!» lo redarguì e senza aggiungere altro uscì dal locale.

Appena in piazza prese il cellulare e chiamò Torino. «Prosperi? Sono Schiavone, Aosta».

«Dimmi tutto Schiavone. Novità?».

«Per ora abbiamo dato un nome a Felibro 50, uno dei tanti che parlano in rete, si tratta di Giovanni Grange».

«Bum! E come hai fatto?».

«Non ti sto a spiegare, ti faccio mandare una relazione. Però mi serve un aiuto».

«Se posso».

«Grange e Mirko Sensini non si conoscevano. Come l'ha contattato?».

«Stai pensando a Mameli?».

«Esatto. Ho i miei uomini che cercano sulle pagine che mi hai mandato, ma tu ne sai di più».

«Vuoi sapere se fra i due c'è stato qualche contatto? Ci mettiamo a lavorare. Quando ti posso chiamare?».

«Sempre, Prosperi», e chiuse il telefono. Non si accorse che alle sue spalle davanti alla profumeria di via Tillier c'era Sandra Buccellato che lo osservava. Non seppe mai che la giornalista fu sul punto di chiamarlo ma rinunciò e sparì per via Gramsci.

Nell'ufficio del questore, Costa e il magistrato lo aspettavano. Rocco raccontò gli sviluppi dell'indagine.

I due inquirenti ascoltarono in silenzio, Costa prendeva appunti, Baldi teneva le mani davanti alla bocca e muoveva le dita come se stesse suonando una tromba. «Una Mini che potrebbe essere fra quelle controllate dalle telecamere il giorno del rapimento di Mirko Sensini è di proprietà della signora Ciai, la moglie di Giovanni Grange» disse pensoso il questore.

«La casa sulla montagna, anche della signora Ciai?» chiese Baldi.

«Anche quella. Sto aspettando la risposta di una botanica che lavora con noi per avere la certezza su una foglia marcia trovata lì dentro. Ma è solo un pro forma perché sono certo si tratti di un'orchidea».

«E nei jeans del ragazzo Michela Gambino ha trovato...?».

«Orchidea Italica» rispose Rocco al suo superiore.

«Quindi lei è convinto che in quella catapecchia sia stato commesso l'omicidio di Mirko».

«Esatto, dottor Baldi. Anzi, dai messaggi che questi tizi si scambiavano in rete, io credo che la usassero, e spesso, per i loro festini. E dico spesso perché c'erano tracce di vasi di piante su una libreria, e se i vasi contenevano orchidee, quelle vanno innaffiate ogni tanto, curate, messe alla luce giusta».

«Mi viene da vomitare» ammise Costa.

«Dunque il 27 maggio, e all'epoca Grange è ancora a piede libero, l'auto di sua moglie girava dalle parti di Ivrea inquadrata dalle telecamere all'ora del rapimento Sensini». Il magistrato cercava di rimettere le idee in ordine. «Dalle vostre ricerche sulle chat nel deep web, avreste individuato proprio Grange, nome in codice...».

«Felibro 50» suggerì Rocco.

«Felibro era questo poeta Jean-Baptiste Cerlogne originario di Saint-Nicolas, no? Che Felibro 50 cita sempre nei suoi messaggi in codice ai compagni nelle chat in patois. Fin qui ci siamo?».

«Ci siamo».

«La casa è proprio tra i boschi sopra Saint-Nicolas, non lontana dal luogo di ritrovamento delle ossa, dove lei è entrato senza permesso e come al solito ha fatto di testa sua. Mi tocca ordinare un'ispezione della scientifica sul luogo...». Baldi redarguì Schiavone con un'occhiata, poi proseguì: «Che altro?».

«Io e il viceispettore Scipioni abbiamo anche trovato dei segnali sulla corteccia di parecchi alberi, come se qualcuno avesse voluto segnare la strada nel bosco per raggiungere con facilità il luogo di sepoltura».

«Cioè magari per orientarsi di notte?» chiese Costa.

«Proprio così».

«Cosa ci manca?» chiese Baldi.

«La certezza che l'auto della Ciai fosse quella che vagava per Ivrea, ho mandato i miei uomini a fotografarla, ora appartiene a un tizio di quelle parti, per confrontare almeno il colore. Il tizio l'ha comprata qualche giorno dopo l'arresto di Grange».

«Bene. Che altro?».

«Dobbiamo risalire ai movimenti di Grange quel 27 maggio, ma sono passati anni e sarà abbastanza complicato».

Un tuono rimbombò poco lontano facendo tremare i vetri delle finestre ma nessuno dei tre uomini reagì.

«Se dovessero esserci lacune...» disse Rocco a mezza voce.

«Comunque ci stiamo avvicinando a un colpevole, o no? Intendo... Grange possiamo considerarlo tale» concluse Costa.

Baldi storse la bocca. «Si smonta facile. La targa non è completa, che il delitto sia avvenuto in quella baracca è una nostra supposizione».

«Mica tanto» intervenne Costa, «se quelle piante corrispondono alla foglia ritrovata nei pantaloni del ragazzo è un buon elemento. E poi aggiungerei la vicinanza del luogo del ritrovamento alla catapecchia».

«Un buon avvocato li spazzerebbe via tutti questi elementi».

«E che cosa vuole dottor Baldi? Una confessione firmata?».

«Ecco Costa, quella sarebbe una svolta!».

«C'è un dettaglio che non mi torna, per questo tengo basso l'entusiasmo». Il questore e il magistrato guardarono Rocco. «Come è entrato in contatto Grange con Mirko Sensini? E i due dovevano conoscersi perché Mirko all'uscita della scuola lo stava aspettando».

«Lei ha un'idea di come arrivarci?».

«Forse una traccia, flebile ma ce l'ho» rispose Rocco. «C'è un tizio, Goffredo Mameli, quello su cui le ho chiesto una indagine patrimoniale qualche ora fa, che a Ivrea se ne va in giro a fotografare ragazzini. E spesso stava davanti a quella scuola. Ora è sotto controllo, ma in passato forse può essere stato lui a creare il contatto con Grange. È un ponte, come l'ha definito Prosperi, il sostituto di Torino. Passa in rete le foto dei minori appetibili. Se trovo le tracce mettiamo dentro pure lui, e ce lo togliamo di mezzo».

«Mi sembra una bella pista, Schiavone. L'indagine patrimoniale per vedere se il tizio incassa soldi per le sue prestazioni?».

«Esatto, dottor Baldi. E poi vorrei più dettagli sul secondo arresto di Grange, quello del 2008».

«Venga domattina in tribunale e diamo un'occhiata» disse Baldi.

«Insomma siamo vicini ma non l'abbiamo ancora preso» concluse Costa. «Buon lavoro, Schiavone».

Nel pomeriggio D'Intino e Deruta tornarono da Ivrea. «Dotto', tenemo sul cellulare tutte le fotografie della macchina! Cominciamo a dire che è verde chiaro».

«Bene. Poi?».

«Abbiamo controllato facendo il confronto con quella che si vede sulle telecamere».

«Bravo Deruta, la vostra è un'inaspettata iniziativa. E che avete scoperto?».

«Può essere lei. Però c'è un dettaglio che aiuta. Gli stop».

«Spiegati meglio».

Michele Deruta si sedette. «Quando frena a quell'auto si accendono gli stop e appare una bandiera inglese, ha presente la croce rossa sul fondo blu...».

«La Union Jack, sì».

«Ecco. Pure la macchina di Filippo Roversi ha gli stop con la bandiera inglese, e non li ha messi lui, l'ha comprata già così».

«Benissimo agenti, benissimo. Abbiamo un elemento in più».

«Lo arrestiamo?» fece impaziente D'Intino.

«A chi?».

«A Filippo Roversi!».

«D'Inti', Filippo Roversi non c'entra un cazzo, la macchina l'ha comprata dopo. Se non sai le cose, taci! Avete idea di dove siano Scipioni e Casella?».

«Mi hanno chiamato. Stanno da Carlo a controllare i nomi».

«Da Carlo? Ma perché, non potevano restare in ufficio?».

«Dice che da Carlo fanno prima».

«Dottore?» disse Deruta a bassa voce. «Ma è vero che sono nati?».

«T'ha chiamato Federico? Sì, due femmine e un maschio!».

L'agente batté le mani.

«Federico sta andando a vederli. Se vuoi vai pure tu, tanto le chiavi sono sotto lo zerbino».

«Posso pure io?» chiese D'Intino.

«No D'Intino. Saperti a casa senza la mia presenza mi inquieta».

«Non si preoccupi dottore, lo tengo io sotto controllo» propose Deruta.

«E secondo te la notizia mi dovrebbe tranquillizzare? Va bene D'Inti', vai, fa' una cazzata nel mio appartamento e stavolta finisci sulla Maiella».

«Magari, così torno a casa», e i due poliziotti uscirono dalla stanza. Rimasto solo, Rocco prese il cellulare e compose un numero.

«Avvocato Biserni?».

«Sì?».

«Sono Schiavone».

«Dottor Schiavone, di che si tratta?».

«Le devo parlare. Vorrei che lei si occupasse di un mio uomo, o forse dovrei dire ex. Si chiama Italo Pierron...».

«L'ascolto».

Poco meno di un'ora per arrivare a via delle Miniere a Ivrea, non lontana dalla stazione ferroviaria. C'era odore di ferro nell'aria, forse il vento portava i miasmi di qualche fabbrica fino in città. Suonò al citofono, la voce di Roberto Sensini gracchiò. «Sì?».

«Sono Rocco Schiavone».

«Ah sì, è arrivato presto, scendo», e chiuse rapido la comunicazione. Rocco rimase in strada, si accese una sigaretta, poco dopo vide Sensini avvicinarsi al portone mentre si infilava una giacca a vento. «Buonasera dottor Schiavone» disse aprendo la porta a vetri.

«Buonasera. La disturbo? Spero di no».

«No, ho già cenato, mi scusi non la faccio salire ma c'è Amalia. Ho preferito farla stare un po' da me, meno vede la stanza di Mirko e meglio è».

«Capisco. Be', che facciamo?».

«Due passi, là dietro c'è un bel bar, ci prendiamo qualcosa. Lei ha cenato?».

«A quest'ora? Sono di Roma, signor Sensini, alle sette neanche abbiamo messo l'acqua a bollire».

I due uomini si incamminarono verso il bar. «Cos'è 'st'odore?» chiese Rocco.

«Non lo so. Sembra ruggine, vero?».

«Esatto».

«Mai sentito prima. Sarà il vento. Non li sopporto i cattivi odori, lo sa?».

«Neanche io. Sia fisici che... spirituali».

«Cosa intende?».

«Quando ho a che fare con gente che non mi piace, anche allora sento brutti odori, mi danno il voltastomaco».

Sensini lo guardò stranito. «Ma... si riferisce a me?».

«Ma quando mai! Parlo in generale. È quello il bar?».

Era semivuoto, presero posto a un tavolo vicino a un vecchio juke-box che era lì solo per fare scena. Rocco ci buttò lo stesso un'occhiata. Canzoni italiane degli anni Settanta. «Cosa prendete?» chiese una ragazza che indossava un grembiule con il logo di una birra tedesca che le copriva parte della maglietta e dei jeans. «Io un amaro... uno qualunque basta che non sia caldo».

«Bene. Lei?».

«Io un caffè lungo, basta che sia buono» disse Rocco. La ragazza restò a guardarlo per un paio di secondi poi tornò al banco. «Se ci sputa dentro capirò» disse Rocco alzando le spalle. «Ora, Sensini, lei si chiederà perché sono qui».

«Sì, e spero di poterla aiutare».

«Bene. Le chiedo di tornare indietro nel tempo, quando lei aveva l'armeria».

«Sì, certo. Mi dica».

«Quando l'aveva aperta?».

«Era ancora il secolo scorso. Mi pare il '98».

La ragazza con la coda depositò la consumazione sul tavolino. «Un amaro freddo e un caffè spero buono», e senza aggiungere altro si girò e tornò alla cassa. «In tutti questi anni, ha mai avuto un cliente che si chiama Giovanni Grange?».

Roberto fece una smorfia e posò gli occhi sul tavolino. «Giovanni Grange...» ripeté un paio di volte giocherellando con un sottobicchiere di cartone. «No, non mi dice niente. Chi è?».

«Un sospettato. Un tizio di Aosta che sta scontando la pena a Milano».

«E nel 2008 era a piede libero?».

«Sì. Almeno fino ai primi di giugno di quell'anno».

«Capisco» disse Roberto Sensini. «Posso sapere perché sospettate di lui?».

«Ci sono molti dettagli che ci conducono da quelle parti» rispose Schiavone. Il caffè era una ciofeca imbevibile. «E credo anche che siamo riusciti a trovare il luogo dove è avvenuto il delitto».

Roberto spalancò la bocca. «Il luogo? E dove? Dove!». Impaziente lasciò cadere il sottobicchiere.

«In una baracca in mezzo ai boschi. Al novanta per cento è successo là».

L'uomo si portò le mani davanti alla bocca. Scosse la testa, poi prese un sorso di amaro. «Terribile...» disse a bassa voce. «Non so, non vorrei dirlo ad Amalia».

«Scelta sua. Però si spremga le meningi, per favore. Vada a ricontrollare i vecchi registri se li ha ancora, fornitori, debitori, anche facchini, qualunque persona abbia potuto incontrare negli anni in cui aveva il negozio. Se trovassimo il nome di Giovanni Grange per me sarebbe un ottimo risultato».

«Ma non capisco il motivo».

«Perché l'omicida deve aver conosciuto Mirko e io ho bisogno di capire se quell'uomo è mai venuto in contatto con lei oppure con sua sorella».

«Lei dice che Mirko e... l'assassino si conoscevano?».

«Sì. Dunque sto cercando, ma sono passati anni, è tutto nebuloso, polveroso, difficile. L'altra pista è Goffredo Mameli. Conosce?».

Sensini sgranò gli occhi. «Quello dell'inno?».

«No» lo liquidò Rocco con un sorriso, «è un tizio che abita a Ivrea, a via della Circonvallazione. Se ne va in giro a scattare foto ai bambini e poi le mette in rete».

«Che schifo», sembrava che Roberto stesse per sputare sul parquet del bar. «No, mai sentito. Ma se vuole posso controllare anche lui, fosse mai venuto nel mio negozio».

«Male non fa». Rocco allontanò la tazza.

«Non lo beve?».

«È inaffrontabile».

«Mi do da fare, glielo prometto. E se trovo qualcosa la chiamerò subito».

«Ci conto. Come si chiamava il suo negozio?».

«Atlas House».

«Atlas House? Che vuol dire?».

«Era il nome del negozio dei genitori di Herbert George Wells, il mio scrittore preferito. Si chiamava così perché in vetrina c'era una lampada con Atlante che portava sulle spalle il globo terrestre».

«Sì, mi è familiare. Atlante, intendo…».

«Lei conosce i libri dell'autore?».

«Poco o niente».

«*La guerra dei mondi*, *L'uomo invisibile*, *L'isola del dottor Moreau*, le consiglio di leggerli. Mirko li amava. Fantascienza. Wells aveva predetto molte meraviglie che sarebbero arrivate di lì a qualche anno. Gli aerei, la televisione satellitare e anche il web. Se pensa che era nato nel 1866!».

Quando Rocco bussò al cancello del villino di Domitilla Ciai, nuvole scure si erano appropriate del cielo e la temperatura era scesa di parecchi gradi. Vide accendersi la luce dell'ingresso, poi la voce della donna al citofono. «Sì?».

«Vicequestore Schiavone».

Il cancelletto si aprì e il poliziotto entrò nel giardino. Pochi passi e raggiunse la porta d'ingresso dove la donna lo attendeva. «Ancora? Siete venuti due volte in casa mia, mi avete chiamato in questura, che altro volete ora?».

«Entrare perché fa un cazzo di freddo» disse Rocco e quasi scansò la padrona di casa. Una volta dentro si slacciò il loden e guardò sorridente Domitilla Ciai. «Come vanno le cose? Lo sa che sul computer di suo marito, quello nascosto, abbiamo trovato un sacco di materiale interessante?».

«Ma allora c'entra la CIA?» chiese. Rocco restò in silenzio. «È vero che la casa è una trappola elettromagnetica, domani verranno i tecnici a cambiare l'antenna. Per il rivestimento in quarzo purtroppo non posso fare niente. Costerebbe troppo ritinteggiare l'esterno».

«Ma che cazzo sta dicendo?».

«Mi attengo ai suggerimenti della sua collega».

Rocco ricordò di aver lasciato la donna nelle mani di Michela Gambino per più di un'ora. «Sì... sì, giusto, la CIA... be', ma sono venuto per un altro motivo».

Per tutta risposta la donna alzò le spalle.

«Parliamo di una Mini, una macchina, che lei ha venduto a Filippo Roversi».

«Filippo Roversi? Non ricordo».

«L'auto però immagino di sì».

«Ah, sì, quella!», e abbassò le labbra in maniera sprezzante. «Era di mio marito, che ci facevo?».

«Non lo so, me lo dica».

«Guardi, quell'auto è sempre stata ferma. Infatti dopo tre anni aveva fatto solo cinquemila chilometri, praticamente nuova. Quel tizio di cui non ricordo il nome...».

«Roversi?».

«Esatto, fece un affare. Un'auto seminuova in perfette condizioni, per poco più di quattromila euro. Ne valeva almeno il doppio».

«Perché l'avevate se non la usavate?».

«Perché fu una sciocchezza. È un modello col motore veloce, né io né mio marito amiamo la guida sportiva. E poi a Giovanni era scaduta la patente e non la rinnovò più. Aveva smesso di guidare».

«Da quando?».

«Mi pare dal 2005, ora con precisione non ricordo. Aspetti!» disse e sparì in salone. Rocco sentì armeggiare, aprire cassetti, sportelli, poi il passo rapido di Domitilla che tornava all'ingresso. Aveva in mano una patente di guida, il vecchio tipo ancora di carta. «Ecco qui. La patente era scaduta il... 22 aprile del 2005», e consegnò il documento a Rocco che prima lo lesse e poi lo intascò. «Quindi la seconda auto era inutile?».

«Infatti, la tenevamo sempre parcheggiata, bastava la mia».

«Dove? Avete un garage?».

«Macché. Su, davanti al piazzale della chiesa, trecento metri da qui».

«Lei mi sta dicendo, signora Ciai» disse Rocco paziente, «che quella macchina voi la usavate poco o niente?».

«Poco o niente. Guardi, la prestai a mio nipote che la tenne a Torino per un po', poi ce la riportò».

«Quando?».

«Oh, dunque, l'anno della laurea di Giangiacomo, quindi... 2007. Sì, 2007. La rimettemmo sul piazzale della chiesa. Dopo l'incidente a Giovanni...».

«Incidente? Quale incidente?» chiese spiazzato Rocco.

«L'arresto».

«Ah, e mica è un incidente» fece il vicequestore a mezza bocca.

«Insomma dopo che Giovanni andò a Milano...».

«Signora, si vergogna a dire la verità? Dopo che mio marito fu arrestato? Bene, vada avanti».

«Sì, appunto, io decisi di venderla. Tutto qui. Perché è così interessato a quell'auto?».

«Domandare è lecito, rispondere è cortesia», e rimase in silenzio. «Buona serata, signora». Rocco aprì la porta di casa. Domitilla Ciai richiuse veloce l'uscio alle spalle del poliziotto e spense la luce dell'ingresso.

Schiavone rientrò in auto per tornare a casa. Erano le dieci passate e il freddo gli era penetrato sotto i vestiti. Si può girare anche con la patente scaduta, pensò. Ma se Grange continuava a essere al centro dei suoi pensieri, c'era un particolare che non faceva chiudere il quadro: il ponte. Chi aveva messo in contatto Grange con il piccolo? Sperava fosse quel Goffredo Mameli, altrimenti tutto si sarebbe rivelato un castello di sabbia, un'onda, e non sarebbe rimasto più nulla.

Antonio, Casella e Carlo erano seduti davanti al computer. Sui monitor sfilavano cifre incomprensibili, i due poliziotti sentivano le palpebre calare. «Andatevi a fare un caffè, sto io qui» fece Carlo.

«Anche perché io non ci capisco niente» fece Antonio indicando i monitor. «Cosa sono 'ste... che sono? Espressioni matematiche?».

«No» rispose Carlo, «sono gli indirizzi che rimbalzano. Sto seguendo le tracce del terzetto. Ci metterà un po' di tempo...».

«Allora io vado in cucina» disse Casella alzandosi. Antonio lo seguì.

«Faccio la macchinetta da quattro?».

«Sì, bello abbondante» rispose Antonio. Mentre Ugo versava l'acqua nella moka, Antonio si sedette al tavolo. «Ugo, stavo pensando...».

«A che?».

«A Italo. Non possiamo stare in silenzio».

«No, ci pensavo anche io», e versò tre cucchiaini di polvere nel filtro. «Mi sento un verme» aggiunse.

«Se non possiamo presentarci in caserma, almeno una lettera? Un biglietto?».

«È un'idea...». Avvitò la macchinetta. Antonio prese un foglio da un bloc notes poggiato sulla credenza, la penna sul tavolo e si preparò a scrivere. «Ecco... sono pronto».

Casella intanto aveva acceso il fuoco. «Bene... allora... caro Italo».

«Caro Italo...» ripeté Antonio scrivendo. Poi alzò gli occhi sul collega che guardava fisso la fiamma del gas. «Oh! Allora?».

«Anto' io non sono bravo a scrivere lettere e bigliettini».

«Manco io. Proviamo così: che cazzo hai fatto?».

«Troppo aggressivo» obiettò Ugo.

«Hai ragione. Allora, caro Italo, ci dispiace, però pure tu...».

«Pure tu... sì insomma potevi stare attento...».

«... potevi stare attento...», Antonio finì di scrivere. «Eccheccazzo!».

«Sì, giusto, eccheccazzo! Scrivilo».

«Fatto. Mo' saranno dolori, Italo».

«Vabbè Anto', questo già lo sa...».

«Allora metterei... Vuoi che ti portiamo qualcosa di buono?».

«Ecco, sì, mi sembra giusto. Anzi scrivi: vuoi che Deruta ti porti un po' di paste dal forno?».

Entrò Eugenia. Guardò i due colleghi. Aveva l'aria stanca. «Che fate?».

«Scriviamo una lettera a Italo» rispose Ugo.

«Poverino...».

«Senti Eugenia, ci aiuti?».

«Leggimi quello che avete scritto finora».

Antonio alzò la lettera. «Caro Italo, ci dispiace, però pure tu potevi stare attento, eccheccazzo! Vuoi che Deruta ti porti un po' di paste dal forno?», poi guardò Eugenia.

«Fa schifo».

«Vero?».

«Ricominciamo daccapo».

Antonio appallottolò il foglio. Eugenia alzò appena il viso in cerca di ispirazione mentre il caffè gorgogliava. «Allora. Caro Italo. Ci dispiace per come siano andate le cose».

«Ci dispiace...».

«Purtroppo non possiamo venirti a trovare, in questura ce l'hanno vietato».

«... non possiamo venirti a trovare...», Antonio scriveva rapido sforzandosi di fare i caratteri tondi e intellegibili. Casella spense la fiamma sotto la moka.

«Però anche tu!» disse Eugenia allargando le braccia. Ugo la guardò stranito. «Che vuol dire Euge'?».

«Pure tu, Italo, potevi stare più attento!».

«Ma questo l'avevamo già scritto noi e avevi detto che faceva schifo».

«Ha ragione» disse Casella mentre cercava le tazzine.

«Allora devo sapere che gli volete comunicare».

«Che ci dispiace, che gli siamo vicini, che faremo il possibile per tirarlo fuori di lì, di non mollare e che lui per noi resterà sempre un amico».

«Bene Anto', scrivi quello che hai appena detto» propose eccitato Casella mentre versava il liquido fumante.

«Pari pari?».

«Esatto!».

Antonio si mise all'opera.

«Magari aggiungi pure che ci mancherà, e che noi lo difenderemo davanti a tutti».

«Sì, scrivo pure questo».

«E che era il migliore di noi».

Antonio posò la penna. «Non è vero!» si oppose. «Questa è una cazzata!».

«Sì, ma gli farà piacere», e Ugo allungò la tazzina al viceispettore.

«Sai cosa gli farà piacere? Che gli diciamo: hai fatto bene! Non eri adatto a questo mestiere, abbi pazienza e poi ricomincerai daccapo, sei giovane, un futuro bellissimo ti aspetta appena questa storia finirà».

«Sì, bello» concordò Casella.

«Ditegli anche» si intromise Eugenia, «che appena le acque si calmeranno, lo andrete a trovare. Lui sta lì, da solo, sarà felice di vedere gli amici di persona, che non l'hanno abbandonato. Quando ho partorito Carlo ero sola anch'io, lo stronzo non venne neanche a riprendermi all'ospedale. E sapete? Venne Paoletta, la mia amica del cuore. E valeva cento mariti, valeva. Ce l'avevo lì, in carne e ossa, potevo guardarla negli occhi e stringerle la mano. Questo è importante».

«Sì» disse Antonio convinto. «Appena si calmano le acque lo andiamo a trovare».

«Secondo me...», Carlo era entrato in cucina, poggiato allo stipite della porta a braccia conserte osservava i tre adulti alle prese con il messaggio. «Dovreste agire in un altro modo».

«E sarebbe?».

Il ragazzo andò alla credenza, la aprì, tirò fuori una bottiglia di Barbera. La mise sotto l'acqua calda, gli altri lo osservavano attenti. Lento staccò l'etichetta. «Ecco fatto. Torno subito» e sparì dalla cucina.

«Ma che fa?» chiese Antonio.

«Boh» gli rispose Casella. Eugenia scosse il capo. Sentivano solo il rumore del fon.

Attesero un paio di minuti, poi il ragazzo rientrò. Mise l'etichetta del vino asciutta davanti ad Antonio. La girò. «Scrivi sul retro, Antonio» gli ordinò.

«Cosa scrivo?».

«Questa è l'etichetta. La bottiglia ti aspetta appena torni da noi. Firmato Antonio, Ugo, Domenico e Michele».

Antonio sorrise e guardò Eugenia. «È bello...».

«Sì... forte» fece Casella.

«Ora se non vi dispiace, bevete 'sto caffè e torniamo di là, ci aspetta un lavoro lungo», e lasciò la stanza. Ugo guardò Eugenia. «È proprio figlio a te!».

I cuccioli e Lupa dormivano sulla coperta, la casa era pulita. Trovò sul tavolo una bottiglia di vino rosso infiocchettata, un biglietto lo informò che il regalo arrivava da Zanna Bianca. Dietro il biglietto un appunto: «Noi prenderemmo una femminuccia, decida quale». «L'altra!» disse Rocco, dal momento che una era già promessa a Ettore. Deruta e Federico avevano riordinato la casa, pulito i cuccioli e il pavimento, c'era un odore di detersivo e borotalco. «I suoceri so' brave persone» mormorò aprendo la bottiglia di vino. Solo allora vide sul divano un pacco avvolto nella carta legato con uno spago. Si alzò e andò ad aprirlo. C'era il quadro che aveva acquistato da Deruta. Lo girò verso Lupa che aveva aperto un occhio. «Ti piace?». La cagnolina lo richiuse. «Manco a me. Brave persone 'sti suoceri, però...», lo poggiò sul tavolino, avrebbe deciso in un secondo momento dove appenderlo, anche se il bagno gli sembrava il luogo più opportuno. Il cellulare si illuminò e vibrò. Lesse il messaggio. «Chiamami», era Brizio.

«Dormivi?».

«No» rispose l'amico. «Sono solo a casa, Stella è a una cena con le amiche del girotonic».

«Che immagino non è una roba da bere».

«No, quello è il gin tonic».

«Dimmi tutto Bri'».

Brizio si allungò sul divano e abbassò il volume della televisione, stava guardando distrattamente una partita del campionato tedesco. «Ho visto Furio».

«E?».

«Ci ho messo un po' a decidermi. Poi t'ho chiamato. È partito per Buenos Aires».

Rocco s'infilò una sigaretta in bocca. «Non ci credo».

«È così. Dice che ha scoperto che Seba sta lì».

«Spiegami come ha fatto».

«La cosa più facile. Ha chiamato la banca del Lussemburgo dove Seba aveva il conto e s'è finto Seba. Pare gli abbia detto: com'è che non mi sono arrivati i soldi? Ho mandato le coordinate della mia banca Santander a Rio! E l'impiegato gli ha risposto: signore, veramente qui leggo che lei ha ordinato il versamento dell'intera somma al Banco de la Provincia de Buenos Aires... capito? Tutto qui».

Rocco si accese la sigaretta.

«Che stai a pensa' Rocco?».

«Che Furio aveva promesso che se faceva i cazzi suoi».

«Lo so. È quello che gli ho detto pure io. Ma dico, io e te, che facciamo?».

«Niente Bri'... vuoi andare anche tu a Buenos Aires? In Argentina, dove si sono nascosti i nazisti e non l'hanno trovati, vuoi rintracciare un uomo solo pieno di soldi che, detto fra me e te, da mo' che ha lasciato il paese».

«Non ci penso proprio... però sto preoccupato per Furio».

«Pure io. Conosce qualcuno laggiù?».

«E sì. Ha uno zio».

Rocco sospirò e spense la cicca nel posacenere. «Fammici dormire sopra, io adesso non so che dire».

«Vabbè... buonanotte Rocco».

Domenica

Rocco riuscì a dormire a singhiozzo. I cuccioli piangevano e squittivano in continuazione, verso le tre si trasferì sul divano per stare più vicino a Lupa. No, pensava fra il sonno e la veglia, un figlio non l'avrei potuto avere. Distrutto si alzò all'alba, diede da mangiare a Lupa, pulì la pipì e la cacca dal pavimento del salone, alle sette uscì di casa. Nel cuore della notte era arrivato un messaggio di Gabriele che voleva venire ad Aosta a conoscere i cuccioli di Lupa. Non gli parlava più delle sue giornate, le amicizie e gli innamoramenti. Forse il ragazzo s'era stancato di intrattenere una relazione con un vecchio come lui, o magari gli nascondeva qualcosa. Decise di chiamare la madre, in giornata, e chiederlo a lei. Solo davanti al caffè di Ettore gli venne in mente Italo e gli si strinse lo stomaco. «Pensieri?» gli domandò Ettore col sorriso sulle labbra.

«Sì. Ho un ex amico nei guai e non posso fare niente».

Ettore sospirò. Poi con un gesto garbato depositò un piccolo muffin al cioccolato davanti a Rocco. «È poco, ma magari aiuta. Offre sempre la casa», e si diresse verso due clienti. Rocco lo addentò. Era caldo e fragrante. «Dove li prendi?» gli chiese.

«Li fa un panificio qui dietro...».

«Federico?».

«Esatto! È il numero uno. Conosce?».

«Sì... siamo quasi parenti».

«Ma se è mezzo tedesco!».

«Per via canina...». Rocco prese il cellulare per chiamare Baldi. Al terzo squillo rispose la voce ansimante del magistrato. «Mi dica... Schiavone...».

«Quanti chilometri oggi?».

«Ah Schiavone, oggi corro poco... mantenimento... ho novità... alle otto... davanti all'ufficio... l'aspetto».

Se la prese comoda. Preferì leggere il giornale seduto al tavolo della sala da tè, organizzare al telefono con la donna delle pulizie la sistemazione dei neonati, solo dopo il terzo caffè e il secondo muffin al cioccolato si incamminò verso il tribunale. Fortuna volle che chissà da quanto tempo in tasca teneva una canna. Se l'accese e a passo ponderato raggiunse il tribunale respirando a pieni polmoni e osservando il cielo sgombro di nuvole. Arrivò davanti al palazzo nel momento stesso in cui Baldi parcheggiava l'auto. L'aspettò e passeggiarono nei giardini. «Intanto le anticipo che i conti di quel Goffredo Mameli sono a posto. Percepisce due pensioni di invalidità, la sua e quella del padre. Altro non c'è. Se fa quelle porcate le fa solo per gusto suo o divertimento».

«Era un tentativo, dovevo provare» disse Rocco sconfitto.

«Dov'è Lupa?» gli chiese il magistrato sedendosi su una panchina.

«A casa, ha appena partorito. Ne ha fatti tre».

«Tre? Non sono pochi?».

«Ne voleva uno? M'è rimasto il maschio».

«Sono più da gatti, io».

«Ne ha?».

«No. Sarei anche uno da casa in Grecia, ma non ho neanche quella». Tirò fuori dal giubbotto delle carte piegate in quattro. «Invece per quanto riguarda Grange...», lesse sui fogli stropicciati. «Allora, l'accusa era truffa, riciclaggio e associazione a delinquere», alzò lo sguardo sul vicequestore che era rimasto in piedi. «Mi ricorda il nostro ex agente».

«Pierron giocava a carte, Grange invece?».

Il magistrato tornò a consultare i suoi appunti. «Insieme a due soci aveva aperto sei negozi di souvenir fasulli a Venezia coi quali batteva scontrini a vuoto, ovviamente lavorava per la camorra, e non contento di questo la merce, sa quelle quattro cacate che vendono in quei bugigattoli? I souvenir...».

«Sì, ho presente».

«Ecco, spesso era rubata...», alzò gli occhi su Rocco. «Si fa un bel po' di anni».

«Io ci devo parlare».

«Ha delle novità?».

«Ancora no. Ma tutte le strade portano da quelle parti. Dobbiamo andare a Milano?».

«Certo Schiavone, nel pomeriggio?».

«Di domenica?».

«Di domenica... non si preoccupi».

Quando Rocco bussò alla porta di Eugenia Artaz erano appena passate le nove. «Vuole un caffè?» propose Eugenia. Rocco rifiutò. «Sono stati alzati tutta la notte» fece la donna aprendo la porta della stanza del figlio. Rocco trovò Antonio, Casella e Carlo ancora al lavoro. «Buongiorno dottore» disse Carlo con lo sguardo sul monitor. Occhiaie, pallido e l'aria stremata.

«Siamo a pezzi» fece Antonio. «E non ci sono buone notizie. Non abbiamo neanche un contatto fra Felibro 50 e un possibile nomignolo di Goffredo Mameli».

«Ho anche telefonato a Torino un'ora fa, a Prosperi» si inserì Casella, «per vedere se conoscevano altri nickname del tizio, ma non ne avevano».

«Mi dispiace» fece Antonio allargando le braccia.

«Dispiace a me avervi dato 'sto lavoro enorme di sabato sera».

«Forza, venite a fare colazione. Dottore, anche lei, per favore...».

«Ma l'ho già fatta al bar, mi sono mangiato due muffin al cioccolato» protestò Rocco.

«Almeno un caffè!».

Si sedettero al tavolo della cucina apparecchiato come fosse un pranzo natalizio. Succhi, brioche, caraffe di caffè e di latte, uova e fiori. «Ma sempre così qui?» chiese Antonio. Casella annuì mentre masticava una ciambella. «Meglio di un albergo!».

«Lo so» fece Eugenia, «il patto è che io preparo e Carlo lava e mette a posto».

«Equo» commentò Rocco sorseggiando il caffè, superiore a quello di Ettore.

«E avete qualcosa da dirmi sui compagnucci di Felibro 50?».

«Cerbiatto e Wedderburn?» disse Carlo mentre si puliva i baffi di latte. «È un mare magnum».

«Cerbiatto è l'animale, e ho pensato al bosco dov'era la casetta, Rocco» fece Antonio, «ma altro non mi viene in mente».

«Cerbiatto è una marca di cornetti, che però fanno a Roma» disse Rocco.

«A me è venuto in mente pure Walt Disney... Bambi, per capirci...» fece Casella a bocca piena sputando molliche.

«Interessante. E a cosa avete pensato?» chiese Rocco.

«Al coniglio Tamburino, al nemico di Bambi, Ronno, oppure il padre».

«La madre» disse Eugenia. «Che quando muore ancora oggi piango».

«Già. Addirittura abbiamo pensato all'autore del libro dal quale è tratto il cartone, un austriaco, come si chiama Carlo?».

«Si chiamava Felix Salten. Abbiamo spulciato la sua vita ma non è uscito niente. Insomma possiamo parlare per ore e forse non arriviamo a una soluzione».

«E poi c'è Wedderburn. Anche lì nero totale». Antonio posò il bicchiere con la spremuta d'arancia. «Cioè Joseph Wedderburn era un matematico importantissimo, giusto Carlo? Questo è più il suo campo».

«Sì. Soprattutto in algebra lui è stato fondamentale per la teoria degli anelli e delle matrici» disse il ragazzo.

«Non ci capisco una mazza» fece Rocco.

«Manco noi» si unì Antonio.

«Gli anelli sono strutture algebriche che hanno operazioni di somma e prodotto proprio come i numeri primi».

«Ecco, mo' ho capito».

Carlo scoppiò a ridere insieme alla madre. «Lo so, è un po' complesso. Dovrei parlarvi di gruppi abeliani, proprietà distributiva, ma a quest'ora e dopo due ore scarse di sonno...».

«Carlo, tu puoi parlarcene anche per una settimana, il risultato non cambierebbe».

«E insomma c'è da riflettere. Se dietro uno di questi nomi si possa nascondere un complice se non uno degli assassini...», Antonio si pulì le mani, «... perché chi ci dice che l'assassino è una sola persona?».

«Nessuno, purtroppo. Meglio, l'atto l'ha compiuto uno solo, magari davanti a più persone».

«Mi vengono i brividi» disse Eugenia. «Scusate», e si alzò, «anch'io devo lavorare. Carlo, fai tu?».

«Sì mamma».

«A stasera», la donna stampò un bacio sulla guancia di Ugo che arrossì davanti ai colleghi e uscì di casa.

«Mi chiedo se te la meriti» fece Rocco.

«Io dico di no» sentenziò Antonio.

«Ma andate a...», e Casella si bloccò. «Insomma, dove sapete!».

«Siamo davanti a una marea di supposizioni. Può essere tutto e il contrario di tutto. Nessuno di questi nomi, per esempio, ha a che fare con le orchidee?».

Alla domanda di Rocco gli agenti e Carlo si guardarono.

«No, non direi» rispose Antonio. «Purtroppo l'unico che ha a che fare con l'infanzia è Bambi. Un ragazzo che perde la madre e poi diventa il re della foresta».

«Sì, il matematico non suggerisce niente».

«Può essere una persona importante?».

«Non lo so, Ugo, non capisco perché Cerbiatto e non Bambi».

«Già», l'agente diede ragione al superiore. «Cerbiatto è un capriolo, no?».

«No, è un cervo» lo corresse Schiavone, «vive in Europa, in Africa e in Asia. Ce ne sono tantissime sottospecie. È grosso, veloce, non è una preda facile, anzi».

«Ecco, questo è già un inizio. Che altro sappiamo?».

«Che non è a rischio estinzione».

«Ragioniamo su questi elementi. E vediamo dove ci portano». In quel momento l'inno alla gioia riempì la stanza. Rocco prese il cellulare dalla tasca. «Schiavone, dimmi Michela».

«Sei in ufficio?».

«No».

«Dove sei?».

«Miche', che vuoi?».

«Allora, Cleo ha individuato subito la foglia che m'hai portato. Una orchidea Italica».

«Bene».

«È quello che penso io?».

«Sì, credo che almeno sappiamo dove l'hanno ucciso. Sul chi siamo ancora lontani».

«Ecco perché devo andare con la squadra a setacciare la casetta».

«Sì. Sei in laboratorio?».

«No, sono a letto, se vuoi saperlo».

«Bisogna che ti dai una mossa...».

«Aspetta, ti passo Alberto...». Rocco sentì prima un tramestio, poi la voce dell'anatomopatologo. «Domani sera sei dei nostri?».

«In che senso?».

«Solita cena col mio amico enologo. La domanda stavolta è: quale vino si accoppia con taramosalata e galaktoboureko».

«Annamo sul greco!».

«E certo. Allora vieni?».

«Non posso, Albe', cioè non lo so. Sto inguaiato. Devo andare a Milano, chissà a che ora rientro e poi domani capace che è una giornata di merda come oggi».

«Pensaci. Ti rilassi. Porta chi vuoi. Domani sera alle otto. In bocca al lupo. Se ti serviamo siamo qui».

Da quando Alberto frequentava Michela, aveva aperto uno spiraglio al resto dell'umanità, era gentile e a volte affabile.

«Albe', ma avete dormito insieme?».

«Forse, però sai cosa, Rocco? Tendiamo a farci i cazzi...». Rocco chiuse la comunicazione ridacchiando. «Io mi muovo. Grazie a tutti. E, Carlo, grazie soprattutto a tua madre. Questo caffè era strepitoso. Ugo, Antonio, fatevi una doccia, ci vediamo in ufficio».

«Perché, puzziamo?».

«No Antonio, figurati...», e Rocco uscì di casa.

Baldi e Rocco attendevano seduti in una stanza che una volta era adibita a palestra. Le pareti erano verde chiaro, una striscia alta un metro dal pavimento invece era rosso scuro. C'erano sei finestre e otto tavoli con le sedie. Lontano un vociare e rumori di pentolame, mobili trascinati, fischi. Ristagnava un odore di minestrone e i vetri erano sporchi e appannati. Il soffitto ricoperto da pannelli di polistirolo era macchiato di spruzzi marrone scuro, umidità o muffa. I neon erano accesi, il più vicino all'ingresso crepitava. La porta in fondo, quella che conduceva ai bracci, era di ferro grigio e aveva una finestrella di vetro spesso, scuro. Rocco aveva già voglia di fumare ma quattro cartelli, uno per parete, lo vietavano categoricamente. Si sgranchì il collo. Baldi in silenzio leggeva dei fogli che aveva prelevato da una cartellina di pelle nera, si massaggiava il mento e ogni tanto passava la lingua sui denti. Poi il rumore della serratura attrasse i loro sguardi. La porta grigia si aprì e apparve Giovanni Grange seguito da una guardia carceraria. Giovanni Grange, un metro e settanta, portava occhiali con la montatura di metallo. I capelli bianchi, radi, ben schiacciati sulla fronte, lasciavano comunque molte zone alla nudità del cranio. Il naso grosso e la bocca piccola, senza labbra. La testa sembrava gliel'avessero avvitata direttamente sulle spalle dimenticandosi del collo. Camminava con le braccia lungo il corpo vestito con una tuta acetata nera e le ciabatte da piscina coi calzini. Sotto indossava una maglietta bianca sulla quale riluceva una catenina con un medaglione. Rocco si sforzò di cercare fra i tratti di quel volto qualche animale della sua enciclopedia, ma non gliene venne nessuno. Un viso anonimo su un corpo sgraziato. Grange sorrise e si sedette al tavolo, la guardia dopo un cenno del magistrato si ritirò vicino alla porta.

«Buongiorno» disse con una voce di gola.

«Io sono Baldi, questo è il vicequestore Schiavone».

«Giovanni Grange. A cosa debbo la vostra visita domenicale?».

«Lei pensa davvero sia un bravo poeta?» chiese Rocco all'improvviso spiazzando anche il magistrato.

«Chi?».

«Jean-Baptiste Cerlogne».

Il sorriso di Grange si spense. «Perché me lo chiede?».

«Lo cita spesso».

«Reminiscenze scolastiche, niente di più».

«Sappiamo che non è così, Grange». Rimase in silenzio a guardarlo.

«È venuto fin qui per una discussione letteraria?».

«Grange, non è nella posizione di fare lo spiritoso» lo redarguì Baldi. Grange alzò le mani in segno di scusa.

«Allora, signor Grange. Chi sono Cerbiatto e Wedderburn? Non mi dica che non sa di cosa sto parlando perché sta tutto sul suo computer che abbiamo spulciato fino in fondo».

Il detenuto alzò le spalle. «Non li conosco».

«Ma guarda un po'». Baldi proseguì: «Immagino che se io dovessi chiederle dov'era il 27 maggio del 2008 lei non lo ricorda».

Grange scoppiò a ridere. «Direi di no. Ricordo che di lì a una settimana mi hanno arrestato per un reato di cui io non...».

«Di cui lei non sa niente» terminò la frase il magistrato.

«No, dottor Baldi, no! Che ho commesso ma di cui non mi pento. Insomma, io dovevo campare».

«Quando ha conosciuto Goffredo Mameli? E non faccia battute sull'inno nazionale».

«Goffredo Mameli? Io non so chi sia, e mi creda, con un nome simile lo ricorderei».

«A me risulta che lei il 27 maggio 2008 verso l'una del pomeriggio si aggirava con la sua Mini a Ivrea, nei pressi della stazione».

Grange sembrò pensarci sul serio. «Io non credo. Non vado a Ivrea quasi mai. E poi non ho la patente da tempo. Perché avrei dovuto?».

«Per incontrare Mirko Sensini».

«E anche qui mi trova impreparato, dottor Baldi. Non so chi sia».

«Li legge i giornali?».

«Non più... sa, qui dentro il tempo è un concetto relativo».

«Telegiornale?».

«Solo il calcio».

Baldi prese una caramella dalla tasca, la scartò con molta calma e la mise in bocca. Rocco fece un sospiro. «Che palle...» disse a se stesso. «Grange, lui è un magistrato, io no. Lui fa le domande gentili, io no. Dentro una catapecchia che la scientifica ora sta setaccian-

do, lei coi suoi amichetti facevate porcate ai minori».
Grange provò a parlare ma Rocco lo bloccò con un gesto della mano. «Zitto. Non lo neghi, è così. In quella catapecchia è stato strangolato Mirko Sensini il 27 maggio del 2008. E allora io, noi, ci chiediamo chi sono gli altri compagnucci coi quali faceva 'sto schifo? I nomi in codice glieli abbiamo detti. Ora lei ci dice quelli di battesimo».

«Strangolato? Io non ho mai torto un capello a nessuno! Non capisco di cosa state parlando».

«Allora lei è un deficiente, perché sono stato abbastanza chiaro».

«Quale catapecchia?».

Intervenne Baldi. «Quella sopra Saint-Nicolas, strada verso Vens, appartiene a sua moglie ma la usava lei coi suoi amici».

«Ci crede che neanche ne conoscevo l'esistenza?».

«No» disse Baldi sorridendo.

«Mi accusate con quali prove?».

«Il computer, coglione. L'hai lasciato a casa senza cancellare il materiale» fece Rocco.

«Figuriamoci! Può averlo usato chiunque».

«Non credo. L'ultima sua azione su quel portatile è datata 1 giugno del 2008, il giorno prima del suo arresto. Nessun altro l'ha più toccato. In più la password per entrare è talmente complessa che solo chi la conosce personalmente ci poteva arrivare. Noi l'abbiamo scassinato, ma perché utilizziamo gente preparata per agire in quel modo. Altri avrebbero dovuto conoscerla».

«E quale sarebbe?» chiese Grange in tono di sfida.

Baldi succhiò la caramella, poi guardò il carcerato. «24-5-1980-Chabodey. Una data che non dice niente a nessuno, invece per lei è importante. È la morte di suo fratello Luca in un incidente stradale, a Chabodey, appunto».

Grange abbassò lo sguardo.

«Allora torno a ripetere, chi sono Cerbiatto e Wedderburn?».

Grange sembrava essersi addormentato. Stava con gli occhi chiusi e le braccia stese aderenti all'interno delle cosce. Baldi stava per riformulare la domanda, Rocco lo fermò toccandogli l'avambraccio. Attesero un minuto intero. L'uomo respirava con fatica. Poi si passò una mano sulla fronte. Quando alzò la testa gli occhi erano umidi. «Sono solo spacconate» disse. «Ci divertivamo a giocare a spie e agenti segreti, ci davamo appuntamenti, ci divertivamo come dei ragazzi, niente più di questo».

«Voi i ragazzi ve li scopate» ringhiò Rocco. «E ti assicuro che in quella catapecchia gli agenti della scientifica troveranno tanto di quel materiale da fermarti in questo posto per un'altra ventina d'anni».

«Tutto evitabile se ci dice chi sono Cerbiatto e Wedderburn» si inserì carezzevole il magistrato.

«Ho detto che non lo so...».

Baldi divenne rosso all'improvviso, come se si fosse schiacciato un dito nella cerniera della sedia. «Allora adesso io la rimando di là. Entro pochi giorni farò di tutto perché l'accusa di possesso di materiale pedopornografico e stupro su minori faccia il suo corso, glielo comunicheranno in cella e in carcere si verrà a sapere dopo pochi secondi, e mi creda non vorrei essere al posto suo».

«No! No, non va bene. Questa è una tortura. Io sono innocente e pulito, non farei mai del male a un bambino, figuriamoci! Per favore, non mi combinate una...». Baldi si alzò di scatto trascinando le gambe della sedia sul pavimento di marmo. Il frastuono rimbombò nella sala coprendo la voce di Grange. «Andiamo dottor Schiavone, altro qui non abbiamo». Rocco lo imitò. Grange era rimasto seduto. «Non potete farmi questo!».

«Sì che posso. Fra un'ora avrò la relazione della scientifica e la inchiodo!», il magistrato si voltò e si avviò verso l'uscita.

«Sei un coglione Grange» gli disse Rocco. «Ti stanno incastrando, qualcuno ti fa cadere addosso la colpa di un omicidio. E tu te la prendi senza battere ciglio».

«Io non ho ucciso nessuno».

«E allora dimmi chi cazzo sono quei due!».

«Non lo so!».

«Schiavone, la sto aspettando!» gridò Baldi dalla porta. Rocco guardò ancora per qualche secondo il detenuto, poi se ne andò. La guardia penitenziaria si avvicinò per riportare Grange al braccio.

«Perché è convinto che lo vogliono incastrare?» disse Baldi al volante dell'auto mentre cercavano di lasciare il traffico di Milano diretti ad Aosta.

«Non saremmo mai arrivati alla casa se l'omicida non avesse nascosto il corpo di Mirko Sensini in quel bosco. Se fosse stato Grange, l'avrebbe portato il più lontano possibile da lì. No, il bastardo ha lasciato un sacco di tracce per farci arrivare fin lì».

«Difficile da provare».

«Al primo autogrill si fermi, per favore. Devo prendere un caffè e fumarmi una sigaretta».

«Le faccio compagnia». Cominciò a piovere. Baldi diminuì la velocità, i tergicristalli spazzavano l'acqua dal parabrezza lasciando alla vista il manto stradale nero.

«Allora quando Grange ha abbassato lo sguardo si stava facendo due conti?» proseguì il magistrato.

«Ha pensato: se parlo, oltre all'accusa di stupro mi becco pure omicidio. Prove di stupri lì dentro non mi pare ne abbiamo, e lui lo sa, ed è convinto di passarla liscia. Resta la pedopornografia, quindi fra i due mali ha scelto il minore e la strada difensiva. Nega e negherà per sempre».

Un'insegna luminosa avvertiva che l'autogrill era a neanche un chilometro. Baldi inserì la freccia. «Preferisce difendersi da un'accusa di stupro...».

«È così, dottore. Ma senza testimoni o denunce è dura».

«Schiavone, e se Mirko non fosse il primo?».

«Non ci voglio pensare».

L'auto si immise nella rampa d'accesso della stazione di rifornimento. Il magistrato parcheggiò poco distante dall'ingresso del bar. «Io l'accusa gliela monto lo stesso».

«Certo, dottor Baldi, non l'avrei messo in dubbio. Lo sa cosa può succedere dentro se non lo isolano?».

«Una volta a Rebibbia, tanti anni fa, a un tizio che stuprava ragazzine i colleghi di cella gli tirarono fuori l'uccello e attesero la chiusura automatica delle grate per schiacciarlo».

Rocco fece una smorfia e si toccò i testicoli.

«Infatti. Dolorosissimo».

«Direi». Baldi spense il motore. Le gocce d'acqua tamburellavano il tettuccio dell'auto e si schiantavano sul parabrezza. «Più ci penso più mi convince. Solo che dobbiamo cercare e trovare chi è che sta gettando la colpa dell'omicidio su Grange. Prendere l'acqua non mi va, fumiamocela in auto».

Rocco tirò fuori il pacchetto e offrì al magistrato. Poi accese le due sigarette. Aprirono un filo di finestrino. «Chiunque sia, l'ha preparata».

«Non ha agito d'impulso?».

«No. Sapeva a cosa stesse andando incontro e l'ha fatto nel territorio di Grange. Per pulirsi il più possibile e stare fuori dai giochi. Almeno, così la vedo».

«Quindi uno che Grange conosce?».

«E bene. E che ha frequentato, diciamo così, la catapecchia in altre occasioni».

«Ma non ci fa i nomi dei suoi amici» concluse Baldi.

«No, dottore, non li fa».

Il cellulare di Rocco squillò. «Chi è?».

«Sono Tagliamonti».

Ci mise qualche secondo per ricordare.

«Tagliamonti, del museo...».

«Sì, scusi, mi dica».

«Potrebbe passare?».

«Da lei?».

«Sì. Ho qualcosa da farle vedere».

«Ce la facciamo oggi?», e guardò Baldi che annuì. «Allora veniamo. Sono col magistrato inquirente».

«Meglio, dottor Schiavone». Chiuse la telefonata.

«Di che si tratta?».

«Ho la sensazione che ci comunicheranno dove cazzo è andato Mirko quel 27 maggio insieme al suo rapitore. E se è così, la testimonianza del netturbino è degna di fiducia».

«Operatore ecologico» lo corresse Baldi.

«Che palle, sì, operatore ecologico».

Gli occhi di Baldi luccicarono. «Il caffè ce lo prendiamo a Ivrea?».

«Doppio».

Gli agenti della scientifica comandati da Michela Gambino lavoravano da ore a repertare frammenti e oggetti. La sostituta era in piedi fuori dalla porta della baracca, respirava aria pulita lontano dalla puzza chimica dei reagenti. «Le impronte sono decine, ci vorrà un secolo per individuare qualcuno, sempre che ci riusciamo» disse a Scipioni salito insieme a Deruta e Casella. «Sarebbe bene se guardasse anche quelle incisioni sulle cortecce, quegli strani cuori con le iniziali GG e MS».

«Voi pensate si tratti di Giovanni Grange e Mirko Sensini?».

«Non lo so, dottoressa...».

«Michela».

«Come?».

«Diamoci del tu, ispettore. A me 'sta cosa del lei mi scassa parecchio».

Antonio sorrise. «Va bene, Michela. Quello che pensiamo è che si riunissero qui».

«Chi? Cerbiatto e Wedderburn?».

Scipioni annuì.

«Nessun progresso su quei nomi?» chiese ancora Gambino.

«Niente, abbiamo cercato come pazzi e non ci dicono niente».

«Sì, il dottor Schiavone suggeriva di legare uno di questi nomi alle orchidee» fece Deruta.

«Questa storia delle orchidee infatti è strana» osservò la sostituta.

«Siamo stati più di una volta a casa di Grange, a trovare la signora Ciai» fece Antonio. «E abbiamo visto tutto l'appartamento».

«E?» chiese Michela mettendosi in bocca una gomma da masticare.

«E non c'è traccia non solo di orchidee, ma di piante in generale. Insomma, non danno l'idea di essere due col pollice verde».

«E siccome le orchidee sono difficili da tenere, avete pensato che...?».

«Non fossero di Grange ma di qualcuno che questo posto lo frequentava e spesso».

Michela fece una bolla con la gomma da masticare che lasciò esplodere inzaccherandosi il muso. Si pulì e guardò i colleghi con l'aria innocente. «Torno al lavoro. La sensazione? È che da questo intreccio non ne usciamo».

«Dottoressa?», la voce di un agente attirò l'attenzione di Michela.

«Dimmi Osvaldo».

L'uomo in tuta bianca le fece cenno di avvicinarsi. Michela seguita da Antonio lo raggiunse. Teneva una busta in mano, dentro c'era uno straccio. «L'abbiamo trovata infilata dietro le cassette di frutta, per tappare un buco nella parete».

Michela alzò la busta. Dentro c'era un pezzo di stoffa. A quadri rossi e neri. «Cotone?».

«È una camicia» disse l'agente. Michela guardò Antonio. «La camicia di Mirko... avevano ragione gli amici, la portava a scacchi!».

L'ufficio di Tagliamonti era una stanza ricavata da un'altra più grande con dei pannelli trasparenti che lasciavano luminosità e cercavano di assicurare privacy. Sforzo inutile, secondo Schiavone, vista la mancanza del soffitto. «Da quando è venuto qui, dottore, non ho smesso di pensare e mi sono dato da fare. Le ho detto che noi lavoriamo molto con le scuole, insegniamo creatività e tecnologia, abbiamo molti bambini della città e dintorni. Anche da Torino», si avvicinò a uno schedario rosso di metallo lucido. «E allora ho chiesto ai miei colleghi, sono risalito a questo...», e consegnò una cartellina trasparente a Rocco. «Sono disegnati dai ragazzi delle scuole elementari e medie di Ivrea. Il primo che troverà è di Mirko Sensini». Rocco deglutì e aprì l'involucro. Subito apparve un disegno realizzato con la macchina da scrivere, simile a quelli che aveva avuto dalla preside della scuola. Il dettaglio che agghiacciò il sangue a Baldi e strizzò lo stomaco di Rocco era che raffigurava un'orchidea. In basso la firma incerta del bambino. «Come le ho detto, non ho mai incontrato Mirko Sensini, ma lui si era appassionato alle nostre lezioni. Tutto questo me l'ha riferito Andrea Bisceglie».

«Sarebbe?».

«Era il responsabile di quest'iniziativa. Lui ha insegnato a Mirko quella tecnica di disegno, insieme a tanti altri ragazzi».

«E dov'è ora questo Bisceglie?» chiese Baldi che non riusciva a staccare gli occhi dalla strana opera di Mirko.

«È andato in pensione nel 2010. È tornato a casa sua, in Puglia. Ma sta aspettando una nostra videochiamata. Prego, venite con me...», e fece strada. Uscirono dall'ufficio per entrare in quello attiguo. Dentro c'era una ragazza con degli occhiali da vista enormi. Sollevò la testa dal computer. «Loredana, possiamo per un momento?» le chiese Tagliamonti.

«Certo» rispose la donna, recuperò degli appunti e accennando un sorriso lasciò la stanza. Tagliamonti si sedette di fronte a un monitor, computò sulla tastiera e un suono metallico avvertì che la chiamata era stata inoltrata. Rocco e Baldi si avvicinarono. Il ragazzo fece spazio, aggiunse una sedia in modo che i due inquirenti potessero prendere posto. Il monitor era nero. Poi improvvisamente si accese e apparve Babbo Natale.

«Salve... sono Andrea...» disse l'uomo con la voce bassa e catarrosa.

«Baldi della procura e Schiavone della questura».

Alle spalle del vecchio una bella libreria e una finestra dalla quale si intuiva un cielo arancione che segnalava il tramonto. «Sì, Ruggero mi ha chiamato... io di quella storia lì non seppi mai niente. Lo vidi Mirko, il 27 maggio, lo ricordo perché il giorno stesso partii per l'Africa».

«A fare che?» chiese Rocco.

«Ero un prete, tanti anni fa», si toccò il barbone bianco, «missionario in Camerun. Ho molti amici e, diciamo così, ex colleghi da quelle parti. Sono stato via per otto mesi. Io la notizia di Mirko Sensini non l'ho mai saputa, mai. Solo oggi me l'ha detto Ruggero».

«Che era sparito non ne sapeva nulla?».

«Nulla. Tornai in Italia nel febbraio del 2009, ripresi a lavorare solo a settembre per pochi mesi. Non... non chiesi mai, e mai mi domandai che fine avesse fatto. Non era l'unico bambino, ce n'erano a decine, anzi di più lì al museo».

Rocco guardò Baldi. «Ricorda quel giorno di maggio? Quando Mirko venne al museo?».

«Vagamente».

«Era accompagnato?».

«No. Entrò, mi lasciò un disegno e se ne andò dicendo che lo aspettavano fuori».

«E lei è sicuro si trattasse di Mirko?».

«Al cento per cento. Era il più bravo a fare quei disegni con la macchina da scrivere».

«Si ricorda cosa raffigurasse?» gli chiese Baldi.

«No. Non me lo ricordo, mi dispiace».

«Quanto è alto?» chiese all'improvviso Rocco.

«Io?».

«Sì, lei».

«Sono uno e novanta... da giovane ero una promessa della pallacanestro. Poi ho incontrato Dio».

«Stoppata sotto canestro?».

Andrea scoppiò a ridere. «Già. Mi stoppò e capii che la mia strada era un'altra».

«Lei non sa niente di più su Mirko, anche un dettaglio che ci possa aiutare?».

«Mi dispiace, proprio no».

«Grazie» disse Rocco e si alzò. Baldi lo imitò. «Grazie Andrea, buona serata».

«Anche a voi».

Il monitor tornò buio. «Un dettaglio lo abbiamo acclarato, dottor Baldi. La testimonianza dello scopino è attendibile».

«Operatore ecologico!».

«Giusto. La ringraziamo Tagliamonti». Gli strinsero la mano e uscirono dalla struttura.

Stava scendendo la notte. «Che dice, Schiavone, ce ne torniamo ad Aosta?» disse Baldi chiudendo lo sportello.

«Un'ultima visita».

«Dove andiamo?».

«Solo un momento a via delle Miniere...».

«Che sta?».

«Segua le mie indicazioni...». Baldi mise la marcia e in quel momento suonò l'inno alla gioia.

«Rocco? Sono Michela».

«Novità?».

«Grosse. Nella baracca abbiamo ritrovato la camicia di Mirko». Rocco fece cenno a Baldi che frenò la vettura e mise in vivavoce la telefonata. «Parla Michela, con me c'è il dottor Baldi».

«Salve dottore. Allora, scacchi rossi e neri, come da testimonianza dei ragazzi della scuola».

«La felpa che gli hai ritrovato addosso?».

«La felpa gliel'avranno messa in un secondo momento. È quello il posto, ormai ne sono certa. Faccio le analisi sulla stoffa».

«Ottimo lavoro Gambino» urlò Baldi, «davvero ottimo!».

«Grazie dottore!». Rocco chiuse la telefonata. «E questo è un grande passo avanti».

«Sì Schiavone, concordo».

In pochi minuti raggiunsero la casa di Roberto Sensini. Rocco suonò al citofono. Attese.

«Non potevamo prima chiamarlo?».

«Stavamo a cinque minuti!» si giustificò Schiavone. Poi sentirono la voce gracchiante. «Sì?».

«Sensini, sono Schiavone».

«Buonasera dottore... che posso fare?».

«Un'informazione che forse mi può dare lei... Mirko usava una macchina da scrivere per fare i suoi disegni, a casa sua non l'ho vista, magari c'è. Lei ne sa qualcosa?».

«Certo, certo, scendo subito. Stavo andando a dormire da Amalia. Arrivo!» fece Roberto Sensini.

Rocco si accese una sigaretta. «Un'orchidea...» disse pensieroso Baldi. «Non lo trova assurdo?».

«Parecchio. E non è una coincidenza. Non può essere, in più alle coincidenze ci credo poco!».

Videro Roberto Sensini sbucare dalle scale, portava una macchina da scrivere. Sorridente aprì il portone. «Buonasera...».

«Sono Baldi della procura», e strinse la mano all'uomo.

«Roberto Sensini, molto piacere. Grazie per... per tutto quello che fate. Ecco, Mirko usava questa. Era di mio padre, una Lettera 22. Non le dico le difficoltà per rimediare il nastro dell'inchiostro». Rocco e Baldi la osservarono. Grigia, tasti e corazza sembravano appena usciti dalla fabbrica. «La testimonianza dell'operatore ecologico era corretta, sa? Mirko quel giorno era alla stazione, diretto verso il museo della tecnologia».

Roberto guardò il vicequestore interrogativo. «A fare che?» chiese.

«A consegnare un disegno a un tale che lavorava lì. Uno dei suoi disegni fatti proprio con questa», e indicò la macchina da scrivere.

«Ne faceva tanti», Roberto sembrò perdersi in un ricordo. «Capitan America, qualche volta Spiderman e anche gli stambecchi. Ve l'ho detto, no? Mirko amava la natura. Voleva lavorare nei parchi».

«Sì, me l'ha detto».

«Volete tenerla voi?», e porse la Lettera 22 a Rocco.

«No, grazie. Non ce ne faremmo niente. La dia ad Amalia, farà più piacere a lei».

Roberto Sensini afferrò la macchina da scrivere. «Non lo so. Pensavo ad Amalia, forse dovrebbe cambiare casa, città magari. Non l'aiuta vivere lì, Mirko è in ogni angolo dell'appartamento».

«Non credo che basterà cambiare casa. Mirko è in ogni angolo della sua mente, signor Sensini, e non c'è posto dove possa andare a nascondersi».

«Lo so, dottor Schiavone, lo so. Ma qualcosa devo fare».

«Le stia vicino» suggerì Baldi, «quello è un dolore che l'accompagnerà fino all'ultimo giorno».

«Qualcosa mi sfugge, Lupa» disse alla cagna che sonnecchiava accanto ai suoi cuccioli. Aveva cenato con un sacchetto di Chipster trovato nella credenza. La lingua scartavetrata dal sale, la bocca piena di saliva, beveva acqua direttamente dalla bottiglia e guardava fuori dalla finestra. La piazzetta era deserta e le luci stradali dei lampioni bassi tingevano i muri delle case di giallo urina. Si alzò, mollò una carezza ai cuccioli che dormivano attaccati alla pancia della madre poi si infilò il loden. «Lupa, mi vado a fare un giro». La cagna lo guardò, sembrò sorridere e riappoggiò la testa fra le zampe. «A dopo...», si chiuse la porta di casa alle spalle. Prima di uscire dal portone si abbottonò il loden. Alzò gli occhi, nuvole non ce n'erano, ma neanche stelle. La temperatura era bassa, il vento leggero gli suggerì di infilarsi fra i vicoli più riparati. «Ce l'ho sotto gli occhi e non lo vedo» disse a mezza voce. Le mani in tasca, evitò la piazza deserta preferendo il giro largo. Un giro che lo portò sotto la redazione di Sandra. Qualche luce era ancora accesa, forse dimenticata. Proseguì la passeggiata, si fermò al distributore di sigarette prendendo due pacchetti col solito calcio alla base della macchina. «L'accendino, cazzo!». Non aveva voglia di tornare a casa, le luci di un pub lo attrassero come un insetto notturno. Sbirciò attraverso la vetrina, c'erano tre tizi appoggiati al bancone, bevevano, ognuno per conto suo. Entrò. Due clienti seduti al tavolo con il bicchiere di birra mezzo pieno guardavano una partita di calcio alla televisione. «Che le do?» gli chiese il proprietario.

«Vino. Rosso. E un accendino».

«Quelli non li vendo. Tenga», si infilò la mano nella tasca dei jeans e gliene porse uno giallo. «Lo tenga pure, chissà perché ce l'ho», e prese una bottiglia dalle mensole dietro le spine. «Le va bene un Syrah?».

«Benissimo».

Versò il liquido nel bicchiere e tappò di nuovo la bottiglia. Rocco lo alzò appena. «Salute».

«A lei vicequestore» rispose quello con un sorriso.

«Mi conosce?».

«Sì, dottor Schiavone. Seguo i fatti di cronaca. Mi chiamo Giuseppe».

«Rocco Schiavone». Si strinsero la mano.

«L'ha trovato?».

«Ancora no».

Giuseppe scosse la testa. «Brutta storia. La leggo sul giornale, mi viene una rabbia».

«Anche a me».

«Nini», il proprietario richiamò l'attenzione del cliente seduto all'altro capo del bancone. «È il vicequestore».

L'uomo aveva la barba lunga, grigia, la pelle del viso rossa e gli occhi etilici. Alzò il bicchiere e cercò di strappare un sorriso alla bocca muta e coperta di peli. Giuseppe si avvicinò a Rocco. «Ha perso la figlia, sei anni fa. L'ha uccisa il marito. Stava a Milano. Da allora Nini non è più lui».

Nini aveva un vecchio maglione di pile verde coperto di trucioli. Ne aveva anche fra i capelli. «Ora passa il tempo nella macchia, legna, funghi, quello che può. Dice che in città non ci può vivere più. Preferisce la compagnia degli alberi e degli animali».

«Lo capisco» commentò Rocco. «Ne ha mai visti cerbiatti?» gli chiese il vicequestore alzando la voce.

«Valle Orco» rispose quello con un ruggito.

«E dov'è?».

«Paradiso», e scolò la birra. Poi si alzò lasciando delle monete sul bancone.

«Ciao Nini... a domani».

«Pourtaou bien» rispose quello passando accanto a Rocco. Odorava di muschio e erba. Uscì senza far rumore. Giuseppe scuoteva la testa raggranellando i soldi abbandonati. «Guardi» disse e mostrò le monete a Rocco. «Mi paga coi vecchi franchi francesi... è quello che ha. Perché gli ha chiesto se ha mai visto cerbiatti?».

«Perché ne sto cercando uno. Che si fa chiamare così. E che invece tutto è tranne che un cerbiatto».

«Un soprannome?».

«Già».

«Mi piacerebbe aiutarla, ma...», e alzò le spalle. Rocco vuotò il bicchiere con un ultimo sorso, pagò e uscì dal locale. Si accese la sigaretta e si incamminò verso casa. Il vino stava scaldando lo stomaco. Forse avrebbe preso sonno. «Ce l'ho sotto gli occhi, ma non lo vedo» disse ad alta voce.

Lunedì

L'ufficio odorava di sapone detergente e cera, erano passate le signore delle pulizie ma avevano lasciato i peli di Lupa sul divanetto. Rocco aveva una piccola lucina negli occhi che si sarebbe allargata sempre più per sfociare in un mal di testa insostenibile. Emicrania con aura, pare si chiamasse. Colpa della pressione, della stanchezza, o forse era arrivato il momento di sottoporsi a qualche analisi del sangue. Quant'era che non controllava trigliceridi e soprattutto il colesterolo? Un bell'elettrocardiogramma? E anche un ecodoppler dei vasi epiaortici? Il mattino aveva ingannato tutti presentandosi con un'alba rosa e il cielo terso, ma già alle otto le nuvole avevano avuto la meglio. L'inno alla gioia suonò al terzo tiro di marijuana. «Schiavone...».

«Sono Prosperi da Torino. Senti, stiamo continuando a cercare, ma qui contatti fra Mameli e Grange non ne vediamo. È come cercare una triglia particolare in pieno Mediterraneo. Mille difficoltà. Per esempio, Grange usava solo quel nickname? E se magari si sono incontrati di persona?».

«Allora ancora niente...» mormorò il vicequestore.

«Per ora, ma continuiamo, non molliamo».

«Questo Mameli ha fatto movimenti recenti?».

«È silente da un bel po'. Sembra che percepisca che lo controlliamo, ma ripeto, sei anni fa non era sotto la lente d'ingrandimento».

Si chiuse le palpebre con la mano, il dolore alla testa era scoppiato. «Grazie Prosperi. Qualsiasi novità chiama».

«Contaci Schiavone».

Rimase seduto per un po' di tempo cercando di addolcire il dolore tenendo gli occhi chiusi. Ma quello era arrivato alla base del cranio e pulsava. Muoveva lentamente le spalle, si massaggiava il collo. Squillò ancora il telefono, la suoneria gli trapanò le orecchie. «Sì?».

«Allora è in ufficio? Ho provato sul cellulare ma era occupato».

«Buongiorno dottor Costa, mi dica».

«Ha la voce stanca».

«Mal di testa ma fra poco passa».

«Stia con gli occhi chiusi e prenda un caffè. Mi creda, a volte risolve. Nessuna novità suppongo, a parte quelle che mi ha raccontato il magistrato della vostra sortita a Ivrea e della camicia della vittima nella baracca».

«No, nessuna. Ora mi reco dalla sostituta, Gambino, a vedere se ha trovato qualcos'altro di interessante».

«Comunque vada la storia, Grange lo inchiodiamo».

«Sicuro. Non per l'omicidio, ma per il resto sì».

«È già qualcosa». Costa prese una pausa, era chiaro fosse arrivato al motivo principe della telefonata. «Ho ricevuto una chiamata da Sandra. Le comunico che per lei non abbiamo ancora nulla?».

«Nulla. Se vuole anticiparle la storia di Grange, faccia pure, ma è un errore. Chi ha usato quella casa, perché io sono certo che l'assassino abbia fatto di tutto per buttare la colpa su quello stronzo che è in galera, potrebbe allarmarsi se diamo la notizia... lasci andare, dottor Costa, alla signora, pardon, dottoressa Buccellato le scarichiamo tutto insieme in una volta».

«Perfetto. Buona giornata».

«Altrettanto».

Si alzò, accese la macchina dell'espresso e caricò il braccetto. Nel cassetto trovò un analgesico forse scaduto. Gettò la polverina direttamente nel caffè e lo beve d'un fiato. Potenza del medicinale o del caffè, pochi minuti dopo il dolore si affievolì. Riaprì gli occhi sopportando perfino la luce grigia e piatta che entrava dalla finestra. Uscì dall'ufficio, passò davanti alla porta degli agenti. Dentro c'era solo Antonio. «Novità?» gli chiese.

«Nessuna».

«Sto scendendo dalla Gambino».

«Sì, ieri hanno lavorato alla baracca. Hai saputo della camicia?».

«Sì...» sbuffò. «Dobbiamo ricominciare daccapo».

«Daccapo?» chiese il viceispettore sbarrando gli occhi terrorizzato.

«Daccapo. Rifacciamo tutto il viaggio come se cominciassimo oggi. Siamo stati frettolosi, poco attenti ai dettagli. Voglio tutti quanti da me fra venti minuti».

Antonio alzò il telefono. «Deruta mi sa che sta ancora al panificio».

«Se non arriva subito lo mando...», si bloccò. «Anzi no, approfittiamo. Se sta ancora al panificio digli di venire e di bussare coi piedi».

Antonio restò con la cornetta in mano. «Che significa?».

«Significa che non può bussare con le mani perché le ha cariche di roba».

Il viso del viceispettore si illuminò. «Ricevuto!».

Il vicequestore arrivò all'ingresso della questura. Incrociò Casella e gli ordinò di prepararsi all'incontro. Poi scese ancora verso i sotterranei e raggiunse il laboratorio di Michela Gambino. La poliziotta indossava il camice e un paio di occhialoni enormi. Appena sentì Rocco bussare alla porta di vetro si voltò, sorrise e aprì. Dentro la stanza Rocco percepì un profumo dolciastro. «Ciao Michela». La ragguagliò sugli sviluppi dell'indagine. La donna se ne stette in silenzio ad ascoltare, ogni tanto annuiva, il più delle volte scuoteva il capo. «Ecco fatto Miche'. Tu hai altro per me?».

«Oltre alla camicia, nella baracca abbiamo trovato altre foglie, pezzi d'arbusto, ma sono convinta si tratti di orchidea. Tutto il materiale l'ho mandato alla nostra botanica. Abbiamo rilevato un sacco di impronte in giro, per ora riconoscibili solo quelle di Grange. Ma era casa sua, quindi non c'è da stupirsi. Per le impronte, bisogna sperare che i complici, o l'omicida, o gli assassini, ormai non so più che dire, siano stati arrestati, ma non ci spero. Poi escrementi e gusci di ghiande e nocciole aperti, segno che lì dentro ci passano l'inverno scoiattoli e topi, abbiamo rilevato delle tracce di sangue. Le sto osservando. Per ora sono risalita al gruppo, A RH positivo. Grazie alla scheda del carcere non è di Grange». Poi guardò Rocco. «E no, non è neanche di Mirko Sensini. Non sappiamo ancora niente, dobbiamo vedere gli alleli, per favore non dire DNA che ci metto due mesi. Ma come per le impronte siamo in un oceano. Spero che la stoffa della camicia ci dica qualcosa di più».

Rocco sospirò e si sedette su una poltroncina di pelle girevole. «Non ne usciamo. Ha ragione Prosperi, quello di Torino. Questi figli di puttana sono nebbia. E se non fanno un passo falso, non li prendiamo».

«Be', se ci pensi un passo falso l'hanno fatto».

«E cioè?».

«Se come dici tu vogliono gettare la colpa su Grange, sono suoi amici o giù di lì, quella casa la conoscevano, quindi è su quella cerchia che dobbiamo concentrarci».

«Ma l'unico dettaglio buono spuntato fuori dal computer di Grange è una chat con dei nomi in codice. Per il resto niente, solo mail di uffici, pubblicitarie, niente che ci possa aiutare».

«E gli amici sono Cerbiatto e Wedderburn» concluse Michela.

«Esatto, vale a dire niente e nessuno». Rocco guardò la collega. «Che hai?».

«Il dettaglio più schifoso l'ho tenuto per ultimo. Sul

tappeto che copriva la botola abbiamo trovato tracce di sperma».

Rocco annuì. Dilatò il petto poi lo sgonfiò buttando fuori tutta l'aria incamerata. Rimasero qualche secondo in silenzio, ognuno immerso nei propri pensieri. «Come vuoi muoverti?» chiese Michela.

«Ricomincio... da qualche parte ho toppato. Ma non so dove. Fra dieci minuti ho la squadra... vabbè, chiamiamola così, su in ufficio».

«Io continuo con gli esami». Si avvicinò a Rocco e gli poggiò una mano sulla spalla. «Stasera vieni a cena da Alberto. Vedrai, ti farà bene staccare anche se per poche ore. E porta le canne».

Erano tutti presenti. Deruta aveva ascoltato il consiglio di Antonio e depositato una guantiera di brioche e piccoli pasticcini alla crema sulla scrivania. Fremevano nell'attesa, non certo di cominciare il lavoro, ma di assalire la montagna di dolci. «Allora eccoci qui» disse Rocco. «Facciamo i caffè, mangiamoci le paste, fumiamoci le sigarette e poi cominciamo. D'Intino, vai a prendere il cavalletto coi fogli dalla vostra stanza. Casella, prepara gli espressi. Antonio, porta il faldone di Astolfi e Munifici da Ivrea».

«Già fatto», e alzò la cartellina davanti al viso.

Espletati i compiti di ristoro, mentre D'Intino introduceva la lavagna di carta nella stanza si sedettero tutti tranne Deruta che rimase poggiato alla finestra masticando un lievito. «Eri a dieta?» gli chiese Casella.

«Sì» rispose quello ingoiando l'ultimo boccone.

«Ricominciamo daccapo, Antonio voglio la lista dei possibili conoscenti di Mirko Sensini. Leggi tutti i nomi, uno alla volta».

«Vabbè, la madre e il fratello, cioè lo zio».

«Che aveva l'alibi, no?».

«Ma perché? Sospettiamo lo zio?» chiese Deruta.

«Ho detto ricominciamo daccapo? E ricominciamo daccapo» disse Rocco.

«Era al negozio, e ha portato due scontrini come prova. Ha sempre ammesso di non avere altro alibi». Antonio aprì un altro faldone. «I due scontrini sono di 23 euro battuto alle ore 11 e 21 e l'altro di 40 euro alle 12 e 30».

«E infatti ha ragione. Non c'è l'alibi, ma poco ci manca. Dimostra che alle 12 e 30 era ancora in negozio. Passiamo ai genitori degli amici di Mirko. Roncisvalle, Pieroni e Camini».

«Hanno l'alibi, no?» fece Casella.

«Qui dice che erano al lavoro quel martedì e a seguire...», Antonio girò dei fogli, «c'è la testimonianza di due colleghi per Roncisvalle e Pieroni e del tenente colonnello per Camini che ricordo è un militare».

Rocco restò pensieroso mentre D'Intino segnò i tre cognomi sulla lavagna. «Vi viene in mente niente?».

«No» rispose Casella. «Voglio dire, ci si può fidare, sarebbe stato facile smentirli».

«Sicuro. Perché Roncisvalle lavora alle poste, alla cassa, e Pieroni invece nello studio di architettura Bonfigliolo, quel giorno erano in un cantiere a Novara, un hotel a quattro stelle» confermò Antonio. «Poi sul tenente colonnello andrei sul sicuro, qui sono riportati gli ordini del giorno dell'ufficio...».

Rocco fece un cenno a D'Intino che restò inebetito a guardarlo. «Cancella, D'Inti'!».

«Subito», e l'agente abruzzese obbedì all'ordine con tre tratti di pennarello.

«Andiamo avanti, Anto'».

«Poi abbiamo Amedeo Pieroni, fratello dell'architetto». D'Intino trascrisse anche quel nome girando foglio.

«D'Intino, se usi un foglio per ogni nome non ci basta l'Amazzonia! E che cazzo, mettilo sotto agli altri, no?».

«Scusi dotto', allora scrivo piccolo?».

Rocco scagliò una penna cercando di colpirlo, l'agente si scostò in tempo.

«Questo fratello dell'architetto?» riprese Rocco.

Antonio controllò i fogli. «Ah sì, non può guidare».

«Che faccio cancello?» gridò D'Intino.

«D'Inti', aspetta un attimo! Sii chiaro Anto', perché non può guidare?».

«Perché è un non vedente» cantilenò annoiato il viceispettore, «già l'avevamo scartato».

«E io voglio ricontrollare tutto daccapo e senza lamentele» fece Rocco. «Comunque D'Intino, cancella subito, mi pare che la patente sia l'ultimo dei suoi problemi».

«Ah, sì, infatti» concordò Deruta.

«Poi?».

«Il dottor Sanna, il dentista. Ma qui leggo la testimonianza di Giovanna Diotaiuti».

«E chi cazzo è?».

«La paziente che quel 27 maggio era in seduta con il medico. C'è restata fino alle 12 e 55, quindi anche il dentista è scartato».

Rocco sbuffò. «Altro?».

«Niente, poi c'è l'istruttrice della piscina...».

«Aspetta. E se magari in piscina Mirko aveva conosciuto qualcun altro? Come si chiama la piscina?».

«Sporting Club Ivrea» rispose Antonio.

«D'Intino, segna. Ci andiamo a fare una visita oggi stesso. A seguire?».

«Sì, il prete».

«Don Sandro...», Rocco ricordava il nome. «Quello della mensa dei poveri. Anche quello segna, D'Intino, magari in parrocchia c'è chi ha male interpretato il comandamento di Gesù».

«Quale?» chiese Ugo.

«Lasciate che i bambini vengano a me... e non ha capito bene il senso della cosa... chi altro c'è?».

«Diego Roncisvalle, fratello più grande di un amichetto di Mirko, all'epoca studiava Lettere, oggi insegna a Biella. Ma qui c'è la foto del libretto, il 27 maggio era a Torino a sostenere un esame».

«Anche questo, via!» disse Rocco accompagnando le parole con un gesto deciso del braccio. Antonio guardò gli altri fogli. «Poi i maestri, Coppini e Bustoni, ma abbiamo già controllato».

«Per esempio, questo Bustoni...».

«Se è lui l'assassino ormai non possiamo più niente. Ricordi Rocco? È deceduto due anni fa e poi era a casa della nipote per il compleanno, e i documenti del commissariato di Ivrea riportano almeno una dozzina di persone che lo comprovavano».

«Ma porca troia!». Rocco si alzò in piedi e raggiunse la finestra. «Io lo so che è sotto gli occhi, lo so! Ma non ci arrivo».

I poliziotti si guardarono.

«Avrà pure incontrato qualcun altro, che so? In un bar, al campo sportivo, un medico, un vigile urbano».

«Forse, ma non abbiamo traccia».

«La tibia!» gridò Rocco. «Mirko a 6 anni se l'era rotta giocando al parco... avrà visto un medico».

«Qui non dice niente».

«E invece lo voglio sapere! Chiamate la madre, Amalia Sensini. Anzi la chiamo io, eccheccazzo...». Scattò verso il telefono, alzò la cornetta e guardò Antonio. «Il numero!».

Antonio lo cercò febbrilmente.

«Non quello di casa, quello del lavoro. La fabbrica».

«Qui non c'è», e il viceispettore si precipitò al computer. «Come si chiama?».

«Juger armi» rispose Rocco. La ricerca durò pochissimo. «Ti detto il numero!».

Rocco attese tre squilli, poi la voce della donna si materializzò. «Sì?».

«La contabilità per favore, devo parlare con la signora Amalia Sensini».

«Chi la desidera?».

«Vicequestore Schiavone, Polizia di Stato».

«Un attimo in linea» rispose fredda la voce. Partì una musichetta elettronica, una storpiatura della *Gazza ladra* di Rossini. All'ottava battuta della marcia Amalia rispose: «Sì?».

«Signora Sensini, sono Schiavone».

«Dottore... dica pure».

«Mi dispiace, la devo disturbare. Anni fa Mirko si ruppe la tibia».

«Sì, certo».

«Dove fu curato?».

«All'ospedale di Ivrea».

«Ricorda il medico che lo prese in cura?».

Amalia taceva, stava cercando di ricordare. «No, mi dispiace, non ricordo il nome».

«La ringrazio signora, e mi scusi il disturbo».

«Dottor Schiavone?».

«Mi dica».

«Ha... ha un nome?».

«Purtroppo ancora no, ma non ci arrendiamo».

«Grazie» disse con un sospiro la donna.

«Dovere», e Rocco abbassò la cornetta. Prima di parlare mandò giù un morso di ansia, provocata dalla voce della donna. «Bene, allora abbiamo la parrocchia, la piscina e l'ospedale».

«Come ci dividiamo?» chiese Ugo Casella.

«Antonio e Ugo alla piscina...», poi con aria sconfitta guardò D'Intino e Deruta. Non poteva mandare in giro i fratelli De Rege, sarebbe stato tempo buttato. Aveva bisogno di un altro agente, serio e preparato, dal momento che Italo ormai era solo un ricordo. Meglio ancora se fosse stato un ispettore.

«Dov'è lo gnu?» chiese a Caterina seduta a una piccola scrivania, esaminava dei protocolli.

«Chi?».

«Il tuo collega».

Caterina rise. «Maurizio? È fuori, hai bisogno di lui?».

«No, di te. Non ho agenti, dovresti farmi un favore grosso».

«Dimmi Rocco».

«Andare con Deruta a Ivrea, all'ospedale, e cercare un nome. Se accetti, Michele ti spiegherà tutto mentre andate».

«Mirko Sensini?».

«Ovvio».

«Con piacere, qui mi annoio», e l'ispettrice si alzò con uno scatto dal tavolo. Prese il giubbotto e anticipò Rocco fuori dalla stanza. Piuttosto che uscire dall'ufficio, sembrava fuggisse da una casa in fiamme.

Percorsero mezza questura e si ritrovarono nell'ufficio di Schiavone. Deruta e D'Intino erano ancora lì. Appena videro Caterina sorrisero. «Allora Michele. Tu e Caterina andate all'ospedale di Ivrea. Cercate di capire chi ha curato Mirko Sensini all'epoca della frattura. Deruta, strada facendo spiegale tutti i dettagli».

«Tutti tutti?» fece con aria cospiratrice l'agente.

«Miche', Caterina è un'ispettrice di polizia, di che ti preoccupi?».

«Dotto', manco io!» protestò D'Intino.

«Vero, manchi tu».

«Che compito tengo?».

Rocco ci pensò qualche secondo. «Stai in ufficio attaccato al telefono. Perché tu, caro Mimmo D'Intino... coordini».

L'agente abruzzese si eccitò. «Io coordino?».

«Esatto», gli mollò una pacca sulle spalle.

«E tu dove vai?» gli chiese Caterina.

«A parlare con un prete».

In auto verso Ivrea cercava di non chiedersi il motivo per cui avesse cercato Caterina, al di là del bisogno immediato di una testa pensante. Forse si fidava di lei, in fondo, aveva avuto prova della sua intelligenza e scaltrezza, ma altri agenti in questura ce n'erano, con qualcuno aveva avuto a che fare. Non avevo tempo, si diceva, ed era la prima scusa che gli veniva in mente. O forse, ma questo lo ammise solo nelle pieghe più nascoste dei pensieri, quelli cui non si dà voce per vergogna o paura, aveva bisogno di lei e della sua vicinanza. Perché di lei ormai si fidava.

La parrocchia era poco fuori Ivrea, sulle colline. Una donna sui 70 anni gli indicò la canonica dove avrebbe trovato il prete. Rocco premette il pulsante ma non sentì il suono del campanello provenire dall'interno. Bussò allora con le nocche sulla porta di legno screpolato che dopo pochi secondi si aprì e apparve il prete. Non aveva mai visto occhi così azzurri. Sembravano avere una luce interna. Dolci, sorridenti, separati da un naso pronunciato che terminava in una bocca senza labbra piegata all'ingiù, faceva pensare a un salvadanaio. I capelli erano candidi, pettinati e in ordine, dall'uomo emanava un profumo di lavanda, forse un deodorante all'interno dell'abitazione. «Sì?», la voce era leggera come un refolo d'aria.

«Vicequestore Schiavone... polizia di Aosta».

«Cosa posso fare per lei?».

«Due chiacchiere».

Il sacerdote guardò l'orologio. «Vuole essere così cortese da accompagnarmi alla mensa? È quasi mezzogiorno».

«Andiamo con la mia?».

«Non c'è bisogno, sono cinque minuti a piedi».

Il prete chiuse la porta senza girare la chiave. «Venga allora», e si incamminò. La strada era segnata da un duplice filare di tigli che in primavera avrebbero stordito i passanti con il loro profumo. «Ecco, dopo la curva, altri cento metri e c'è il locale donato dal Comune... l'abbiamo attrezzato con una cucina da campo. Diamo circa un centinaio di pasti al giorno».

Il prete non portava il cappotto, solo la giacca e sembrava non avesse freddo. «Dove li trova i soldi?».

«Per il cibo? Un po' là, un po' qua... di che si tratta?».

«Mirko Sensini» disse Rocco. Don Sandro prese un respiro, guardò le cime degli alberi. «Povera anima di Dio...», e si segnò. «Ho letto sul giornale. L'avete ritrovato».

«Purtroppo sì».

«E lei cerca l'uomo che gli ha stroncato la vita. E dico un uomo, perché porcate del genere le donne non le fanno».

«Esatto don Sandro. Ora io ho bisogno che lei torni con la memoria a sei anni fa. Quando Mirko scomparve».

«Mi ricordo, all'epoca veniste a farmi domande. Sparì davanti alla scuola, vero?».

«È così. Ma non riusciamo a capire chi lo aspettasse lì fuori quel 27 di maggio. Secondo lei, Mirko ha potuto conoscere qualcuno in parrocchia?».

Girarono la curva. Davanti si materializzò un edificio prefabbricato grigio a forma di scatola senza tetto né abbellimenti di sorta, poteva essere una piccola palestra. I vetri sporchi, fuori c'era una fila di una trentina di persone. Non erano barboni. Erano uomini e donne che forse non molto tempo prima avevano un lavoro; vestiti con dignità, guardavano quasi tutti per terra come se si vergognassero di essere lì a elemosinare un pasto caldo. Uomini e donne di tutte le età, dai 30 fino agli 80, silenziosi e tristi come cipressi. «Ecco, venga con me... buongiorno!» disse don Sandro, dalla fila grigia e silenziosa ottenne solo qualche risposta mugugnata. Si sentiva un profumo di cipolle soffritte. Il prete e Rocco entrarono nell'edificio. C'erano tavoli lunghi e panche, due donne con la cuffietta di carta in testa stavano finendo di apparecchiare con posate e piatti di plastica. Ogni tre posti una bottiglia di acqua e su ogni tavolo un'aranciata e una Coca-Cola di marche sconosciute. «Buongiorno a tutte».

«Buongiorno don Sandro» risposero le donne in coro.

Erano sei signore. Due di loro ai fornelli rigiravano i pentoloni con mestoli e cucchiai, altre due preparavano l'insalata. «Cos'abbiamo oggi?».

«Pasta e fagioli e una fettina di vitella» rispose quella che doveva essere la comandante della truppa. Viso rosso e occhi vivaci, tonda, sorrideva e rimestava il cibo col braccio forte e potente.

«Fra poco apriamo» disse la sua vicina, più giovane, dalla cuffietta spuntava una ciocca di capelli nero corvino. «Venga» disse il prete a Rocco. «Ha fame?».

«No grazie» rispose il vicequestore. Si sedettero a uno dei tavoli. Pronta li raggiunse una delle donne con una tazzina che posò proprio davanti a don Sandro. «Vuole anche lei dottor Schiavone? Glielo faccio preparare?».

«No grazie, sono a posto così».

«Grazie Marilena» fece il prete, con un sorso finì il caffè e restituì la tazzina alla donna. «Le dico che gli unici adulti in parrocchia siamo io e queste sei signore. Maschi non ce ne sono. I ragazzi vengono da soli, fanno catechismo, qualcuno resta a giocare, poi i genitori li vengono a riprendere. Le assicuro che se è un contatto che cerca, non è qui».

«Qualche operaio che lei utilizzava all'epoca per ristrutturazione? Un fornitore di cibo?».

«Il cibo che usiamo ce lo regala il supermercato. Quello che il giorno dopo scadrebbe e resta invenduto lo portano qui. E se ne occupano loro due», e indicò le signore addette alle pentole. «Io muratori non ne ho mai avuti. Anche su quello siamo autarchici. Sono i mariti di questi sei angeli che da anni si occupano di lavoretti, imbiancare, aggiustare, e mi creda sono sei persone sulle quali metto la mano sul fuoco».

«Lei. Io non la metto neanche per me stesso».

Il sacerdote sorrise. «Le lascio i nomi, così può farci una chiacchierata, ma le assicuro che perderà il suo tempo». Tirò fuori una penna dal taschino interno della giacca e si mise a scrivere direttamente sulla tovaglia di carta. «Come è morto?» chiese senza guardare il vicequestore.

«Perché lo vuole sapere? Non sono dettagli piacevoli».

Don Sandro deglutì. «Ha... ha subito violenza?».

«Pensiamo di sì...».

Don Sandro chiuse gli occhi. Le vene delle tempie si gonfiarono appena. Quando riaprì le palpebre quelle spazzarono una lacrima che cadde sulla tovaglia. «Anche se noi uomini fossimo immortali, troveremmo lo stesso il modo di suicidarci!», strappò la carta e consegnò a Rocco gli appunti. «Non ce lo meritiamo tutto questo».

«No, non ce lo meritiamo».

«Non dovrei dirlo, sono un prete, ma per molti mi auguro che lassù non ci sia nessuno. Perché l'incontro con Lui sarebbe il vero inferno. Lei crede in Dio?».

«No».

«E in cosa crede, Schiavone?».

«C'è bisogno di credere in qualcosa?».

Il prete alzò le spalle. «Forse negli uomini, negli astri, nell'amore, nell'amicizia?».

«Se devo scegliere direi la natura. Ma quella ha regole troppo dure per gli esseri umani, ecco perché dobbiamo dare la colpa a qualcuno di averla creata».

«Lei dice?».

«La penso così».

Don Sandro guardò i tavoli apparecchiati. «Posso aprire agli affamati?».

«E che deve chiedere a me il permesso, don Sandro?». Si alzò e gli strinse la mano. «Grazie».

«Anche a lei».

«Per cosa?».

«Per quello che fa. Non deve essere allegro ripulire tutto lo schifo che incontra». Poi a Rocco parve di sentire lo sguardo del prete penetrargli nel cervello. «Dottor Schiavone, non affronti tutto da solo. Si fidi di me, si faccia aiutare».

Uscendo dalla mensa Rocco osservò gli indirizzi trascritti da don Sandro. Una calligrafia piccola e ordinata, sembrava quasi stampata per pulizia e chiarezza. Sei nomi. Non ce l'avrebbe fatta da solo, aveva bisogno degli altri. Sperò che Casella, Antonio, Caterina e Michele avessero già finito i loro incontri, così da distribuire due nominativi a testa e continuare il giro. Come se avesse percepito i suoi pensieri, arrivò la telefonata di Deruta. «Miche', allora?».

«Allora io e Caterina abbiamo terminato e anche Antonio e Casella».

«Bene, vediamoci alla parrocchia Beata Vergine del Carmelo fra cinque minuti».

«Dotto', si parcheggia facile?».

«Sei la polizia, Michele, lascia l'auto a cazzo di cane, nessuno avrà da obiettare».

«Posso telefonare all'agente D'Intino?».

«In che senso?».

«Lei ha detto che lui coordina. Se non lo informiamo degli spostamenti, come fa a coordinare?».

«Ma fa' come te pare, Miche'!».

Le auto dei colleghi arrivarono dopo pochi minuti. Antonio, a velocità sostenuta, inchiodò a pochi passi dalla chiesa e scese di corsa nonostante non ci fosse nessuna urgenza. Casella lo seguì con i suoi tempi pre-pensionistici. Caterina abbandonò l'auto lasciando lo sportello aperto, Deruta invece si mise a controllare la portiera, forse l'aveva graffiata da qualche parte. «Eccoci» fece Antonio, il primo a raggiungere Rocco. «Bene... ho sei indirizzi, gente che frequenta la parrocchia. Secondo don Sandro perdiamo tempo, è tutta gente pulita e tranquilla. Ma dobbiamo tentarle tutte. Voi che mi dite?».

«Alla piscina nessuna traccia. Giusto un tizio che portava il pulmino per riaccompagnare i ragazzi a casa la sera. Asterios Vakaris, greco, abita fuori Ivrea, sposato, tre figli grandi, ora lavora come aiuto meccanico. Possiamo andare a fargli una visita».

«Certo Antonio. Allora gli indirizzi sono sette...», e Rocco si passò una mano fra i capelli. «Dell'ospedale che mi dite?».

«Siamo risaliti all'ortopedico che ha curato Mirko. Ora è in pensione però abbiamo l'indirizzo...», e Caterina guardò Deruta che tirò fuori il taccuino. «Si chiama Corrado Salati».

«Che sappiamo di lui?» chiese Antonio. Rocco chiuse gli occhi. «Corrado Salati... Corrado Salati... porca troia!» gridò il vicequestore facendo sobbalzare i colleghi.

«Che c'è?» chiese Caterina.

«Corrado Salati è l'uomo che ha trovato le ossa nel bosco!».

Impiegarono un'ora e mezza per arrivare alla frazione Grand Pollein. Fermarono le auto davanti all'ultima casetta della strada. Le imposte rosse con i cuoricini intagliati erano chiuse, il giardino pieno di vasi attendeva la primavera. Rocco suonò al citofono ma non ci fu risposta. Attesero un minuto, poi il vicequestore scavalcò il piccolo cancello in legno e ferro battuto. «Deruta, lo stai chiamando?».

«Sì dottore, ma risulta staccato» rispose l'agente con il cellulare all'orecchio. Antonio e Caterina seguirono il vicequestore, Casella restò al di là del cancello. «Chiamo rinforzi?» chiese.

«Che te chiami Case', semo in cinque!» gli disse Rocco, che ormai era arrivato davanti alla porta di casa. Cominciò a percuoterla. «Dottor Salati! Dottor Salati!».

«Non si vede nessuno da giorni».

Si voltarono. Una donna affacciata alla finestra del villino attiguo stava osservando la scena. Rocco si staccò dall'ingresso per andare verso la recinzione di confine, un cespuglio di bossi alti poco più di un metro. «Lo conosce?».

«Poco» rispose quella aggiustandosi i capelli. «So che è un medico, ora è in pensione».

«Abbiamo urgente bisogno di parlare con lui».

«Posso vedere se mia figlia sa qualcosa... ora la chiamo, è al lavoro!».

«Rocco!», la voce di Caterina risuonò dal retro della casa. Subito Antonio e il vicequestore la raggiunsero. Era davanti al garage. Parcheggiata c'era l'auto del dottore. «Casella! Fai un controllo di targa, vedi se è la sua!». Casella non si muoveva dal marciapiede. «Scavalca cazzo, e vieni qui. Pure tu, Deruta. Ancora niente?».

«Sempre staccato!» rispose quello. Entrarono nel garage. Ci stava a malapena l'auto. Su una parete un pannello con cacciaviti, pinze, chiavi inglesi appesi in ordine di grandezza. Una lavatrice con l'oblò aperto. Dentro dei vestiti. Puzzavano di muffa e umido. Una porta chiusa a chiave conduceva nel villino. Rocco cercò di aprirla smuovendo la maniglia. Era leggera, di compensato, tremava ma non cedeva. «Che facciamo?» chiese Antonio, «entriamo?». Rocco si guardò intorno.

«Spalla o coltellino?».

«Coltellino» rispose il viceispettore. Rocco cominciò ad armeggiare col mille usi mentre Casella e Deruta li avevano raggiunti. Poi la serratura cedette. Rocco aprì cauto la porta. Fu assalito da una zaffata di puzza dolciastra e acida che lo spedì fuori di casa come avesse ricevuto un cazzotto al plesso solare. «Che cazzo...» mormorò piegato in due, un conato di vomito lo bloccò davanti all'ingresso. Il miasma raggiunse anche i colleghi che si tapparono il naso allontanandosi di corsa dall'uscio spalancato. «Minchia!» urlò Antonio. Casella vomitò in un vaso di ortensie. «Che è?» chiese Caterina.

«Aspettate qua!» fece Rocco e girò intorno alla casa. Raggiunse di nuovo la vicina, ancora alla finestra, parlava con qualcuno al telefono. «Mi dispiace commissario, mia figlia non ne sa niente».

«Signora, mi porti un profumo e dell'ovatta».

«Profumo mio o di mio marito?» chiese senza capire.

«Il primo che trova... si sbrighi per favore».

La donna rientrò rapida in casa. Dopo pochi secondi era al cancelletto del giardino. «Ecco. Mio marito usa Dolce & Gabbana, ho pensato se è per lei meglio da maschio, no?».

Rocco staccò due batuffoli, li impregnò di acqua di colonia, poi se li infilò nelle narici. «Mi conceda anche il suo foulard».

La donna lo sciolse dal collo e lo consegnò al poliziotto che se lo avvolse intorno alla bocca. «Non venga signora, resti qui».

«Ma che succede?».

Così bardato Rocco tornò nel garage. Superò l'auto parcheggiata e finalmente entrò in casa. Nonostante le precauzioni il tanfo sembrava superare ogni barriera e infilarsi nei ricettori olfattivi come un fumo maligno. Con lo stomaco che arrancava per raggiungere la gola, Rocco attraversò il piccolo bagno di servizio e si ritrovò in un corridoio buio. A tentoni, seguendo la poca luce che penetrava attraverso i cuori intagliati negli scuri, raggiunse il salone. Appeso a un gancio del lampadario penzolava un corpo, sui vestiti alcune strisce di stoffa riflettevano la luce, come catarifrangenti. Schiavone si precipitò ad aprire le finestre e la porta di casa per far entrare aria e illuminare la stanza. Si voltò verso il cadavere. Era viola, il viso gonfio, deformato, come anche le mani inerti abbandonate lungo il corpo, gli occhi semichiusi, sul pavimento di marmo tracce di una pozza ormai asciutta. Indossava una sola scarpa, all'altro piede portava un calzino arancione. Non si era cambiato dal giorno del ritrovamento delle ossa di Mirko Sensini, portava ancora i vestiti tecnici da trekking. Rocco uscì in giardino, sul davanti del villino. I colleghi lo aspettavano sul prato, nessuno aveva avuto la forza di seguirlo. «Allora?» chiese Antonio con la mano sulla bocca. Rocco si tolse il foulard e respirò a pieni polmoni, poi si limitò ad annuire.

Baldi aveva raggiunto il questore nel suo ufficio. Rocco era seduto sulla poltroncina scomoda lasciando quella più prestigiosa con i braccioli al magistrato. «Allora ci siamo?» aveva esordito Baldi appena entrato. Costa gli allungò un foglio. «Legga...». Baldi afferrò la lettera. «A chiunque leggerà queste note». Guardò i poliziotti. «Cos'è? Un testamento?».

«Morale» gli rispose Schiavone.

Baldi proseguì. «Allora... a chiunque leggerà queste note. Nel pieno delle mie facoltà, me ne vado, non reggo più. Sei anni sono passati, io sapevo che era lì, da qualche parte. Non posso vivere così, mi resta solo il rimpianto di aver sprecato la mia vita, che era un dono, ma io non l'ho saputo apprezzare. Ho fatto errori e ho sbagliato troppe volte, ma non voglio giustificarmi perché non ho mai saputo ammetterlo a voce alta. Ho convissuto tutti questi anni con un mostro che si svegliava insieme a me, e con me andava a dormire senza mollarmi mai. Era come un suono sordo e continuo, impossibile da ignorare, che stava ovunque, nelle parole degli altri, nello scroscio di un torrente, era nell'abbaiare di un cane, ovunque fossi, ovunque andassi. Debole lo sono sempre stato, ho fatto cose di cui mi pento, questa è la peggiore. A chiunque leggerà queste note, non ero io. Stavolta io ho solo assistito. Aiutato. Perché? Se lo sapessi non leggereste queste mie righe. Può avere valore o meno, ma io la vita non l'ho mai tolta a nessuno. Ho tolto l'infanzia e l'innocenza, e per questo oggi me ne vado, interrompo da solo questa catena, perché non ho trovato la forza di farlo prima. Lassù fra i boschi sono passato tante volte in questi sei anni. Sapevo che era lì, da qualche parte. Poi l'ho visto. Avrei potuto nascondere tutto, risistemare tutto, ma il tempo ha deciso diversamente, oppormi non potevo. È una liberazione! Ai poliziotti che erano lì quel giorno dico solo: non sono stato io. Materialmente. Ma lo ripeto, ho fatto in modo che accadesse. Se so chi è? Certo che lo so, ma io devo fare i conti solo con la mia coscienza, ognuno pensi a sé. Se potete perdonatemi, io non ci sono riuscito. Corrado Salati».

Baldi alzò gli occhi dalla lettera e guardò Costa e Schiavone. «Non era solo?».

«No» disse Schiavone. «Secondo quello che ci racconta, l'omicida è qualcun altro. Lui sembra l'abbia solo aiutato. Sempre che diamo credito al messaggio».

Baldi posò la lettera che Costa infilò in una cartellina di pelle e prese posto sulla poltrona. «In punto di morte a che servirebbe mentire? Sono stanco. Voi?».

«Parecchio» rispose Rocco. «Abbiamo la scientifica e la mia squadra che stanno mettendo sottosopra il villino. Salati conservava tutte le agende come fossero libri. Stiamo controllando quella del 2008 e anche il computer. Vediamo che riusciamo a tirare fuori».

Costa sospirò. «Quindi cos'era questo Corrado... Salati?».

«Era il ponte?» azzardò Baldi. «Il contatto fra l'assassino e Mirko Sensini?».

«Oppure solo un complice. Non lo so dottor Baldi, torno con la testa a quegli scambi di messaggi in rete fra il nostro Grange, Cerbiatto e Wedderburn. È questo il trio? Grange c'entrava qualcosa? O l'hanno solo messo in mezzo per addossargli la colpa?».

Bussarono alla porta. Si affacciò il viceispettore Antonio Scipioni. «Scusate... dottor Schiavone, farebbe meglio a scendere. Abbiamo qualcosa».

Rocco scattò in piedi e lasciò l'ufficio. Baldi lo seguì.

Entrarono nella stanza degli agenti. C'erano Casella seduto davanti al computer, Caterina Rispoli e Michela Gambino che aveva in mano un libriccino nero. «Buongiorno dottor Baldi. Quest'agenda l'abbiamo prelevata dalla casa di Salati» disse Michela. «È del 2008. C'è un dettaglio interessante, Rocco». La passò al vicequestore che la sfogliò. «Vai ad aprile, al 12 aprile». Rocco obbedì. Con una grafia incerta c'era scritto: «Via Roberto Pellissier». E la parola «zerbino» sottolineata tre volte. Rocco alzò lo sguardo.

«Via Pellissier è a Châtillon» disse Casella, «a pochi metri da casa di Grange, per questo ci puzzava».

«Non solo» si intromise Antonio, «lì c'è una piazzetta con la chiesa».

Rocco chiuse l'agenda. «È il luogo dove Domitilla Ciai aveva lasciato parcheggiata l'auto? La Mini?».

«Esatto» intervenne Antonio. «Per quello m'è venuto in mente».

«Anto', sappiamo anche che vuol dire zerbino, no?».

Baldi non capiva. «Un momento, mi volete spiegare?».

«La Mini inquadrata a Ivrea con molta probabilità era quella di Grange che non la usava da un pezzo, venduta poi a giugno. Grange fra l'altro è senza patente».

«Quindi lei pensa che qualcuno si sia impossessato del mezzo?».

«Esatto, dottor Baldi».

«E che vuol dire zerbino?».

«Grange e la moglie lasciano una chiave di casa sotto lo zerbino» rivelò Antonio orgoglioso.

Baldi annuì. «Non voglio sapere come l'avete scoperto. Quindi Salati ha rubato l'auto?».

«Forse. O forse ha preso solo un appunto per qualcun altro».

«Lui e questo fantomatico qualcun altro hanno rubato l'auto di Grange per prelevare Mirko Sensini quel 27 maggio? Dunque è un piano preciso!».

«Esatto, dottor Baldi. Sanno che Grange è già sotto l'occhio della polizia per il suo passato, usano insieme a lui quella baracca per fare festini di cui ancora non abbiamo capito la gravità e decidono di darsi da fare lasciandoci tracce per arrivare a Grange».

Calò il silenzio. Lo ruppe Schiavone. «Però a casa di Salati non abbiamo trovato neanche un'orchidea. Come da Grange».

«E allora?».

«E allora, Caterina, qui ci manca il terzo personaggio che stando alla lettera dell'ex ortopedico è il pezzo grosso».

«Chi cazzo è?» chiese Antonio ad alta voce. «Ops, scusi dottor Baldi».

«Fa niente ispettore, fa niente. Chi cazzo è?» ripeté il magistrato.

«Setacciamo tutta la casa di Salati, il suo computer, il cellulare, ogni angolo, anche se dovesse costarci mesi di fatica. Forse la risposta è lì».

«È lui Cerbiatto?» chiese Caterina. Baldi alzò le spalle. Rocco e Antonio si guardarono. «Perché lo chiedi, Caterina?» gli domandò il suo superiore.

«Salati, il cognome indica il sale».

«E allora?» la incalzò il magistrato.

«Voi pensavate a Bambi... così mi ha raccontato Deruta, e l'autore del romanzo è un austriaco che si chiamava Salten, no?».

«Federico mi ha detto che Salzen in tedesco vuol dire salare... insomma si assomiglia, no? Hai visto mai?» intervenne Deruta. «Salten, Salzen...».

Gli uomini della stanza si guardarono. «Perché no? Un riferimento letterario?».

«Può essere... può essere, Schiavone».

«Se è così, non ci resta che trovare Wedderburn» concluse Antonio.

«Salten... Salati...» disse ad alta voce Rocco.

Baldi schioccò le labbra. «Quell'uomo per sei anni ha passeggiato accanto alla fossa di Mirko Sensini. Riferisce nella lettera di non conoscere l'esatto luogo della tumulazione ma ha tenuto il segreto consumandosi giorno dopo giorno, col rimorso per il delitto al quale sembra abbia assistito». I poliziotti lo osservavano in silenzio. «Con l'agenda ci è andata benone, vi chiedo di continuare così».

«Scusi dottor Schiavone, ma l'orchidea perché? Che c'entra?».

«Antonio, ne so poco e un cazzo di orchidee».

«Per questo stasera vieni a cena da Alberto. C'è anche la mia amica botanica, Cleo, magari ci saprà dire qualcosa di più» propose Michela. «È invitato anche lei, dottor Baldi».

«Io?».

«Certo. Una serata leggera è quello che ci serve. Cercheremo di capire qual è il vino migliore da accoppiare a dei piatti greci».

«Io non saprei...».

«Porti sua moglie» suggerì Rocco. Baldi reagì con una smorfia. «Non credo... va bene, se mi sbrigo al tribunale sarò dei vostri. Mi dà l'indirizzo?».

«Grazie per l'aiuto» disse Rocco a Caterina sulle scale. L'ispettrice sorrise appena. «È stato come tornare ai vecchi tempi».

«Già».

«Vado nel mio ufficio. Sempre a disposizione Rocco, sappilo. Una sera di queste ci vediamo?».

«Una sera di queste, sì... una cosa sola».

«Dimmi Rocco».

«Conosci un tale Pietro Rakovic?».

Caterina non cambiò espressione. «Pietro?».

«Rakovic. Un bell'uomo, sui 60, capelli d'argento, occhi nocciola, bocca da barracuda».

«No. Non lo conosco. Dovrei?».

«Secondo me sì».

Caterina annuì appena, poi si voltò e si avviò verso il corridoio che conduceva nell'altra ala della questura.

Voleva andare a casa a controllare Lupa e i cuccioli, sperava che dall'abitazione di Salati uscisse qualche dettaglio valido per fare un passo in più verso la verità che ancora gli sfuggiva tra le dita. Salati era Cerbiatto? Era Wedderburn? Sicuro era l'anello debole, quello che aveva ceduto alla vista delle ossa del bambino fuori dal terreno. Ricordava il viso di Salati quel giorno nel bosco, abbattuto, sfinito. Rocco aveva dato la colpa di quello stato d'animo alla scoperta di resti umani spolpati e sepolti. Invece era la sua coscienza che lo stava divorando, e che poche ore dopo lo avrebbe riportato a casa, per impiccarsi al gancio del lampadario con una corda da alpinismo. Era Salati il ponte di contatto? Preferì andare a piedi, anche se la giornata era grigia e poco indicata per fare delle passeggiate. Le macchine sfrecciavano sul corso, lontano vide un lampo fra le cime delle montagne. Accelerò il passo per ripararsi fra i vicoli del centro se fosse venuto giù l'acquazzone che minacciava. Superò la cappella della Santa Croce quando il telefono sparò l'inno alla gioia. «Pronto?».

«Sono io». Era Sandra Buccellato.

«Dimmi» rispose freddo.

«Hai novità per me?».

«Costa è a conoscenza di tutti i particolari, puoi rivolgerti a lui, fossi in te però aspetterei a cantare vittoria, la partita sta ai tempi supplementari. Sono certo abbia conservato anche una bella lettera da regalarti per il giornale. Potrai fare un bellissimo articolo».

«C'entra il suicida a frazione Grand Pollein?».

«C'entra, è sua la lettera. Ma ti ripeto, Costa sa tutto. L'ho lasciato in ufficio, lo trovi lì, sarà felice di raccontarti».

«Bene» disse Sandra con un tono cupo e risentito.

«È inutile che fai 'sta voce offesa. Sei stata tu a rivolgerti a lui per avere la notizia in anteprima in cambio del vostro silenzio sull'agente Pierron. Ora che cazzo vuoi? Che ti sorrida e sia a tua disposizione?».

«C'è un modo meno brutale di chiudere la storia?».

Rocco alzò gli occhi al cielo. «Non c'è niente da chiudere, Sandra. E lo sai meglio di me. Io di te non so un cazzo, tu di me ancora meno, ci stavamo simpatici, passavamo insieme del tempo, nessuno dei due si è impegnato di più».

«Questa è la tua versione».

«No? Ti sei incazzata la sera della mostra di Deruta. Mi hai fatto una domanda, ti ho risposto con sincerità, te ne sei andata e chiusa così. Ci vuole tanto ad ammetterlo?».

«Non lo nego. Sì, mi sono incazzata. Ma tu, coglione, ti sei chiesto perché mi sia sentita offesa quando mi hai sbattuto in faccia che eri andato di nuovo a letto con l'ispettrice?».

«Mi stai facendo una scenata al telefono? Ma che è? Mi vergogno solo all'idea».

«Stiamo parlando, Rocco, nessuna scenata».

«Io parlo di persona, non dentro un telefonino. Tutto questo è squallido».

«Vai a fare in culo Rocco!».

«Ecco, brava! Stamme bene, Sandra!». La comunicazione si interruppe. Avrebbe voluto schiantare il cellulare sul selciato, ma si bloccò pensando che avrebbe dovuto ricomprarlo, trasferire i contatti sul nuovo e si limitò a rimetterlo in tasca. Doveva ricordarsi, appena tornato in questura, di inserire l'acquisto di un nuovo telefono all'ottavo livello delle rotture di coglioni.

Passò due ore a guardare i cuccioli arrancare a occhi chiusi verso il bordo della cuccia, cappottare su se stessi, scontrarsi fra loro e infilarsi sotto la pancia di Lupa che li leccava e non li perdeva mai di vista. Squittivano, si stiracchiavano tremando incerti sulle zampe delicate, ogni tanto si fissavano ad annusare l'aria e sbadigliavano. Erano capaci, proprio nel mezzo del trambusto e dell'azione, di schiantarsi addormentati a terra a zampe larghe come colpiti da una mazzata invisibile. Quella sera a casa di Alberto non poteva portare l'erba, l'eventuale presenza di Baldi imponeva l'astensione. Decise di passare in pasticceria a prendere tre torte piene di frutta e cioccolato, comprò anche due etti di macinato per Lupa.

«Cecilia? Sono Rocco».

«Rocco! Come stai?», sentiva il traffico che cercava di sovrastare la voce della donna.

«Come state voi?».

«Bene...».

«Gabriele?».

«Gabriele si sta ambientando».

Rocco si accese una sigaretta. «Sei sicura? Mi dici la verità?».

Cadde la linea. «Pronto? Pronto, Cecilia?». Rocco richiamò. «Sì scusa Rocco, prende poco».

«Allora mi dici la verità?».

«Rocco, io ti ringrazio per tutto quello che hai fatto per me e per Gabriele. Te ne sarò sempre grata».

«Che stai cercando di dirmi?».

«Che sarai sempre nel mio cuore. Sono stata una madre pessima, lo so, ma mi sto rimboccando le maniche. Il lavoro va bene, Gabriele fra le normali difficoltà di un adolescente se la cava, ha conosciuto una ragazza, esce spesso, insomma va benone».

«Credo di capire» disse Rocco.

«Gabriele si sta ambientando, a me non sembra vero, la sera io e lui ci parliamo, ridiamo, ci raccontiamo la giornata».

«La vita va avanti, Cecilia» disse Rocco, «e questa è la più bella notizia che potevi darmi».

«Se puoi aiutarmi ancora...».

«Come?».

«Non voglio che pensi ad Aosta, al passato, e scusa, lo so che gli vuoi bene, ma per un po'...».

«Ho capito Cecilia, ho capito benissimo. Salutamelo tanto. Sappiate che io sono qui, per qualsiasi cosa, sto qui».

Chiusero la telefonata. Gabriele sta cambiando, pensò Rocco, sono io che devo lasciarlo stare. E aspettare, se mai dovesse cercarmi, farmi trovare. Così fanno i genitori coi figli, così conveniva che si comportasse. «Buon viaggio Gabrie'...», e bussò.

Trovò Michela e Alberto già mezzi ubriachi, Giovanni, l'enologo allampanato che preparava i vini, Sara, l'archeologa che lo salutò con un abbraccio esagerato, Cleo Di Capua, la botanica, poco più di trent'anni, con i capelli a caschetto neri e un sorriso che illuminava la zona circostante del viso. «Sei venuto solo? Dov'è Sandra?» gli chiese Alberto.

«Non lo so», e consegnò le torte a Michela che corse a metterle in frigo.

«Come stai?», Giovanni gli andò incontro. «Mi fa piacere rivederti».

«Anche a me!» gli disse Sara accendendosi la sigaretta. «Rocco, lei è Cleo, Cleo questo è Rocco Schiavone».

«Michela mi ha parlato di te, sei vicequestore, no?».

«Ti ringrazio per l'aiuto che ci dai» le sorrise Rocco stringendole la mano.

«Figurati!» disse la botanica e andò a prendersi un bicchiere di vino.

Avevano cominciato con un Brut Bellavista accompagnato dal formaggio Manouri. Michela aveva raccontato il caso di Mirko Sensini a Giovanni e le novità a Sara e Cleo sorvolando sull'ortopedico che avevano appena ritrovato suicida. Alberto Fumagalli era restato in silenzio ad ascoltare. Giovanni invece, scolato il secondo bicchiere di prosecco, schioccando la lingua aveva sentenziato: «Pare un bell'enigma».

«Cosa? Il fatto che tu sia un enologo oppure un etilista?» lo aveva punzecchiato Sara.

«No, è un enigma proprio» era intervenuta Michela nel momento in cui era finito il disco di Hisaishi e Alberto aveva deciso di rimetterlo daccapo. «*L'estate di Kikujiro*, una della più belle colonne sonore di sempre» pontificò.

Cominciarono a mangiare e a bere come dei cani randagi. «Alberto, sbaglio o stiamo mischiando i vini a casaccio?» chiese Michela con la bocca ancora piena di taramosalata.

«Un po'... ma chissenefrega, no?» rispose quello alzando il bicchiere.

«Ah, Cleo, Rocco ti deve fare una domanda».

Schiavone guardò Michela. «Quale?».

«Come quale? Sulle orchidee...».

«Vero. Cosa rappresentano? Perché uno di questi mostri è fissato con le orchidee? Tanto da tenerle dentro la baracca dove facevano i festini?».

Cleo si pulì la bocca col tovagliolo. «Mah... tanto tempo fa si credeva che le orchidee avessero proprietà contro l'infertilità».

«Davvero? E funzionano?» chiese l'enologo.

«Non lo so Giovanni, ma dai tuberi si estraeva una specie di farina. Una scemenza» continuò la botanica, «tipo la mandragola. Il fatto è che se guardate i tuberi somigliano agli organi riproduttivi maschili».

«È vero» intervenne Alberto. «Anche alcuni dei fiori, insomma, sembrano dei cazzi...».

«Ecco, potevi trovare un'espressione più elegante per dirlo, ma in fondo sì» lo redarguì Michela.

«Comunque è una passione, Rocco» proseguì la botanica, «il profumo può giocare un ruolo importante. Sono piante protette, ormai», e in quel momento suonò il campanello. «E chi è?» disse Alberto che andò ad aprire. Gli altri ospiti si guardarono. «Vuoi vedere che ci siamo dimenticati del magistrato?».

«Sono quasi le dieci Michela, eravamo autorizzati a iniziare» fece Giovanni.

«Scusate il ritardo, avete fatto bene a cominciare!» esordì il magistrato entrando nel salone. «Bellissima casa», e consegnò il giubbotto ad Alberto che lo gettò casualmente su una poltrona con una elegante veronica.

«Venga dottor Baldi, si segga... sono felice sia venuto».

Il magistrato si presentò agli altri. «Però, per piacere, almeno stasera diamoci del tu. Io sono Maurizio».

«Cleo».

«Giovanni».

«Sara...».

«Serviti pure Maurizio, abbiamo appena cominciato con la taramosalata. Stavo per andare a prendere il souvlaki e la moussaka...». Michela si alzò.

«Parlavamo di orchidee» disse Alberto che si era avvicinato allo stereo. «Adesso andrei con qualcosa di definitivo: Pink Floyd, *Atom Earth Mother*», e fece partire il disco. «Il vinile, amici. Il rumore della puntina che gratta, la polvere che frigge, mi riporta indietro a quando ci si riuniva in casa ad ascoltare tutto l'elleppì dalla prima all'ultima traccia e a commentare persino la copertina».

«Era bello» fece Baldi, «non si conoscevano i visi dei musicisti, c'erano disegni e foto, tutto accennato, tutto evocato, lasciato alla fantasia. Quanto mi piaceva».

«Sì, chi si preoccupava di conoscere il viso del batterista dei Deep Purple? O del bassista dei Black Sabbath?».

«Ammazza Sara, sentivi rock pesante».

«Yeah!», cacciò fuori la lingua e fece le corna. «È buffo, sono un'archeologa ma tutto quello che apparteneva alla mia adolescenza è diventato un reperto. Anch'io sono un reperto».

«Più che reperto, io direi modernariato» la corresse l'enologo.

«Fottiti Giovanni!».

«E che avete concluso con le orchidee?» chiese Baldi che si rimetteva in pari con l'antipasto.

«Simbolo di fertilità, Maurizio, somiglianza con gli attributi genitali maschili, necessità di accudire qualcosa di raro e delicato» disse Michela che rientrava con le portate, «ipotesi, nulla di più».

«E non hanno niente a che vedere con i nomignoli usati dai tre bastardi sulle loro conversazioni in rete» disse Schiavone e finì il vino. Giovanni prontamente gli riempì il bicchiere.

«Vediamo se con il souvlaki si sposa questo Clos de la Coulée de Serrant Nicolas Joly».

«Ma dai!» gridò Baldi. «Qui non è solo una cena, qui si beve a livelli altissimi».

«Nettare» disse Rocco assaggiandolo, «diciamo che non me ne frega un cazzo se si sposa con il souvlaki, per me può rimane' pure zitello!».

«In più l'orchidea, magari serve, è una pianta saprofita».

«Tradurre» fece Giovanni. Ci pensò Alberto. «Si nutre anche assimilando organismi in decomposizione».

Si fece silenzio. Dalle casse uscivano le note malinconiche di *If*.

«Quali erano i nickname, Rocco?» chiese Alberto per spezzare i pensieri dei commensali.

«Felibro 50, che sappiamo era Giovanni Grange, Cerbiatto, e se l'intuizione di una collega è esatta allora era Corrado Salati e infine Wedderburn. Nessuno di loro mi sembra abbia a che fare con le orchidee».

«Mica vero» disse Sara. «Wedderburn è un personaggio letterario».

Gli altri la guardarono. «Ancora?» chiese Baldi. Aspettavano il resto. «È un racconto di Herbert George Wells» riprese Sara. «Conoscete? Lo scrittore inglese, quello della guerra dei mondi, per capirci».

«No, tu mi devi spiegare come t'è venuto in mente» chiese Giovanni.

«Al contrario di te e del novanta per cento degli italiani, io leggo. Poi è famoso. Questo è un racconto che conosco perché l'ho dovuto studiare insieme a mia nipote, e in inglese per giunta».

«Io non lo conosco questo Wells» disse Michela, «a me le storie di fantascienza non piacciono, sono minchiate complottiste, io preferisco la realtà e la sua verità».

«Detto da te...» commentò Rocco.

«Vabbè, è un personaggio, qualcuno vuole altro vino?» chiese Fumagalli.

«Io!» disse Cleo e Alberto l'accontentò.

«Piano! Fallo scivolare lungo il vetro, mica è una Coca-Cola» lo redarguì Giovanni.

«Santé!» disse Cleo alzando il calice.

«Aspetta, aspetta. Quello che dice Sara è interessante. E che fa 'sto Wedderburn?» chiese Rocco.

«Appunto, come dicevo, se mi fate parlare, è un appassionato di orchidee. Ne compra una che però poi si rivelerà pericolosissima, quasi una pianta carnivora e...».

«Hai detto orchidee? Sei sicura?».

«Morissi fra dieci minuti».

Rocco guardò Baldi. «Che succede, Schiavone?».

Ma Rocco continuava a guardare Sara. «È un personaggio di Herbert George Wells?».

«Sì, Rocco, te l'ho appena detto».

«Ne sei certa?».

«Mi ci giocherei la casa a Cortina che non ho».

«Schiavone, che succede?» chiese ancora Baldi.

«Succede che mi si è accesa la lampadina, dottor Baldi!».

«Il fatto che sia ripassato al lei, vuol dire che la cena è finita?».

«Per me sì», e si alzò dal tavolo.

«L'accompagno» fece Baldi.

«No dottore, si goda la compagnia e la cena. Chiamo i miei uomini, non si preoccupi». Baldi tornò a sedersi, gli altri guardavano il vicequestore. «Ma che succede, Rocco? Che hai capito?».

Rocco afferrò il bicchiere: «A Sara, che legge!», e scolò il vino in una sola sorsata.

Amalia guardava il televisore ma non seguiva il programma. Seduta composta con le mani poggiate in grembo, fissava un punto, forse la marca in basso sotto lo schermo. Roberto non poteva vederla così. «Preferisci un film?» le aveva chiesto e lei si era limitata ad annuire. Così aveva sintonizzato Sky. «Che ne dici? È una commedia, sarà divertente». Lei aveva accettato la scelta del fratello per restare ferma e concentrata su quel solo punto. Pensava alla croce che il falegname di Ivrea aveva preparato. Semplice, piccola, che si mimetizzava col bosco. Aveva plastificato una bella foto di Mirko, quella fatta in piscina un mese prima della sua scomparsa, dove sorrideva con gli occhialetti appesi al collo e i capelli bagnati. «Hai sentito don Sandro?» disse all'improvviso mentre un attore veniva morso ai testicoli da un cane e urlava dimenandosi per la stanza.

«Sì. Mi ha detto che viene a Saint-Nicolas non appena è pronta la croce».

«Dopodomani» disse Amalia con un filo di voce.

«Allora organizzo». Il cellulare di Roberto suonò e fece sobbalzare tutti e due. «Chi è?» chiese Amalia. Roberto rispose. «Sì?».

«Signor Sensini? Buone notizie, sono Schiavone». Roberto coprì il microfono. «È la polizia, dice buone notizie», poi riprese a parlare con il vicequestore. «Dica dottore, l'ascolto».

«Venga di corsa in questura ad Aosta. Porti per favore i disegni di Mirko, se ne ha a casa, tutta la documentazione della sua scomparsa, le denunce, ma lasci stare Amalia. Meglio che venga a cose fatte».

«Questa è una bella notizia! Allora l'avete preso?».

«Direi di sì!».

«Datemi un'oretta!».

«Stia tranquillo, ora tempo ne abbiamo!». Roberto attaccò. Guardò la sorella con le lacrime agli occhi. «L'hanno... l'hanno preso!» disse.

«Chi?».

«L'assassino!».

«Oh mio Dio!» gridò Amalia. «Chi è? Chi è?».

«Ancora non me l'hanno detto. Dammi tutti gli incarti che hai su Mirko, denunce, cure, tutto!».

«Non ho niente. Ce l'hai tu a casa!».

«Allora corro. Appena arrivo in questura ti faccio sapere».

«Vengo anch'io».

«Il vicequestore preferisce che tu resti qui».

«Come faccio?».

«Amalia, stai tranquilla. Fra un'ora ti chiamo. Ci siamo!». La sorella scoppiò a piangere, singhiozzava. Poi con un urlo lacerante e liberatorio si abbandonò fra le braccia di Roberto.

Roberto in ansia uscì di corsa dall'ascensore. Prese le chiavi di casa. Armeggiò, gli caddero, si chinò a raccoglierle e finalmente infilò quella giusta nella serratura. Aprì la porta e accese la luce. Era tutto in ordine, tranne il fatto che sul divano c'erano il vicequestore e due poliziotti, seduti come se fossero a casa loro. «Salve signor Sensini, tutto bene?».

«Io? Cosa fate qui? Come siete entrati?».

Alle sue spalle un quarto poliziotto richiuse la porta. Sul tavolino notò tutta la documentazione di Mirko. L'avevano aperta e controllata. Schiavone si alzò. «Era per questo che non mi faceva salire a casa sua?», e indicò la terrazza sulla quale era stato ricavato un jardin d'hiver in ferro battuto. Una serra magnifica, piena di orchidee. Qualcuno aveva acceso le luci e i colori dei fiori sembravano fuochi d'artificio. «Non dovevo vedere la sua collezione?».

«Non capisco...».

«Signor Sensini, o dovrei chiamarla Wedderburn, se lei vuole essere così gentile da girarsi, noterà che l'agente D'Intino ha in mano il suo portatile...». Roberto si voltò, era vero, il poliziotto che aveva chiuso la porta di casa teneva sotto il braccio il suo Sony. «Sul quale» proseguì Schiavone, «lei non ha neanche avuto l'accortezza di mettere una password. C'è parecchia roba interessante lì dentro».

Roberto sbiancò. «Vi state sbagliando, io...».

«Non ci stiamo sbagliando». Rocco si alzò. «Era tuo nipote. Come cazzo hai fatto?».

«Io... Mirko non l'ho toccato neanche con un dito».

«Con tutte e due le mani invece sì, e al collo» disse Antonio con gli occhi pieni di rabbia. Deruta si alzò e si piazzò vicino al tavolo, braccia dietro la schiena, e osservava la scena. «Sensini, devi venire con me» gli disse Rocco. Roberto sembrava impalato. Una leggera spintarella di Deruta lo convinse a seguire riluttante il vicequestore. «Ti porto in camera da letto, sai dov'è, no? Vieni...». Attraversato un piccolo corridoio, superarono il bagno, poi Rocco accese la luce. Sulla coperta c'erano uno zaino e uno scudo di plastica di Capitan America. «Questi? Te li sei tenuti come ricordo?».

L'uomo guardava Rocco, poi si voltò verso Antonio e Deruta. Si mordeva le labbra che erano violacee, il sangue sembrava non circolasse più nelle vene. «Non... non riesco a capire, chi ce l'ha messi?».

«Sul letto? Il viceispettore Scipioni».

«Io ho trovato lo zaino» confermò Antonio alzando ironico una mano.

«Lo scudo invece era sotto il materasso» chiarì Deruta. D'Intino se ne stava in silenzio sulla porta della camera.

«No, mi riferivo a chi l'ha messi in casa mia!».

«Perché, li avevi forse regalati al dottor Salati?» gli chiese il vicequestore.

A quel nome Roberto divenne ancora più pallido. «Come... chi è Salati? Non lo conosco».

«Era lui Cerbiatto?».

«Non so di che cosa state...».

«Roberto!» intervenne Antonio Scipioni. «La pianti di negare, se vuole un aiuto le conviene parlare. Gli scontrini al negozio il giorno che ha preso Mirko, li ha fatti Corrado?».

«Mi... mi sento male... acqua per favore...».

D'Intino guardò Rocco che annuì, poi uscì dalla stanza mentre Roberto crollava sul materasso. Guardava quei due giocattoli, li sfiorò con le dita. Poi sorrise a Rocco. «Avete preso il mostro!» disse. «Ma non è andata come pensate».

«E dicci un po' allora com'è andata».

«Quanti ne ha uccisi?» incalzò Antonio.

«Neanche uno!» gridò Roberto.

«A parte tuo nipote».

D'Intino era rientrato portando un bicchier d'acqua. Roberto si avvicinò al poliziotto, bevve un sorso, stava per restituire il bicchiere quando con un gesto secco della mano lo svuotò sul viso dell'agente abruzzese, poi rapido sganciò la fondina del poliziotto e afferrò la pistola. «Fermo!» gridò Rocco. Ma Sensini tolse la sicura e si infilò la canna in bocca. Deruta e Antonio si lanciarono addosso all'uomo per fermarlo, troppo tardi, quello premette il grilletto e il cane suonò a vuoto. Sensini tirò ancora, ma dalla pistola non partì nessun colpo. D'Intino recuperò il ferro. «È scarica, mi dispiace...» disse sconsolato a Roberto. «Ordini del vicequestore...», poi asciugandosi l'acqua dal viso guardò Sensini che tremava fissando il pavimento. «Qualche mese fa in una sparatoria so' colpito lu vicequestore e je so' fregato 'nu rene», e si rimise l'arma nella fondina. Antonio e Deruta afferrarono Roberto sotto le ascelle. Rocco li fermò e si avvicinò a Sensini. «La sai una cosa, Robe'? Ero convinto che t'avrei messo le mani addosso, t'avrei sfondato il culo a calci. Invece sono stupito», la voce di Rocco era piana, atona. «Mi fai una pena profonda, neanche schifo, perché lo schifo l'hai superato. Sei malato, di brutto, e non credo esista una medicina per te. Ecco perché mi fai pena, da solo contro tutto questo», e gli toccò la fronte con l'indice, «è una partita impari. Mi dispiace che l'agente D'Intino abbia obbedito agli ordini e scaricato la pistola. Forse dovevi fare la stessa fine dell'amico tuo». Roberto piangeva e le lacrime si mischiavano al muco che usciva dal naso. «Io non volevo...».

«Mo' me lo puoi dire Roberto. Eravate solo tu e lui?».

Quello annuì. «Lo giuro», guardò Rocco negli occhi. «Mi... mi provocava, da sempre, ogni giorno che lo portavo in piscina, che lo accompagnavo da don Sandro. Non potevo farci niente, lo sa? Anche di notte veniva. Io dovevo farlo, non mi potevo sottrarre... era un incubo».

«Però l'hai pensata bene, pezzo di merda. A gettare la colpa su Grange... quante volte avete scopato ragazzini là dentro?».

Roberto lo guardò negli occhi. Erano diventati seri, la sclera rossa, le labbra due linee sottili. «Questa è un'informazione che verrà con me nella tomba, Schiavone!».

«E portate pure questo, merda!». Il destro di Antonio colpì Sensini alla tempia facendolo barcollare. Il sinistro al fegato lo piegò in due, in ultimo il ginocchio gli fracassò il setto nasale. Schiavone fermò Scipioni mentre Deruta e D'Intino afferrarono Sensini per proteggerlo dalla furia del viceispettore. Che sputò addosso all'uomo sanguinante. Poi uscì sbattendo la porta della camera. Sensini alzò il volto massacrato e sorrise, il sangue disegnava i denti e colava sul mento. «Non capite che mi state facendo un piacere?» gridò. Rocco fece un gesto a D'Intino e Deruta che spinsero l'uomo fuori dalla stanza. Rocco restò solo a guardare i giocattoli di Mirko. Prese in mano lo scudo di plastica e lo osservò. Dietro c'era una scritta: «For Truth and Justice!», doveva essere il grido di battaglia del supereroe Marvel. Scosse la testa e abbandonò il giocattolo sul materasso.

Era passata la mezzanotte, Costa aveva l'aria assonnata, Baldi invece le guance rosse, colpa della cena in casa Fumagalli appena terminata. Rocco aveva raccontato l'arresto, il questore aveva ascoltato in silenzio, Baldi si era segnato degli appunti. «Quindi il ruolo del suicida?» chiese al termine.

«Credo sia stato poco più di un testimone. Magari neanche presente sulla scena del delitto di Mirko, ma sapeva. E credo anche sia quello che ha fornito l'alibi a Roberto Sensini con la storia dello scontrino. Ora stiamo rivoltando il computer di Sensini, ma già a una prima occhiata non dovrebbero esserci dubbi. I due erano molto amici, progettavano qualcosa da fare insieme. Soprattutto c'è una mail dove Roberto descrive il luogo del parcheggio della Mini e la presenza delle chiavi sotto lo zerbino di casa Grange. Si sarà fatto aiutare per rubare l'auto, anzi per prenderla in prestito, quello non lo sapremo mai, a meno che Sensini stesso non ci racconti come sono andati i fatti. Ma a questo punto» disse Schiavone strusciando i palmi delle mani, «mi sembrano solo dettagli».

«E Grange?».

«Sensini voleva scaricare la colpa su di lui, nel caso fosse venuto fuori il corpo, come è successo».

«Quindi è premeditato» concluse Baldi.

«Sì, dottore, ha preparato per bene tutta la faccenda, a sentire quel pezzo di merda il nipote per lui era diventato una fissazione».

Costa si stiracchiò. «Chi lo dice alla madre?».

«Io no», Rocco alzò le mani, «questa me la dovete risparmiare».

«Vi dispiace se faccio una telefonata urgente?». Costa aveva già sollevato la cornetta. «Lei Schiavone sa di cosa si tratta. Abbiamo una promessa fatta con gli organi di stampa».

«Faccia pure, dottore. Io me ne andrei a letto...».

«La seguo» disse Baldi, e lasciò la stanza.

«Schiavone, vuole salutarla?» disse Costa coprendo il microfono dell'apparecchio.

«E perché? Buonanotte dottor Costa». Seguì il magistrato.

Fuori l'aria era fredda ma una stellata faceva sperare bene per il giorno dopo. Baldi alzò gli occhi al cielo. «Non le nascondo che una giornata di sole mi piacerebbe».

«Anche a me».

«Ci fumiamo l'ultima sigaretta e ce ne andiamo a letto?».

«Con piacere». Rocco offrì una Camel al magistrato, gliel'accese, poi se ne mise una in bocca.

«Terribile» fu il primo commento di Baldi sputando il fumo.

«Cosa, la sigaretta?».

«No, Sensini. Lo zio... ecco perché Mirko aspettava fuori dalla scuola. Come le è venuta l'illuminazione?».

«Acca Gi Wells. Quella merda mi ha raccontato che aveva chiamato la sua armeria come il negozio dei genitori di quello scrittore».

«Cioè?».

«Atlas House... Atlante insomma. Pare tenessero in vetrina una lampada con la scultura del titano che portava il globo sulle spalle».

«Lei ha una bella memoria».

«No, casuale. Perché, vede, il problema di Atlante è anche il mio».

Baldi aspirò un'altra boccata. «Porta tutto sulle spalle?».

«Sì...».

«Si sente responsabile anche quando non lo è?».

«Sì».

«Comunque, lei non è un titano».

«No, sono solo un povero stronzo».

Baldi ridacchiò.

«E poi Sensini non mi faceva entrare in casa. Mi anticipava sempre scendendo in strada. Si ricorda quando ci ha portato la macchina da scrivere?».

«Ora che ci penso è vero. Scese di corsa un po' affannato. Mi parve curioso, era tardi, perché non farci salire?».

«Appunto. E con me era la seconda volta che si comportava così...».

Baldi gettò la sigaretta. «Bella la cena a casa di Fumagalli».

«Sì, compagnia divertente».

«Interessante...».

«Chi?».

«Quell'archeologa. Ha lavorato per noi?».

«Sì», con una schicchera Rocco spedì la cicca vicino al marciapiede. «Ci ha aiutati a riesumare le ossa di Mirko». Si guardarono in silenzio. Baldi aprì la bocca per parlare, ma Rocco lo anticipò alzando le mani. «Non penso a niente, dottor Baldi, nessuna speculazione sul suo apprezzamento».

«Infatti. Io parlavo della caratura professionale e della sua simpatia».

«E chi dice il contrario?».

«E ha anche un bel senso dell'umorismo».

«Vero. Dovessimo trovare in giro qualche tomba, la ricontatteremo».

«Giusto». Baldi imbarazzato si guardò le scarpe. «Bene, è tardi. Io torno a casa». Allungò la mano e strinse con forza quella di Rocco. «È un mondo di merda, ma questo ci tocca» concluse, poi si avviò verso la sua auto. Rocco invece decise di andare a piedi.

Passo lento, sfilava accanto ai negozi chiusi e alle vetrine in ombra. Si fermò a guardare quelle di un negozio sportivo. Seicento euro una giacca a vento. Sorrise. Si sentì un vigliacco, doveva andare lui a parlare con Amalia, dirle la verità che quella, forse, non avrebbe accettato. Non subito, almeno. Il rumore di un portone che si chiudeva attirò la sua attenzione. Si voltò. La vide attraversare la piazza con passo sicuro, lo sguardo a terra di chi ha una meta precisa e non molto tempo a disposizione. Immaginava che avesse appena fatto le telefonate per bloccare la stampa e uscire per prima l'indomani con la notizia dell'arresto del colpevole della morte di Mirko Sensini. Si augurò che questo colpo le assicurasse il trasferimento a Torino, non avrebbe dovuto più porsi domande alle quali non aveva risposta. Poi Sandra si bloccò e si voltò verso di lui. Era a un centinaio di metri. Si guardarono da lontano, gli unici esseri viventi in una piazza deserta sotto un cielo di stelle fredde.

«Va' da lei».

«A fare che?».

«Ti aspetta».

«Sono io che non aspetto lei».

«Basta che fai un solo passo in avanti, lei ti verrà incontro».

«Lasciami stare Marina».

«Se ne sta lì a guardarti. Fai un passo. Provaci, ascoltami. È bella, sa ridere, è viva, Rocco».

«Non posso!» grido, Marina è riflessa sulla vetrina. «Non posso, lo capisci? Non serve a niente, dura il tempo di una notte, ed è tutto inutile. È morto» e mi indico il cuore. Marina scoppia a ridere. «Buffone!» mi dice. «Fai questo passo, fallo per me, io non ti posso più vedere così».

«Così come?».

«Avanti!».

La guardo. Poi guardo Sandra. Mi sembra che stia sor-

393

ridendo. Mi manda un bacio con la mano, da lontano, poi riprende a camminare e sparisce nel vicolo.

Ciao Sandra, goditi la vita, la mia l'hai vista da vicino com'è, no?

«L'hai fatta scappare» mi dice Marina e ha il viso triste. «Non ti sente, è inutile che le parli».

Poi, piano piano, Marina diventa il manichino nella vetrina con indosso la giacca a vento da seicento euro. Ferma e immobile, sparisce il viso, spariscono gli occhi, il vetro diventa di latte, non riesco a leggere più il prezzo del completo accanto. «Marina?» la chiamo. «Amore mio?».

«Lasciati andare», è la sua voce che arriva dall'altra parte della strada. Ora laggiù c'è lei al posto di Sandra. «Buonanotte Rocco, mille volte buonanotte!».

«Non torni?».

Alza appena le spalle e se ne va, veloce come i sogni la mattina prima della sveglia.

Schiavone si accese una sigaretta, si voltò e proseguì verso casa. C'erano Lupa e i cuccioli da accudire. Arrivò al portone e infilò le chiavi. Poggiò la testa sul legno gelato e lasciò andare tutte le lacrime che da ore avevano riempito le ghiandole e non vedevano l'ora di uscire. Pianse per Mirko, per Sandra, per Amalia, per Sebastiano, Marina e poi anche per se stesso. Si asciugò gli occhi vergognoso. «Ma che cazzo ti dice la testa?» disse ad alta voce aprendo il portone. Un suono dal cellulare lo fermò sull'uscio. Era un messaggio di Gabriele. «Ciao Ground Control. Lo sai? Il prossimo weekend vengo ad Aosta per un compleanno. Mangiamo insieme? Paghi tu, sia chiaro. Voglio vedere i cuccioli! Ah, mi devi spiegare una cosa. Insomma poi ti racconto. Anzi no, te la scrivo, che mi viene più facile. Come si usano i preservativi? Ho fatto le prove in bagno, ma non ci riesco». Digitò la risposta. «Major Tom, e che ci vuole? Pensa a un guanto con un dito solo. Se sbagli la mira fatte visita' da uno bravo! Sono felice di vederti. A presto pische'!».

Lupa e i cuccioli dormivano. Si stese sul divano e dopo un'ora prese sonno. E fu senza sogni, buio e profondo, come fosse caduto in una buca in un bosco.

Il protocollo EVA è una modalità operativa della Polizia di Stato per il primo intervento degli operatori nei casi di violenza di genere (maltrattamenti in famiglia, stalking, abusi, liti familiari). È stato presentato nel 2017, l'ho anticipato di tre anni per necessità narrative.

Ringrazio il mio amico Giorgio B. per la consulenza e il Labanof per il racconto della loro attività che mi ha aiutato nella stesura di questo libro.

Indice

Le ossa parlano

Questo volume è stato stampato
su carta Arena Ivory Smooth
delle Cartiere Fedrigoni
nel mese di gennaio 2022
presso la Leva srl - Milano
e confezionato
presso IGF s.p.a. - Aldeno (TN)

La memoria